Ciro Massimo Naddeo • Euridice Orlandino

DIECI
lezioni di italiano

corso di lingua italiana per stranieri

A1

ALMA
Edizioni

redazione: Diana Biagini

apparati
test, progetto, fonetica: Euridice Orlandino
cultura: Ciro Massimo Naddeo, Euridice Orlandino
grammatica, vocabolario, esercizi: Diana Biagini

ascolto immersivo®: Ciro Massimo Naddeo

videocorso (script e attività): Marco Dominici

copertina e progetto grafico: Lucia Cesarone

impaginazione: Lucia Cesarone e Sandra Marchetti

illustrazioni: Manuela Berti

I crediti delle immagini sono riportati all'indirizzo www.almaedizioni.it/dieciA1/crediti

Un grazie a tutti i consulenti scientifici, i collaboratori, gli insegnanti, gli studenti, le scuole e le istituzioni
che ci hanno aiutato in questo progetto. Un ringraziamento particolare a Giovanna Rizzo, Anna Colella, Anna Barbierato,
Danila Piotti, Carmen Atiénzar, Eugenia Beronio, Francesca Branca, Maximilian Magrini Kunze, Paolo Torresan, Giuliana
Trama, Giorgio Massei, Rosella Bellagamba, gli insegnanti e gli studenti della scuola *Edulingua* di San Severino Marche
(Italia), Ada Plazzo e gli insegnanti e gli studenti della scuola *Ama l'Italiano* di Barcellona (Spagna).

NOTA:
le attività 2b (pag. 136, COMUNICAZIONE) e 4 (pag. 81) della Lezione 6C sono un'idea di Paolo Torresan, a cui va il nostro
ringraziamento.

Printed in Italy
ISBN 978-88-6182-621-2

ALMA Edizioni
viale dei Cadorna, 44
50129 Firenze
alma@almaedizioni.it
www.almaedizioni.it

INDICE

	COMUNICAZIONE	GRAMMATICA	LESSICO

INDICE

DIECI è un manuale diverso dagli altri. Perché?

1 Perché ha una struttura agile e innovativa

DIECI A1 comprende **10 lezioni**.
Ognuna è composta da una pagina introduttiva **1**
di presentazione del tema e da **4 sezioni**
su doppia pagina affiancata. **1A** **1B** **1C** **1D**

Le sezioni, anche se collegate tematicamente,
prevedono **percorsi autonomi** che l'insegnante
può completare in uno o due incontri.

Gli elementi grammaticali e lessicali più importanti
di ogni sezione sono indicati nella parte alta
della pagina.

Alla fine di ogni sezione si rimanda alle relative
schede di GRAMMATICA e VOCABOLARIO
con esercizi sugli elementi grammaticali e lessicali
presentati. Lo studente può così esercitare ciò
su cui ha appena lavorato.

1A

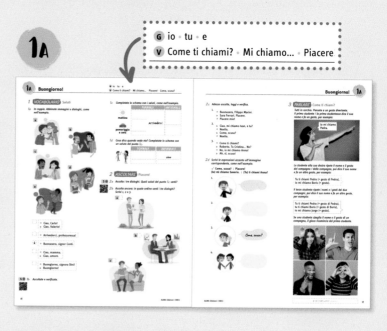

1B

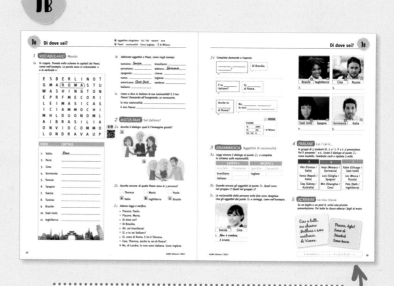

▶ GRAMMATICA ES 2, 3, 4 e 5   ▶ VOCABOLARIO ES 4

Perché ha
i testi parlanti

Oltre agli audio dei dialoghi,
ogni lezione propone un **TESTO PARLANTE**:
una lettura ad alta voce di un testo scritto
della lezione.

In un momento successivo al lavoro in classe,
lo studente può così tornare su un testo già
noto e concentrarsi su intonazione e pronuncia,
scoprire ulteriori sfumature di significato,
rinforzare la memorizzazione di vocaboli,
espressioni o costrutti.

Perché presenta
la lingua pratica

L'ultima sezione ha un forte **carattere pratico**
e permette allo studente di districarsi nelle
principali situazioni comunicative previste dal
Quadro Comune Europeo di Riferimento per
il livello A1. Si chiama infatti **ITALIANO IN PRATICA**.

Perché ha
i decaloghi

Alla fine di ogni lezione DIECI propone una
lista riassuntiva con i 10 elementi lessicali,
grammaticali o comunicativi più importanti
appena presentati. Un modo efficace per
fissare le strutture studiate in classe e un utile
strumento di consultazione che lo studente
può usare per recuperare parole, forme
grammaticali o espressioni.

Perché ha
l'ascolto immersivo®

Come compito finale, lo studente è invitato
ad ascoltare (preferibilmente in cuffia) un audio
di durata più lunga che ingloba parti di dialoghi
proposti nella lezione appena conclusa.
La traccia, accompagnata da una **base musicale**,
favorisce una condizione di **"concentrazione
rilassata"** e l'**acquisizione profonda** di forme
linguistiche, formule comunicative, costrutti
analizzati nella lezione.

L'ASCOLTO IMMERSIVO®, ideale per lo studio
individuale a casa, può essere proposto anche
in classe dagli insegnanti interessati a
sperimentare nuove tecniche di apprendimento.

ITALIANO IN PRATICA

*Inquadra il QRcode a sinistra o vai
su www.almaedizioni.it/dieciA1,
chiudi gli occhi, rilassati e ascolta.*

6 Perché è flessibile e adattabile alle diverse esigenze

DIECI ha una struttura che facilita il lavoro degli insegnanti, perché li lascia liberi di decidere di volta in volta se seguire in tutto o in parte il percorso proposto nelle lezioni, in base al tempo e ai bisogni specifici degli studenti.

In particolare la sezione **COMUNICAZIONE** raccoglie le attività e i giochi di coppia o di gruppo, il cui **carattere opzionale** permette di scegliere se adottare una modalità di lavoro più o meno dinamica e di decidere se dedicare più o meno tempo all'approfondimento di determinati argomenti della lezione.

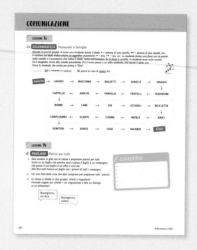

7 Perché ha un videocorso a puntate

DIECI è accompagnato da un **VIDEOCORSO in 10 puntate**.
Si tratta di una vera e propria **sitcom**, con finali "sospesi", personaggi che vengono svelati progressivamente, enigmi da risolvere.
Gli episodi sono disponibili con o senza sottotitoli.

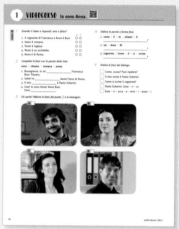

8 Perché ha progetti, liste di cultura e test a punti

Ogni lezione di DIECI prevede un **PROGETTO** finale da realizzare in gruppo e una scheda di **CULTURA** che è anche un **vademecum** in 10 punti per scoprire l'Italia, sfatare cliché, evitare malintesi.

Inoltre alla fine di ogni lezione lo studente può verificare le proprie conoscenze con i **TEST** di autovalutazione a punti.

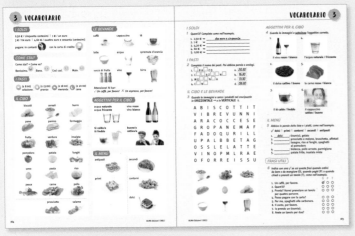

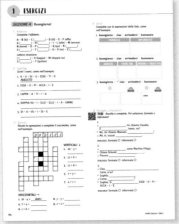

9 — Perché ha una grammatica e un vocabolario illustrato con esercizi

Per ogni lezione, DIECI propone una doppia pagina di **GRAMMATICA** (e la relativa videogrammatica), con tabelle e spiegazioni a sinistra e esercitazioni a destra. In questo modo, per ogni regola è possibile visualizzare immediatamente i relativi esercizi.

Anche la sezione di **VOCABOLARIO** è organizzata su doppia pagina affiancata: a sinistra è disponibile un vero e proprio **dizionario illustrato**, con le parole della lezione; mentre a destra sono collocati gli esercizi lessicali.

In aggiunta a questi apparati, DIECI propone anche una sezione sulla **FONETICA**, con regole ed esercizi.

Infine, è presente anche un **ESERCIZIARIO** generale alla fine del volume, che segue la suddivisione delle lezioni (A, B, C, D) e propone esercizi di fissazione, rinforzo e ampliamento.

10 — Perché ha i fumetti di "Vivere e pensare all'italiana"

Collocato all'interno dell'eserciziario finale, **VIVERE E PENSARE ALL'ITALIANA** presenta divertenti episodi a fumetti ambientati in diverse città italiane. Ogni episodio illustra le vicissitudini di un turista straniero, Val, e del suo amico Piero, che lo aiuta a districarsi in situazioni difficili per chi non conosce la cultura del nostro Paese.

E non finisce qui! Se hai l'ebook puoi fruire di tutti i materiali del corso da computer, tablet o smartphone, sia online che offline. Con oltre 400 esercizi interattivi e la possibilità per l'insegnante di creare e gestire la classe virtuale, assegnare compiti e monitorare il lavoro e i progressi degli studenti.

PAROLE UTILI IN CLASSE

FOCUS

COME SI DICE?
- Come si dice?
- Si dice libro.

LEZIONE 0

LETTERE E NUMERI

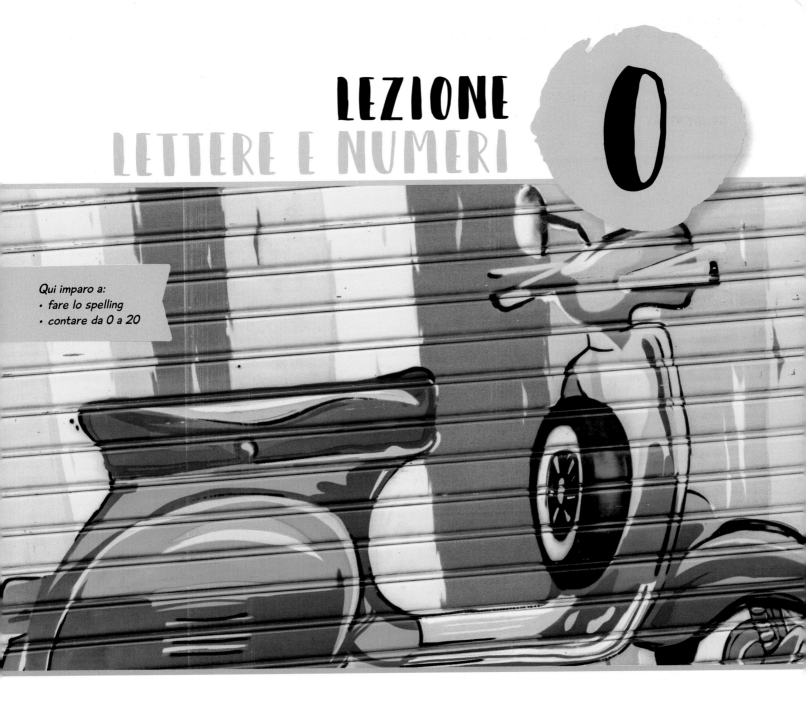

Qui imparo a:
- fare lo spelling
- contare da 0 a 20

COMINCIAMO

a Scrivi le parole italiane che conosci. Con quale lettera cominciano? Per esempio: P = pizza.

A	B	C	D	E
F	G	H	I	L
M	N	O	P	Q
R	S	T	U	V
Z				

b In coppia: conosci le parole del compagno? Sono uguali? Diverse?
Completa la tua lista con le parole nuove del compagno. Cambia coppia più volte.

c Quando l'insegnante dice STOP!, torna al tuo posto. Quante parole italiane conosci?

0 Lettere e numeri

G alfabeto • sì / no
V Come si scrive? • numeri da 0 a 20 • Ciao!

1 *GRAMMATICA* Alfabeto

1a *Ascolta e ripeti.*

a	bi	ci	di
Amore	Bacio	Ciao	Dieci
e	effe	gi	acca
Espresso	Firenze	Grazie	Hotel
i	elle	emme	enne
Italia	Lasagna	Mamma	Napoli
o	pi	qu	erre
Opera	Pasta	Questo	Roma
esse	ti	u	vu
Spaghetti	Tiramisù	Uno	Vespa
zeta			
Zanzara			

1b *Leggi queste sigle "in italiano".*

1.   2.   3. GPS   4.   5.   6.

1c *Ascolta le lettere presenti solo in parole straniere e ripeti.*

J i lunga   K kappa   W doppia vu   X ics   Y ipsilon

1d *In coppia. A turno, selezionate un nome dalla lista. L'altro studente indovina. Seguite l'esempio.*

bravo | grazie | ✓cappuccino
pizza | ciao | maestro | bellissimo
mamma | gelato | pasta

ESEMPIO: **cappuccino**
● **Come si scrive?**
▶ **Si scrive** ci – a – pi – pi – u – ci – ci – i – enne – o.
● Cappuccino?
▶ ✓ Sì! (✗ No!)

2 VOCABOLARIO Numeri da 0 a 20

2a *Leggi e ascolta i numeri.*

3 ▶

0 zero

1 uno   2 due   3 tre   4 quattro   5 cinque

6 sei   7 sette   8 otto   9 nove   10 dieci

11 undici   12 dodici   13 tredici   14 quattordici   15 quindici

16 sedici   17 diciassette   18 diciotto   19 diciannove   20 venti

2b *In coppia (studente **A** e studente **B**). Memorizzate i numeri da 0 a 20, poi chiudete il libro.*
*Contate: **A** dice 0, **B** dice 1, **A** dice 2, ecc. Poi ricominciate: **B** dice 0, **A** dice 1, ecc. Attenzione: se uno studente sbaglia,*
ricominciate da 0!

2c *Con tutta la classe. Cominciate a contare dal numero 0. Ogni studente dice un numero.*
Quando arrivate:
• al numero 4
• a un multiplo di 4 (per esempio 8)
è vietato dire il numero: dovete <u>alzarvi e dire CIAO!</u>
Quando uno studente sbaglia, ricominciate da 0.

Qui imparo a:
- *salutare*
- *presentarmi*
- *presentare qualcuno*
- *fare domande in classe*

COMINCIAMO

In coppia. Trovate e <u>sottolineate</u> quattro saluti in italiano.
Poi scrivete negli spazi le lettere che rimangono e formate una frase.

B E N C I A O V E B U O N G I O R N O N U T I B U O N A S E R A I N D I E A R R I V E D E R C I C I

☐☐☐☐☐☐☐☐☐ ☐☐ ☐☐☐☐☐!

G io • tu • e
V Come ti chiami? • Mi chiamo... • Piacere! • Come, scusa?

1 VOCABOLARIO Saluti

1a In coppia. Abbinate immagini e dialoghi, come nell'esempio.

a

b

c

d

e

- [ ] ● Ciao, Carlo!
  ▶ Ciao, Valerio!

- [ ] ● Arrivederci, professoressa!

- [6] ● Buonasera, signor Conti.

- [ ] ● Ciao, mamma.
  ▶ Ciao, amore.

- [ ] ● Buongiorno, signora Dini!
  ▶ Buongiorno!

4 ▶ **1b** Ascoltate e verificate.

1c Completate lo schema con i saluti, come nell'esempio.

	FORMALE	INFORMALE
☀ mattina	....	
🌅 pomeriggio e sera	*arrivederci*	....

1d Cosa dico quando vado via? Completate lo schema con un saluto del punto **1c**.

FORMALE	INFORMALE
....	*ciao* ....

2 ASCOLTARE Piacere!

5 ▶ **2a** Ascolta i tre dialoghi. Quali saluti del punto **1c** senti?

2b Ascolta ancora: in quale ordine senti i tre dialoghi? Scrivi 1, 2 o 3.

a [ ]

b [ ]

c [ ]

2c *Adesso ascolta, leggi e verifica.*

1.
- ● Buonasera, Filippo Marini.
- ▸ Sara Ferrari. Piacere.
- ● Piacere mio!

2.
- ▸ Ciao, mi chiamo Ivan, e tu?
- ● Noelia.
- ▸ Come, scusa?
- ● Noelia.

3.
- ● Come ti chiami?
- ▸ Roberto. Tu Cristina... No?
- ● No, io mi chiamo Anna!
- ▸ Ah, sì, scusa!

2d *Scrivi le espressioni accanto all'immagine corrispondente, come nell'esempio.*

✓ **Come, scusa?** | **Piacere!**
(Io) mi chiamo Saverio. | **(Tu) ti chiami Anna?**

1.

2.

3.

Come, scusa?

4.

3 PARLARE Come ti chiami?

*Tutti in cerchio. Pensate a un gesto divertente.
Il primo studente / la prima studentessa dice il suo nome e fa un gesto, per esempio:*

Io mi chiamo Pedra.

Lo studente alla sua destra ripete il nome e il gesto del compagno / della compagna, poi dice il suo nome e fa un altro gesto, per esempio:

Tu ti chiami Pedra (+ gesto di Pedra),
io mi chiamo Boris (+ gesto).

Il terzo studente ripete i nomi e i gesti dei due compagni, poi dice il suo nome e fa un altro gesto, per esempio:

Tu ti chiami Pedra (+ gesto di Pedra),
tu ti chiami Boris (+ gesto di Boris),
io mi chiamo Jorge (+ gesto).

Se uno studente sbaglia il nome o il gesto di un compagno, il gioco ricomincia dal primo studente.

Di dove sei?

1 VOCABOLARIO · Mondo

1a *In coppia. Trovate nello schema le capitali dei Paesi, come nell'esempio. Le parole sono in orizzontale → o in verticale ↓.*

E	S	B	E	R	L	I	N	O	T
G	M	A	R	O	M	A	S	T	U
W	A	S	H	I	N	G	T	O	N
E	P	R	F	M	E	C	O	R	I
L	E	I	M	A	S	I	C	A	S
I	C	I	A	M	M	O	C	H	I
M	H	L	D	U	O	N	O	M	L
A	I	B	R	A	S	I	L	I	A
O	N	V	I	D	C	O	M	M	O
L	O	N	D	R	A	V	A	U	P

PAESE	CAPITALE
1. Italia:	*Roma*
2. Perù:	
3. Cina:	
4. Germania:	
5. Russia:	
6. Spagna:	
7. Svezia:	
8. Tunisia:	
9. Brasile:	
10. Stati Uniti:	
11. Inghilterra:	

1b *Abbinate aggettivi e Paesi, come negli esempi.*

tunisino: *Tunisia*
peruviano: _____
spagnolo: _____
russo: _____
americano: *Stati Uniti*
italiano: _____

brasiliano: _____
tedesco: *Germania*
cinese: _____
inglese: _____
svedese: _____

1c *Come si dice in italiano la tua nazionalità? E il tuo Paese? Domanda all'insegnante, se necessario.*

la mia nazionalità: _____
il mio Paese: _____

2 ASCOLTARE · Sei italiano?

6 ▶ **2a** *Ascolta il dialogo: qual è l'immagine giusta?*

1

2

2b *Ascolta ancora: di quale Paese sono le 3 persone?*

☐ Theresa ☐ Maria ☐ Paolo

a Italia **b** Inghilterra **c** Brasile

2c *Adesso leggi e verifica.*

▸ Piacere, Paolo.
● Piacere, Maria.
▸ Di dove sei?
● Di Brasilia.
▸ Ah, sei brasiliana!
● Sì, e tu sei italiano?
▸ Sì, sono di Roma. E lei è Theresa.
● Ciao, Theresa, anche tu sei di Roma?
◆ No, di Londra. Io non sono italiana. Sono inglese.

2d *Completa domande e risposte.*

> _____
> _____ ?

> Di Brasilia.

> E tu _____
> italiano?

> Sì, _____
> di Roma.

> Anche tu
> _____
> di Roma?

> No, _____ _____.
> Io non _____ _____.

| Brasile | Inghilterra |
2.

| Cina | Russia |
3.

| Stati Uniti | Spagna |
4.

| Germania | Italia |
5.

🔆 **FOCUS**

ESSERE
io	sono	⌐
tu	sei	⊢ di Milano
lui / lei	è	⌐

3 **GRAMMATICA** **Aggettivi di nazionalità**

3a *Leggi ancora il dialogo al punto 2c e completa lo schema sulle nazionalità.*

GRUPPO 1		GRUPPO 2	
maschile	femminile	maschile	femminile
brasiliano		inglese	
italiano			

3b *Guarda ancora gli aggettivi al punto 1b. Quali sono nel gruppo 1? Quali nel gruppo 2?*

3c *Le nazionalità delle persone nelle foto sono sbagliate. Usa gli aggettivi del punto 1b e correggi, come nell'esempio.*

| Svezia | Cina |

1. *Non è svedese,*
   è cinese.

4 **PARLARE** **Lui / Lei è...**

In gruppi di 3 studenti (A, B e C). A e B si presentano. Poi A presenta C a B. Usate il dialogo al punto 2c come modello. Cambiate ruoli e ripetete 3 volte.

A	B	C
Vito (Firenze / Italia)	Anja (Monaco / Germania)	Katie (Chicago / Stati Uniti)
Vania (Napoli / Italia)	Luis (Siviglia / Spagna)	Lev (Mosca / Russia)
Clay (Sidney / Australia)	Min (Shanghai / Cina)	Pete (Bath / Inghilterra)

5 **SCRIVERE** **La mia classe**

Su un foglio o un post-it, scrivi una piccola presentazione. Poi tutta la classe attacca i fogli al muro.

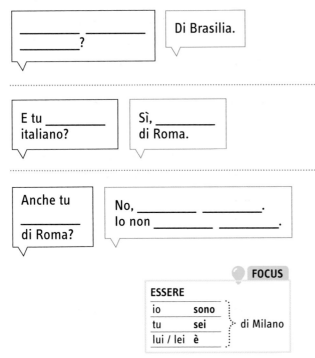

> *Ciao a tutti,*
> *mi chiamo*
> *Mathias e sono*
> *austriaco,*
> *di Vienna.*

> *Piacere, Ayla!*
> *Sono di*
> *Istanbul.*
> *Sono turca.*

Che cos'hai nella borsa?

G avere • un / una • nome singolare
V Ho un dizionario. • Hai una penna?

1 LEGGERE Oggetti per studiare

Leggi il volantino, poi rispondi alla domanda.

testo parlante 7 ▶

Benvenuto alla scuola di lingue UNO DUE TRE

Sei uno **studente**? Hai una **lezione** gratis!
E con l'iscrizione un regalo fantastico per te:

● uno **zaino**

● un **dizionario**

● una **penna**

● un'**agenda**

● una **matita**

● un **evidenziatore**

● un **quaderno**

● una **chiave USB**

Ci vediamo in classe!

Tu quali oggetti
hai del volantino?

Ho un quaderno...

FOCUS

AVERE	
io	**ho**
tu	**hai**
lui / lei	**ha**

2 GRAMMATICA Articolo indeterminativo

2a *Memorizza gli oggetti del testo con l'articolo un, un', uno, una.*

2b *In coppia. A turno, selezionate una casella e fate una frase come nell'esempio. Se la frase è giusta, conquistate la casella. Vince chi conquista più caselle.*

ESEMPIO:

Non è
una sedia,
è un libro.

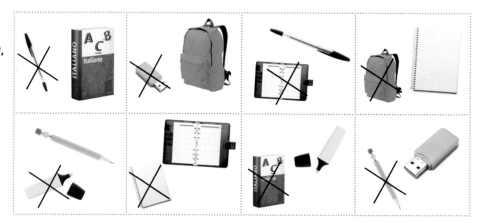

ALMA Edizioni | DIECI

2c *Completa lo schema con gli articoli indeterminativi della lista.*

un' | un | una | uno

MASCHILE		FEMMINILE	
....	....	....	....
quaderno	zaino	penna	agenda
dizionario	studente	matita	
evidenziatore		chiave	

3 **PARLARE** Hai...?

3a *Guarda che cos'hai nella borsa o nello zaino. Se necessario, domanda all'insegnante come si dice in italiano.*

3b *Vai in giro per la classe con la borsa / lo zaino. Domanda a un compagno se ha un oggetto, come nell'esempio. Se la risposta è sì, prendi l'oggetto. Poi domanda a un altro compagno se ha un altro oggetto. Fai domande a 4 o 5 compagni.*

> **Hai** un libro?

> Sì.

3c *Presenta gli oggetti dei compagni alla classe.*

> **Ho** un libro di Miguel,
> un quaderno di Katarina,
> una penna di Alexander...

4 **GRAMMATICA** Maschile e femminile

*Completa lo schema con le parole **evidenziate** del punto **1**, come negli esempi.*

ULTIMA
LETTERA

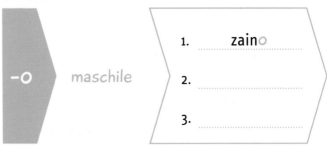

-o maschile
1. zaino
2. ....
3. ....

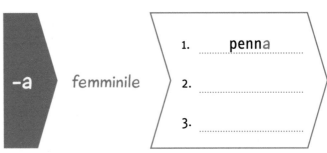

-a femminile
1. penna
2. ....
3. ....

-e maschile
1. studente
2. ....

o femminile
1. lezione
2. ....

▶ *GRAMMATICA* ES 6, 7, 8, 9 e 10 ▶ *VOCABOLARIO* ES 5   **21**

1 ASCOLTARE Come, scusi?

8 ▶ 1a *Ascolta il dialogo: dove sono le due persone?*

1. ○ in un ristorante   2. ○ in un hotel   3. ○ in un ospedale

1b *Ascolta ancora e seleziona il documento dell'uomo.*

1

PASSAPORTO REPUBBLICA ITALIANA

Nome:
ALDO
Cognome:
STANKOVIC
Residenza:
ROMA

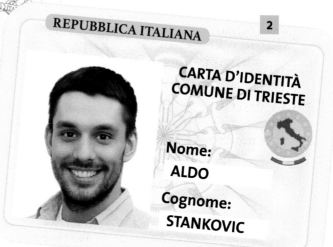

REPUBBLICA ITALIANA   **2**

CARTA D'IDENTITÀ
COMUNE DI TRIESTE

Nome:
ALDO
Cognome:
STANKOVIC

1c *Abbina le frasi e la reazione corrispondente, come nell'esempio.*
Poi leggi il dialogo e verifica.

1. Salve.   a. Sì, va bene la carta di identità?

2. Come si chiama?   b. Prego.

3. Come si scrive il cognome?   c. Buonasera.

4. Ha un documento, per favore? d. Aldo Stankovic.

5. Grazie.   e. Esse – ti – a – enne – kappa – o – vu – i – ci.

- ▶ Salve.
- ● Buonasera.
- ▶ Ho una prenotazione.
- ● Bene! Come si chiama?
- ▶ Aldo Stankovic.
- ● Come, scusi? Può ripetere?
- ▶ Aldo Stankovic.
- ● Come si scrive il cognome?
- ▶ Esse – ti – a – enne – kappa – o – vu – i – ci.
- ● Ok... Signor Aldo... Stankovic. Ha un documento, per favore?
- ▶ Sì, va bene la carta di identità?
- ● Certo... Ah, Lei è di Trieste! Una città bellissima! Allora... Camera diciotto.
- ▶ Grazie.
- ● Prego. Buonanotte!

2 GRAMMATICA Formale o informale?

2a *Le frasi nello schema sono informali. Leggi ancora il dialogo al punto 1c e scrivi la versione formale.*

INFORMALE	FORMALE
1. Come ti chiami?	
2. Tu sei di Trieste.	
3. Hai un documento?	

2b *Completa la regola.*

In un contesto formale usiamo il pronome:
○ tu ○ lui ○ Lei

💡 FOCUS

INFORMALE	FORMALE
Puoi ripetere?	Può ripetere?
Come, scusa?	Come, scusi?

3 PARLARE In un hotel

In coppia (studente A e studente B). Fate un role-play formale in un hotel in Italia. Leggete le istruzioni.

STUDENTE A Sei un receptionist italiano / una receptionist italiana. Arriva un / una turista. Ha una prenotazione. Fai domande per avere informazioni.

STUDENTE B Sei un / una turista in Italia, sei alla reception di un hotel, hai una prenotazione.

DIECI domande utili

1 Come ti chiami?

2 Puoi ripetere?

3 Di dove sei?

4 Come si dice?

5 Sei italiano?

6 Che significa?

7 Sei di Roma?

8 Anche tu?

9 Come si scrive?

10 Come, scusa?

Leggi le 10 domande: una **non** è nelle *Lezioni 0 e 1*. Quale? Domanda all'insegnante che cosa significa. ☺

 ASCOLTO IMMERSIVO® *Inquadra il QRcode a sinistra o vai su www.almaedizioni.it/dieciA1, chiudi gli occhi, rilassati e ascolta.*

VIDEO

1 *Guarda il video e rispondi: vero o falso?*

	V	F
1. Il cognome di Francesca e Anna è Busi.	○	○
2. Ivano è romano.	○	○
3. Paolo è inglese.	○	○
4. Paolo è un architetto.	○	○
5. Anna è di Roma.	○	○

2 *Completa le frasi con le parole della lista.*

sono | chiamo | romana | nome

1. Buongiorno. Io mi _____ Francesca Busi. Piacere.
2. Salve! Io _____ Ivano! Sono di Roma.
3. Il mio _____ è Paolo Scherini.
4. Ciao! Io sono Anna! Anna Busi.
   Sono _____.

3 *Chi parla? Abbina le frasi del punto 2 e le immagini.*

4 *Ordina le parole e forma frasi.*

1. come | E | tu | chiami | ti
   _____?

2. sei | dove | Di
   _____?

3. cognome | Come | il | si | scrive
   _____?

5 *Ordina le frasi del dialogo.*

☐ Come, scusa? Puoi ripetere?
☐ Il mio nome è Paolo Scherini.
☐ Come si scrive il cognome?
☐ Paolo Scherini. Sche – ri – ni.
☐ Esse – ci – acca – e – erre – i – enne – i.

a

b

c

d

LE DIECI PAROLE PREFERITE

1 In gruppi di 3 (studente A, B, C). Ogni gruppo scrive una lista di parole "preferite" in italiano. Vanno bene le parole della *Lezione 1*, o altre. Tutti gli studenti scrivono.

2 Formate gruppi diversi: uno di studenti A, uno di studenti B, uno di studenti C. I nuovi gruppi leggono le varie liste e selezionano 10 parole "preferite".

3 Ogni studente torna al gruppo iniziale e mostra la lista del punto **2**. Il gruppo iniziale seleziona 5 parole "preferite".

4 Alla fine, con l'insegnante, gli studenti votano le DIECI parole preferite della classe. Scrivete la lista tutti insieme.

DIECI NOMI MOLTO USATI

1 FRANCESCO

2 SOFIA

3 ALESSANDRO

4 AURORA

5 LEONARDO

6 GIULIA

7 LORENZO

8 EMMA

9 MATTIA

10 GIORGIA

<u>Uno</u> solo di questi nomi in italiano è femminile: quale?

○ Andrea   ○ Simone

○ Daniele   ○ Alice

○ Nicola   ○ Emanuele

GRAMMATICA

1 Seleziona l'opzione corretta tra quelle **evidenziate**.

1. Ciao, io **sono / sei** Tim, e tu?

2. Signora, **tu / Lei** è tunisina?

3. Tu come **ti / si** chiami?

4. Florian è **un / uno** studente di Amsterdam.

5. **Scusa / Scusi**, Lei come si chiama?

6. Francesco, tu **ho / hai** una matita, per favore?

| OGNI MODIFICA CORRETTA = 5 PUNTI | ___ / 30 |

2 Completa con l'articolo un, uno, una, un'.

_____ studentessa   _____ agenda

_____ libro   _____ zaino

_____ prenotazione

| OGNI ARTICOLO CORRETTO = 2 PUNTI | ___ / 10 |

VOCABOLARIO

3 ~~Cancella~~ l'intruso in ogni serie.

AFRICA: **Egitto | Marocco | Sudafrica | Svezia**

EUROPA: **Irlanda | Messico | Germania | Spagna**

AMERICA: **Canada | Perù | Cina | Argentina**

ASIA: **Inghilterra | Vietnam | Giappone | India**

OCEANIA: **Nuova Zelanda | Australia | Polinesia Stati Uniti**

| OGNI SERIE CORRETTA = 3 PUNTI | ___ / 15 |

4 Adesso scrivi l'aggettivo corrispondente ai Paesi "intrusi" del punto **3**.

_____

_____

_____

_____

_____

| OGNI AGGETTIVO CORRETTO = 4 PUNTI | ___ / 20 |

5 Ordina i numeri dal più piccolo al più grande.

**nove | sedici | zero | venti | sette
undici | uno | tredici | diciotto | cinque**

↳ _____ ↳ _____ ↳ _____

↳ _____ ↳ _____ ↳ _____

↳ _____ ↳ _____

↳ _____ ↳ _____

| TUTTA LA SERIE CORRETTA = 10 PUNTI | ___ / 10 |

COMUNICAZIONE

6 Ordina le frasi dei 3 dialoghi, come negli esempi. Poi abbina dialoghi e immagini.

1.
☐ Tania Mori.
☐ Buonasera, ho una prenotazione. Mi chiamo Tania Mori.
4 Sì, allora... Camera quattordici, signora Mori.
☐ Come, scusi?

2.
2 Piacere, Juan.
☐ Di dove sei?
☐ Di Cordoba.
☐ Salve, io mi chiamo Luca, e tu?

3.
2 Si dice *chiave*.
☐ Grazie.
☐ Può ripetere, per favore?
6 Prego.
☐ Come si dice *key*?
4 Chiave.

| OGNI FRASE AL POSTO GIUSTO = 1 PUNTO | ___ / 9 |
| OGNI ABBINAMENTO CORRETTO = 2 PUNTI | ___ / 6 |

| TOTALE | ___ / 100 |

AUTOVALUTAZIONE

CHE COSA SO FARE IN ITALIANO?	😊	😐	☹
salutare e presentarmi	○	○	○
fare domande in classe	○	○	○
fare lo spelling	○	○	○

Qui imparo a:
- *dire l'età*
- *dire che lingue parlo*
- *indicare il mio lavoro*
- *presentare una persona*
- *dire dove abito*

COMINCIAMO

a   Completa il modulo di Sofia con le parole della lista, come negli esempi.

città | e-mail | ✓cognome | professione | nazionalità paese | nome | numero di telefono | ✓indirizzo

b   Rispondi alla domanda, come nell'esempio:
in italiano che cosa si scrive con la lettera maiuscola?

- ○ nome
- ○ cognome
- ○ città
- ◉ paese
- ○ nazionalità
- ○ professione

_____ : Sofia

cognome : Fantini

indirizzo : piazza Giuseppe Verdi, 9

_____ : Bologna

_____ : Italia

_____ : 051 / 61713210

_____ : s.fantini@gmail.com

_____ : italiana

_____ : insegnante

1 LEGGERE Tre studenti

1a *Completa con i numeri, come nell'esempio.*

6 (sei) | **26 (ventisei)** | ✓ **31 (trentuno)** | **53 (cinquantatré)**

Questo è Juan, un
ragazzo spagnolo.
Ha _____ anni e
studia italiano
in una scuola di
Madrid. Juan è un
interprete. Parla
spagnolo, inglese
e tedesco.

Questa è Katy, una ragazza americana.
Ha _31_ anni. Katy è di Boston ma
abita in Italia, a Firenze. Studia italiano
perché ama l'Italia e l'arte italiana.

Questa è Mei, una
signora cinese.
Mei ha _____ anni
e abita a Shangai.
Studia italiano
perché è una
cantante d'opera.
Il cane di Mei
si chiama Figaro
e ha _sei_ anni.

1b *Completa lo schema, come negli esempi.*

1. Come si chiama?

Juan	Katy	Mei	Figaro

2. Quanti anni ha?

26	31	53	6

3. Di dov'è?

È spagnolo.	Boston americana	Cinese	/

4. Dove abita?

A Madrid.	Italia, Firenze	Shangai	/

5. Perché studia italiano?

Perché è un interprete.	Studia l'Italia	d'opera	/

6. Che lingue parla?

Spagnolo inglese e	Americana	Cinese.	/

2 GRAMMATICA Verbi

2a *Completa lo schema. Se necessario, leggi ancora i testi.*

VERBI REGOLARI IN -ARE			
speak ← **PARLARE**	study **STUDIARE**	love **AMARE**	live **ABITARE**
io	parlo	studio	amo	abito
tu	parli	studi	ami	abiti
lui/lei/Lei	parla	studia	ama	abita
noi	parliamo	studiamo	amiamo	abitiamo
voi	parlate	studiate	amate	abitate

💡 **FOCUS**

QUESTO / QUESTA
Questo è Juan.
Questa è Katy.

2b Completa i dialoghi.

Che lingue parli?

> Io parlo spagnolo inglese e tedesco — **JUAN**

Quanti anni hai?

> Ho 31 anni.

Dove abiti?

> Vivo Shanghai abita Shangai — **MEI**

Perché studia italiano?

> Perché sono una cantante d'opera. — **MEI**

> Io amo l'italia e l'arte italiana — **KATY**

2c E tu, perché studi italiano?

Studio italiano perché amo italiana cultura _____

3 VOCABOLARIO Numeri da 21 a 100 9 ▶

3a Completa lo schema. Poi ascolta e verifica.

21 ventuno	30 trenta	50 cinquanta
22 ventidue	31 trentuno	51 cinquantuno
23 ventitré	32 trentadue	54 cinquantaquattro
24 ventiquattro	33 trentatré	60 sessanta
25 venticinque	38 trentotto	69 sessantinove
26 ventisei	40 quaranta	70 settanta
27 ventisette	41 quarantuno	80 sessantanove
28 ventotto	42 quarantadue	90 novanta
29 ventinove	48 quarantotto	100 cento

3b Ascolta e seleziona i numeri che senti. 10 ▶

35 32 29 40 48 50 51 66
77 67 68 80 99 90 70 100

3c E adesso giochiamo! L'insegnante dice un numero, gli studenti a turno continuano a contare con i numeri successivi.

> Ottantacinque.
> Ottantasei.
> Ottantasette.

3d Più difficile! L'insegnante dice un numero, gli studenti a turno continuano a contare con i numeri precedenti.

> Sessanta! Cinquantanove! Cinquantotto! ...

4 PARLARE Domande personali

4a Intervista un compagno. Fai le domande del punto 2b. Poi rispondi alle sue domande.

4b Presenta il tuo compagno a un'altra coppia di compagni.

> Questo è Hans. Ha 25 anni. Parla...

5 SCRIVERE
Una foto

5a Guarda la foto: come si chiama? Quanti anni ha? Di dov'è? Dove abita? Perché studia italiano? Che lingue parla? Scrivi un testo. Usa l'immaginazione.

5b Confrontati con un compagno. Che differenze ci sono?

▶ GRAMMATICA ES 1 ▶ VOCABOLARIO ES 1 e 2

11 ▶ **1** *VOCABOLARIO* Luoghi di lavoro

Ascolta e scrivi la parola giusta sotto ogni immagine.

ristorante | **fabbrica** | **ospedale** | **scuola** | **ufficio**

a.	b.	c.	d.	e.

2 *ASCOLTARE* Tu che lavoro fai?

	FOCUS
FARE	
io	faccio
tu	fai
lui / lei / Lei	fa

12 ▶ *2a* Ascolta le interviste e seleziona la persona che <u>non</u> parla.

2b Ascolta ancora e segna che cosa fa ogni persona.
Attenzione: una persona fa <u>due</u> cose.

Che cosa fa?

1. ○ la segretaria   ○ la direttrice

2. ○ l'insegnante   ○ l'operaio

3. ○ il cameriere   ○ lo studente

4. ○ la studentessa ○ l'insegnante

2c Adesso leggi le interviste e verifica la soluzione.

1.
● Lei che lavoro fa?
▶ Lavoro in un ufficio.
● Fa la segretaria?
▶ No, sono la direttrice!
● Oh, scusi!

2.
▶ Lei che lavoro fa?
● Io faccio l'operaio,
  lavoro in una fabbrica.
▶ Per un'azienda famosa?
● Sì, per la Pirelli.

3.
▶ Tu che lavoro fai?
● Sono uno studente,
  ma lavoro anche.
▶ Che cosa fai?
● Faccio il cameriere
  in un ristorante.
▶ Studi e lavori. Bravo!

4.
● Lei che lavoro fa?
▶ L'insegnante. Lavoro
  in una scuola di lingue.
● Un lavoro interessante!
▶ Sì, molto.

3 GRAMMATICA L'articolo determinativo

3a *Completa lo schema con l'articolo determinativo singolare (il, l', la). Poi completa la regola, come nell'esempio.*

MASCHILE	FEMMINILE
___ cameriere	___ segretaria
___ **o**peraio	___ direttrice
lo **st**udente	___ **i**nsegnante

NOMI MASCHILI che cominciano con		ESEMPI
consonante	→ *il*	*il cameriere*
vocale (a, e, i, o, u)	→	
s + consonante	→	

NOMI FEMMINILI che cominciano con		ESEMPI
consonante	→	
vocale (a, e, i, o, u)	→	

3b *In coppia. Ogni frase di sinistra ha un articolo sbagliato che va bene per una frase di destra e viceversa. Mettete gli articoli al posto giusto, come nell'esempio.*

Ho **lo** (la) camera numero 15.

Paula ama **il** arte italiana.

Veronica fa **lo** cantante.

Hai **la** dizionario d'italiano?

Giulio ama **la** sport.

Mario fa **la** operaio.

La studente francese si chiama Pierre.

Va bene **lo** carta d'identità?

Il ragazza americana si chiama Jenny.

Dario ama **la** (lo) snowboard.

L' studentessa spagnola è di Madrid.

L' ragazzo tedesco parla 3 lingue.

4 PARLARE Fa l'insegnante.

4a *Seleziona una persona (uomo o donna) e leggi le informazioni.*

NOME	Antonio	Luigi	Giacomo	Bruno	Edoardo
PROVENIENZA	Milano	Roma	Roma	Roma	Milano
RESIDENZA	Roma	Roma	Firenze	Milano	Milano
LUOGO DI LAVORO	ufficio	ospedale	gelateria	negozio	ristorante
LAVORO	impiegato	infermiere	gelataio	commesso	cuoco

NOME	Aurora	Paola	Martina	Sofia	Elisa
PROVENIENZA	Milano	Roma	Milano	Roma	Roma
RESIDENZA	Roma	Roma	Milano	Milano	Firenze
LUOGO DI LAVORO	ufficio	ospedale	gelateria	negozio	ristorante
LAVORO	impiegata	infermiera	gelataia	commessa	cuoca

4b *In coppia. A turno, indovinate la persona scelta dal compagno. Seguite l'esempio. Poi scegliete un'altra persona e ripetete.*

Paolo
Roma
Firenze
scuola
insegnante

Di dov'è?	Dove abita?	Dove lavora?	Che lavoro fa?	È Paolo?
Di Roma.	A Firenze.	In una scuola.	L'insegnante.	Sì!

1 LEGGERE Talento giovane

1a *Secondo te che lavoro fa? Seleziona la professione e poi confrontati con un compagno. Attenzione: una persona ha <u>due</u> lavori!*

insegnante | architetto | modella | modello | cuoco | cuoca

Pietro Boselli: _____   Isabella Potì: _____   Federico Schiano: _____

1b *Leggi l'articolo e scopri le professioni dei 3 ragazzi.*

testo parlante 13 ▶

Talento giovane

Siamo un Paese d'arte? Non solo.
Amiamo anche la moda, la cucina e il design.
Come Pietro, Isabella e Federico.
Di dove sono? Di Brescia, Lecce, Roma.
Dove lavorano? In Italia, ma anche a Londra,
Parigi, Madrid. Hanno meno di 30 anni, amano
l'Italia, fanno *made in Italy*, ma in modo nuovo.

1 / **Pietro Boselli** è di Brescia
ma abita a Londra, dove insegna
matematica alla University College.
Ma Boselli non è solo un professore
universitario. Ha una vita straordinaria:
è un modello famoso.

2 / **Isabella Potì** ha 22 anni
ed è una ragazza italiana di talento.
Dopo esperienze in Spagna e Francia,
ora fa la cuoca in un ristorante a Lecce,
in Puglia. Il suo segreto? Unire tradizione
e modernità.

3 / **Federico Schiano**
è un architetto romano. A 28 anni
ha un'idea geniale e crea CoContest,
un sito web innovativo per l'*interior design*
famoso anche nella Silicon Valley.

1c *Leggi ancora l'articolo e indica se le informazioni sono vere o false.*

	V	F
a. Pietro, Isabella e Federico lavorano in Italia e in altri Paesi.	○	○
b. Pietro Boselli fa il modello a Londra e insegna a Brescia.	○	○
c. Isabella Potì lavora in Puglia.	○	○
d. Federico Schiano è di Roma.	○	○

1d *Abbina le parole delle 5 colonne e forma frasi, come nell'esempio.*

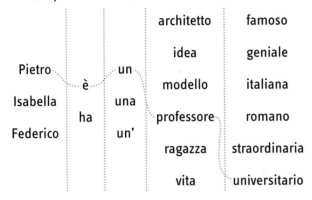

			architetto	famoso
			idea	geniale
Pietro	è	un	modello	italiana
Isabella		una	professore	romano
	ha	un'	ragazza	straordinaria
Federico			vita	universitario

1e *Lavorate in 3. Siete i tre personaggi del testo: Piero (studente A), Isabella (studente B), Federico (studente C). Presentatevi agli altri due compagni con la nuova identità.*

> Piacere, mi chiamo Pietro Boselli. Sono...

2 GRAMMATICA Plurale dei verbi

2a *Abbina infiniti e **verbi al presente**, come nell'esempio.*

avere   essere   amare

Siamo un Paese d'arte? Non solo. Amiamo anche la moda, la cucina e il design. Come Pietro, Isabella e Federico. Di dove sono? Di Brescia, Lecce, Roma. Dove lavorano? In Italia, ma anche a New York, Londra, Parigi, Madrid. Hanno meno di 30 anni, amano l'Italia, fanno *made in Italy*, ma in modo nuovo.

lavorare   fare

2b *Completa gli schemi con i verbi del testo al punto* **2a**.

VERBI REGOLARI IN -ARE

	AMARE	LAVORARE
io	amo	lavoro
tu	ami	lavori
lui/lei/Lei	ama	lavora
noi		lavoriamo
voi	amate	lavorate
loro		

VERBI IRREGOLARI

	AVERE	ESSERE	FARE
io	ho	sono	faccio
tu	hai	sei	fai
lui/lei/Lei	ha	è	fa
noi	abbiamo		facciamo
voi	avete	siete	fate
loro			

3 PARLARE Domande e risposte personali

In coppia. A turno, uno studente fa una domanda con gli elementi dei 3 gruppi e l'altro risponde. Usate l'immaginazione.

> io | tu | l'insegnante | Antonio | noi | voi
> Anna e Rita | Marco e Valerio | John e Miriam

> che | che cosa | di dove | dove
> perché | quanti

> abitare | amare | avere | essere
> fare | lavorare | parlare | studiare

Tu che lingue parli?

Italiano e inglese.

Dove abita Antonio?

A Milano.

ITALIANO IN PRATICA
2D **Qual è il tuo numero di telefono?**

G a / in • formale / informale
V Qual è il tuo numero di telefono? • Qual è la tua mail?

1 *LEGGERE E PARLARE* Biglietti da visita

1a *Completa il biglietto con le parole della lista.*

e-mail | **numero di telefono** | **sito web** | **indirizzo**

Giacomo Vinci
ARCHITETTO

- indirizzo — via Massa 14, 50142 Firenze
- numero di telefono — 055 301340
- e-mail — giacovin@studiovinci.com
- sito web — www.studiovinci.com

1b *Completa il tuo biglietto da visita. Poi fai domande a un compagno e completa il suo biglietto.*

1. Qual è il tuo numero di telefono?
2. Qual è la tua mail?
3. Qual è il tuo indirizzo?
4. Hai un sito internet personale?

il mio biglietto da visita

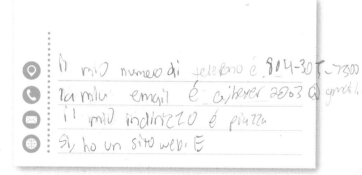

- Il mio numero di telefono è 814-305-7300
- la mia email è _cyberer2003@gmail.com
- il mio indirizzo è piazza
- Sì, ho un sito web. E

il biglietto da visita del mio compagno

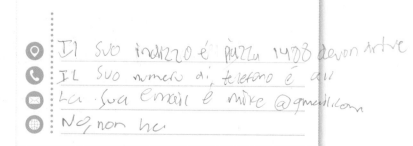

- Il suo indirizzo é piazza 1478 devon ante
- Il suo numero di telefono é all
- La sua email é mike@gmail.com
- No non ha

---

2 *ASCOLTARE* Un corso di lingua

14 ▶ **2a** *Ascolta il dialogo nella segreteria di una scuola di lingue e seleziona la risposta corretta.*

1. Che corsi ha la scuola?
a.○ Italiano per stranieri, tedesco, spagnolo.
b.○ Inglese, tedesco, spagnolo.
c.⊘ Italiano per stranieri, inglese, spagnolo.

2. Quanti anni ha Sofia?
a.○ 25.
b.⊘ 35.
c.○ 53.

3. Che cosa insegna Sofia?
a.⊘ Tedesco.
b.○ Italiano.
c.○ Spagnolo.

4. Che cosa studia Sofia?
a.○ Tedesco.
b.○ Italiano.
c.⊘ Spagnolo.

5. Perché Sofia fa il corso?
a.○ Perché ama la Spagna.
b.○ Perché ama un ragazzo spagnolo.
c.⊘ Perché è sposata con un argentino.

Sei sposato/a

2b *Ascolta ancora e trasforma dall'informale al formale, come nell'esempio.*

	INFORMALE	FORMALE
1.	Abiti a Roma?	___Abita___ a Roma?
2.	Qual è il tuo indirizzo?	Qual è il _suo_ indirizzo?
3.	Qual è la tua mail?	Qual è la _sua_ mail?
4.	Qual è il tuo numero di telefono?	Qual è il _suo_ numero di telefono?
5.	Quanti anni hai?	Quanti anni _ha_?
6.	Che lavoro fai?	Che lavoro _fa_?
7.	Che cosa insegni?	Che cosa _insegna_?
8.	Perché fai questo corso?	Perché _fa_ questo corso?

3 **PARLARE** In una scuola di lingue

In coppia (studente A e studente B).
Andate in ▶ COMUNICAZIONE: A va a pagina 135, B va a pagina 139. Fate un role-play in una scuola di lingue.

DIECI domande personali

1 Dove abiti?

2 Quanti anni hai?

3 Che lavoro fai?

4 Dove lavori?

5 Che lingue parli?

6 Perché studi italiano?

7 Qual è il tuo numero di telefono?

8 Qual è la tua mail?

9 Qual è il tuo indirizzo?

10 Sei sposato/a?

A quale domanda è possibile rispondere sì / no?

ASCOLTO IMMERSIVO®

Inquadra il QRcode a sinistra o vai su www.almaedizioni.it/dieciA1, chiudi gli occhi, rilassati e ascolta.

1 _Prima_ di guardare il video: osserva le tre immagini. Che cosa dicono i personaggi? Completa con le frasi della lista. Poi guarda il video e verifica.

> Carino! Lui chi è?

> Grazie, Dottoressa.

> Per oggi va bene così.

Bene, signor Solari.
_____

_____

_____

Lui? Lui chi?

2 Forma le domande. Poi completa il dialogo sotto con le domande.

ha anni quanti

si come chiama

fa che lavoro

● _____ ?

▶ Si chiama Ivano Solari.

● _____ ?

▶ Ha 30 anni.

● _____ ?

▶ Fa l'attore.

3 Sei Ivano. Completa la presentazione con i verbi alla prima persona (io).

Ciao. (_Chiamarsi_) _____ Ivano, (_avere_) _____ 30 anni e (_essere_) _____ di Roma. (_Fare_) _____ l'attore, ma non (_essere_) _____ famoso.

4 Sei Anna. Usa gli elementi sotto e fai tre domande a Ivano. Puoi usare più volte lo stesso elemento.

_____ ?
_____ ?
_____ ?

sei	il	mail	numero
di	è	qual	tuo
telefono	tua	la	sposato

PRESENTARE UNA PERSONA

1 In coppia (studente A e B). Trovate una persona famosa (vivente) che amate, per esempio: uno sportivo / una sportiva, un attore / un'attrice, un / una cantante, uno scienziato / una scienziata, ecc.

2 Ogni studente cerca informazioni diverse:
- lo studente A cerca informazioni personali (come si chiama la persona, di dov'è, dove abita, che lavoro fa, quanti anni ha, ecc.);
- lo studente B cerca foto o video sulla persona.

3 Scrivete una presentazione insieme. Poi mostrate la presentazione alla classe. Potete usare la carta, il telefono cellulare, o un programma come PowerPoint.

Questo è... / Questa è...

DUE ITALIANI FAMOSI: TIZIANO FERRO (CANTANTE) E SAMANTHA CRISTOFORETTI (ASTRONAUTA)

DIECI INFORMAZIONI DI GEOGRAFIA ITALIANA

MONTE BIANCO
MILANO
LAGO DI GARDA
FIUME PO
REPUBBLICA DI SAN MARINO
UFFIZI
ROMA / CITTÀ DEL VATICANO
COLOSSEO
NAPOLI
VESUVIO
SARDEGNA
SICILIA
STROMBOLI
ETNA

1 le 3 città più grandi:
MILANO, ROMA, NAPOLI

2 le 2 isole più grandi:
SICILIA e SARDEGNA

3 il monumento con più turisti:
il COLOSSEO, Roma

4 il museo più visitato:
Galleria degli UFFIZI, Firenze

5 i 3 vulcani più famosi: VESUVIO (Campania),
ETNA e STROMBOLI (Sicilia)

6 le 2 regioni più piccole:
_____ e _____

7 2 stati non italiani: Repubblica di SAN MARINO
e Città del VATICANO

8 il fiume più lungo:
PO (652 km)

9 il monte più alto:
MONTE BIANCO (4810 m)

10 il lago più grande: LAGO DI GARDA (Lombardia,
Veneto, Trentino – Alto Adige)

Come si chiamano le 2 regioni italiane più piccole?
Guarda la mappa a pagina 14 e completa.

GRAMMATICA

1 Seleziona l'opzione corretta tra quelle *evidenziate*.

Questo / Questa è Victor. **Sei / È** un ragazzo olandese, ma abita **in / a** Belgio, **in / a** Bruxelles. **Ha / Hanno** ventuno anni, **studi / studia** matematica all'università e fa **lo / il** cameriere in una pizzeria **italiana / italiano**.

Abita in una casa **grandi / grande** con un amico **tedesco / tedesca** e un'amica **spagnolo / francese**. **Parla / Parlo** olandese e inglese. Ama **la / l'** cucina **cinese / cinesa** e **lo / il** baseball americano.

> **OGNI OPZIONE CORRETTA = 2 PUNTI** ___ / 30

VOCABOLARIO

2 Dove lavorano queste persone? Completa lo schema con le professioni della lista.

operaia | cuoca | architetto | impiegata | infermiere
commesso | insegnante | cameriere | segretario
dottoressa

ufficio	
ristorante	
fabbrica	
ospedale	
negozio	
scuola	

> **OGNI COMPLETAMENTO CORRETTO = 2 PUNTI** ___ / 20

3 Scrivi i numeri in lettere.

80

A90

54

PIACENZA 4

20

a. _____ d. _____

b. _____ e. _____

c. _____

> **OGNI NUMERO CORRETTO = 2 PUNTI** ___ / 10

COMUNICAZIONE

4 Leggi le informazioni su Gisele e scrivi domande *formali*, come nell'esempio.

Una studentessa di italiano a Perugia

1. Nome e cognome: Gisele Lima
2. Città: Rio de Janeiro
3. Anni: quarantasette
4. Professione: cantante
5. Lingue: portoghese, inglese
6. e-mail: gislima@gmail.com

1. _____
2. _____
3. _____
4. *Che lavoro fa?*
5. _____
6. _____

> **OGNI DOMANDA CORRETTA = 8 PUNTI** ___ / 40

> **TOTALE** ___ / 100

LEZIONE
BUON APPETITO!

3

Qui imparo a:
- dire come sto
- ordinare al bar e al ristorante
- descrivere la mia alimentazione
- prenotare un tavolo

COMINCIAMO

a Seleziona solo i piatti / prodotti tipicamente italiani.

○ spaghetti e polpette

○ Parmesan

○ frappuccino

○ pizza con ananas

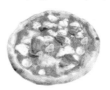

○ pizza margherita

○ cappuccino

○ Parmigiano

○ spaghetti alla carbonara

b *Tu quale piatto / prodotto tipico italiano mangi o conosci? Parla con la classe.*

3A **Al bar**

G nomi plurali • verbi in -ere
V la colazione • Come stai? • Per me un cappuccino.

1 VOCABOLARIO La colazione

Seleziona 2 prodotti in ogni lista. Poi gioca con un compagno. A turno, fate una domanda e indovinate la colazione dell'altro.

> A colazione mangi un panino.

> Sì, giusto!

> E tu bevi un tè.

> No, sbagliato!

MANGIO

○ un cornetto   ○ una pasta   ○ biscotti

○ cereali   ○ pane e burro   ○ uno yogurt

○ un panino   ○ un toast   ○ un uovo

BEVO

○ un caffè   ○ un cappuccino

○ una tazza di latte   ○ un tè

○ una spremuta   ○ un bicchiere d'acqua

2 ASCOLTARE Al bar

15 ▶ **2a** *Ordina il dialogo, poi ascolta e verifica.*

	Prendiamo un caffè? Hai tempo?
	Bene, grazie.
	Camilla, ciao! Come va?
	Sì, con piacere!
1	Ciao Paolo!
	Benissimo, e tu come stai?

2b *Completa con le parole **evidenziate** nel dialogo.*

😀	🙂	😐	🙁
....	....	così così	male

16 ▶ **2c** *Ascolta il dialogo completo e seleziona l'ordinazione giusta.*

1	**2**	**3**
2 caffè	1 caffè	1 caffè
1 cappuccino	1 cappuccino	1 cappuccino
2 bicchieri d'acqua	2 bicchieri d'acqua	1 bicchiere d'acqua
1 cornetto	2 cornetti	1 cornetto
1 pasta	1 pasta	2 paste

2d *Ascolta ancora e completa le frasi con le parole della lista.*

è | io | me | prendi | prendo | per

Al bar

1. PRIMA DI ORDINARE:
   Tu che cosa ~~prendi~~ ?

2. PER ORDINARE:
   Un cornetto, ~~per~~ favore.
   Io ~~prendo~~ un caffè.
   Per ~~me~~ un cappuccino.

3. PER PAGARE:
   Quant'~~è~~ ?

4. PER OFFRIRE:
   Offro ~~io~~ !

2e *Leggi il dialogo e verifica.*

▶ Ciao Paolo!

● Camilla, ciao! Come va?

▶ Benissimo, e tu come stai?

● Bene, grazie.

▶ Prendiamo un caffè? Hai tempo?

● Sì, con piacere!

...

◆ Buongiorno.

▶ Buongiorno. Un cornetto, per favore.
Tu che cosa prendi?

● Dunque... Per me un cornetto e una pasta alla crema,
per favore.

▶ Ma come, prendi due cose?!

● Eh sì, ho fame!

◆ Ecco i due cornetti e la pasta alla crema.
E da bere cosa prendete?

▶ Io prendo un caffè, e tu?

● Per me un cappuccino.

▶ Va bene, allora un caffè e un cappuccino, per favore.
E anche due bicchieri d'acqua. Quant'è?

◆ Otto euro e settanta.

● Camilla, aspetta: offro io!

▶ Oh, grazie mille!

> **FOCUS**

SOLDI
0,80 € = 80 centesimi ∣ **1 €** = un euro
2 € = 2 euro ∣ **2,50 €** = 2 euro e 50 (centesimi)

3 **GRAMMATICA** Plurale dei nomi

3a *Completa lo schema del plurale con le parole del dialogo.*

		singolare	plurale
maschile		cornett**o**	
		bicchier**e**	
femminile		cos**a**	
		lezion**e**	lezion**i**

3b *Osserva le parole, poi completa la regola.*

singolare
caffè, tè, toast, yogurt
plurale
caffè, tè, toast, yogurt

Al plurale i nomi con l'accento
e le parole straniere:
○ cambiano.
○ non cambiano.

3c *Singolare o plurale? Completa le due ordinazioni, come nell'esempio.*

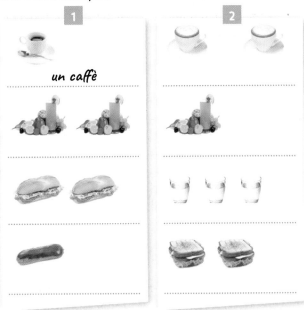

un caffè

4 **PARLARE**
Ordinare al bar

*In gruppi di tre: due amici
e un barista. I due amici
entrano al bar e ordinano.
Usate il listino prezzi.*

> **FOCUS**

PRENDERE	
io	prend**o**
tu	prend**i**
lui / lei / Lei	prend**e**
noi	prend**iamo**
voi	prend**ete**
loro	pr**e**nd**ono**

Che cosa prendete? Per me... Io prendo... Quant'è?

BAR VESUVIO ✳ LISTINO PREZZI

BEVANDE		DOLCE	
caffè	1 €	cornetto	1,50 €
cappuccino	1,50 €	pasta	2 €
latte	1,20 €		
acqua	0,50 €	SALATO	
tè	1,80 €	panino	3,10 €
tè freddo	2,50 €	toast	2,90 €
spremuta d'arancia	3,50 €	pizzetta	2,40 €
birra	3,30 €		

1 LEGGERE Dimmi come mangi

1a. *Leggi e completa l'articolo "Dimmi come mangi" con le forme del verbo* mangiare.

mangiare | mangio | mangi
mangia | mangia | mangiano

1b *Abbina gli elementi delle 3 colonne e forma frasi coerenti con il testo.*

Andrea Vitali		carne.
Philippe Daverio		cibo biologico.
	mangia	
Licia Colò		molto a colazione.
	non mangia	
Pupi Avati		piatti tradizionali.
Moni Ovadia		a colazione.

💡 **FOCUS**

PASTI
7:00 - 10:00 colazione
12:30 - 14:00 pranzo
19:00 - 21:00 cena

www.lacucinaitaliana.it

DIMMI COME MANGI

Lo scrittore Andrea Vitali a colazione beve solo un caffè. Anche l'attore Moni Ovadia a colazione prende solo un caffè o un tè.

Invece il critico d'arte Philippe Daverio ama fare una colazione abbondante: latte con i cereali, pane, pomodori, formaggio fresco e frutta.

La giornalista Licia Colò ama la cucina biologica: "Un mio pranzo tipo? Per primo _mangio_ riso integrale e per secondo pesce con insalata mista. Da bere un bicchiere di vino bianco."

2 VOCABOLARIO Il cibo

2a *Completa con i nomi del testo (non sono in ordine).*

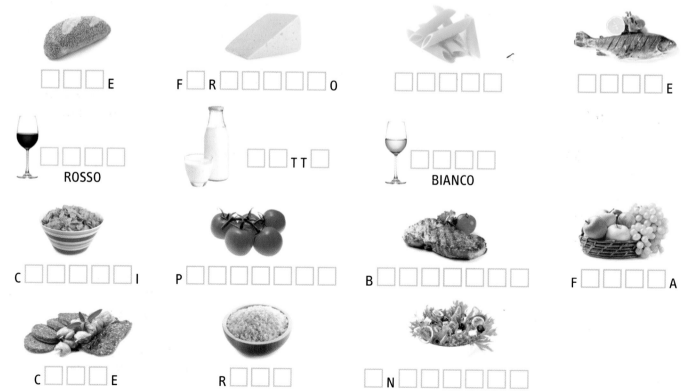

☐☐☐☐ E   F R ☐☐☐☐☐☐ O   ☐☐☐☐☐☐   ☐☐☐☐ E

☐☐☐☐ ROSSO   ☐☐ T T ☐   ☐☐☐☐ BIANCO

C ☐☐☐☐☐ I   P ☐☐☐☐☐☐☐   B ☐☐☐☐☐☐☐☐   F ☐☐☐☐ A

C ☐☐☐ E   R ☐☐☐   ☐ N ☐☐☐☐☐☐

testo
parlante
17 ▶

A cena il regista Pupi Avati *mangia* un piatto di pasta, ma in viaggio ama provare la cucina tradizionale: "Per esempio, quando sono a Firenze, ordino una bistecca fiorentina e un bicchiere di vino rosso."
Moni Ovadia invece è vegetariano e non *mangia* carne.

Trovate tutto questo in *Dimmi come mangi*, 14 interviste sul cibo a personaggi famosi, un libro di Paolo Corvo e Stefano Femminis.
"Tutti *mangiano*." dicono i due autori.
"Il cibo è universale. Questo libro è un viaggio nella passione per il cibo, per capire che cosa significa *mangiare* nella società di oggi."

PAOLO CORVO • STEFANO FEMMINIS
PREFAZIONE DI CARLO PETRINI

DIMMI COME MANGI

BRUNO PIZZUL, PUPI AVATI
MICHELE SERRA...

14 INTERVISTE
IMPREVEDIBILI
SUL CIBO

TERRE DI MEZZO

2b Come possono essere gli alimenti?
Guarda le combinazioni dello schema. Poi indica con una ✓ le altre combinazioni del testo al punto **1**.

	MISTO/A	FRESCO/A	BIANCO/A	ROSSO/A	INTEGRALE
pane		✓	✓		✓
insalata		✓			
carne		✓	✓	✓	
pesce		✓	✓		
formaggio					
riso			✓	✓	
pasta		✓			✓
vino					

3 GRAMMATICA Aggettivi

In coppia. Invertite gli aggettivi, come nell'esempio. Attenzione alla vocale finale!

ESEMPIO:

A pranzo bevo un bicchiere di vino **bianco**. *rosso*	Non amo la carne **rossa**. *bianca*

1. Questo è un pranzo **abbondante**. *vegetariana*	La cena di Antonio è **vegetariana**. *abbondante*
2. Carla ama la cucina **cinese**. *biologica*	Mario mangia cibo **biologico**. *cinese*
3. A colazione mangio frutta **biologica**. *fresca*	Questo formaggio è **fresco**. *biologico*
4. Ann mangia solo pasta **integrale**. *italiana*	Amo il cibo **italiano**! *integrale*
5. La cucina italiana è **famosa**. *internazionale*	Ugo lavora in un ristorante **internazionale**. *famoso*

4 PARLARE E tu che cosa mangi?

Tu che cosa mangi a colazione, a pranzo e a cena? Sei vegetariano o vegano? Mangi prodotti biologici? Qual è il tuo cibo preferito? Parla con alcuni compagni.

Io non mangio carne.

A cena mangio riso o pasta.

Il mio cibo preferito è il pesce.

💡 FOCUS

ANCHE / INVECE
Andrea Vitali a colazione beve solo un caffè.
=
Anche Moni Ovadia a colazione prende solo un caffè.
><
Invece Philippe Daverio ama fare una colazione abbondante.

1 ASCOLTARE Antipasto, primo, secondo e contorno

18 ▷ **1a** Ascolta il dialogo e nel MENÙ seleziona i piatti che senti.

1b Ascolta ancora e completa l'ordinazione della cameriera.

DA BERE

....

DA MANGIARE

Lui	Lei
....	....
....	....
	....

1c Chi parla: *la cameriera* o *i clienti? Segui l'esempio. Poi ascolta ancora e verifica.*

1. Ecco il menù. ☑ ○
2. Intanto volete ordinare qualcosa da bere? ○ ○
3. Sì, grazie. Una bottiglia d'acqua naturale. ○ ○
4. Per antipasto io prendo gli affettati. ○ ○
5. Per me invece una bruschetta. ○ ○
6. Benissimo. E per primo? ○ ○
7. Io prendo gli spaghetti alla carbonara. ○ ○
8. Io non voglio il primo, prendo un secondo. ○ ○
9. Avete un piatto del giorno? ○ ○
10. Può prendere la parmigiana di melanzane. ○ ○
11. Vuole anche un contorno? ○ ○
12. Abbiamo l'insalata mista, le patate fritte... ○ ○
13. E Lei, signore, non prende il secondo? ○ ○
14. No, per adesso va bene così. ○ ○

MENÙ · TRATTORIA "DA MARIA"

ANTIPASTI

○ bruschetta al pomodoro

○ prosciutto e melone

○ affettati

PRIMI

○ riso ai funghi

○ spaghetti alla carbonara

○ lasagne

SECONDI

○ pollo arrosto

○ bistecca

○ parmigiana di melanzane

CONTORNI

○ patate fritte

○ insalata mista

○ insalata di pomodori

PIATTO ★★★ *del giorno*

○ frittura di pesce

DOLCI

○ tiramisù

○ gelato

2 SCRIVERE E GRAMMATICA
Volere e potere

Completa le frasi. Usa l'immaginazione.

VOLERE

io	non **voglio** il primo.
tu	**vuoi** _____
lui / lei / Lei	**vuole** anche un contorno?
noi	**vogliamo** _____
voi	**volete** ordinare qualcosa da bere?
loro	**vogliono** _____

POTERE

io	non **posso** mangiare dolci!
tu	**puoi** _____
lui / lei / Lei	**può** prendere la parmigiana.
noi	**possiamo** ordinare adesso.
voi	**potete** _____
loro	**possono** _____

3 GRAMMATICA Articoli plurali

3a *Completa lo schema con gli articoli della lista.*

gli | i | le

	singolare	plurale
maschile	**il** pomodoro	___ pomodori
	l'affettato	___ affettati
	lo spaghetto	___ spaghetti
femminile	**la** patata	___ patate
	l'insalata	___ insalate

3b *Abbina le parole delle 4 colonne, come nell'esempio.*

SINGOLARE		PLURALE	
il	piatto		piatti
l'	yogurt	i	yogurt
lo	spremuta	gli	spremute
la	antipasto	le	antipasti
	cameriere		camerieri
	acqua		acque

3c *In coppia. A turno selezionate una casella, lanciate un dado (• = io, •• = tu, ••• = lui/lei, ecc.) e formate una frase con il nome nella casella, l'articolo determinativo e un verbo, come negli esempi. Se la frase è corretta, conquistate la casella. Vince chi conquista più caselle.*

ESEMPI:

•••• = noi + **AFFETTATI**
→ Per antipasto prendiamo **gli** affettati.

••• = lui + **GELATO**
→ Paolo vuole **il** gelato.

PATATE	SPAGHETTI	BRUSCHETTA	CAFFÈ
GELATO	AFFETTATI	RAVIOLI	POLLO
LASAGNE	PESCE	INSALATA	ACQUA
FORMAGGIO	POMODORI	RISO	ANTIPASTO

4 PARLARE Al ristorante

In gruppi di tre. In un ristorante: due studenti sono i clienti, l'altro è il cameriere. Ordinate da bere e da mangiare. Usate il menù del punto 1.

Per primo?

Per primo io prendo...

Io invece...

3D Vorrei prenotare un tavolo.

v Il conto, per favore. • Posso pagare con la carta? • Vorrei...

1 ASCOLTARE Un tavolo per due

19 ▶ 1a Ascolta e metti in ordine cronologico i 3 dialoghi.

dialogo 1 ☐ | dialogo 2 ☐ | dialogo 3 ☐

1b Ordina le frasi dei dialoghi, come negli esempi.
Poi ascolta ancora e verifica.

A

☐ Gherardi.

[1] Salve, abbiamo una prenotazione per due persone.

☐ Va benissimo, grazie.

☐ A che nome?

☐ Gherardi, sì. Prego, signori. Va bene questo tavolo?

B

[2] Subito, signore.

☐ Certo!

☐ Posso pagare con la carta?

☐ Il conto, per favore.

C

☐ A che nome?

☐ Gherardi.

[3] Per quando?

☐ Un tavolo, per pranzo... Gherardi. A dopo, allora.

[1] Pronto?

☐ Grazie, arrivederci.

☐ Per oggi a pranzo.

☐ Pronto, buongiorno, vorrei prenotare un tavolo per due persone.

💡 **FOCUS**

VORREI
Per chiedere qualcosa in modo gentile uso "vorrei".

Vorrei
~~Voglio~~ ⋯⋯ prenotare un tavolo.

1c Prego *o* per favore? Completa.

_____!

_____, posso avere il menù?

_____!

Grazie!

Il conto, _____!

2 **VOCABOLARIO** Verbi al ristorante

2a *Completa la colonna 1 con i verbi della lista, come nell'esempio.*

bere | ordinare | pagare | ✓prendere | prenotare

1	2	3
	con la carta, in contanti	
prendere	un antipasto, un primo, un secondo, un contorno	
	acqua naturale, acqua frizzante	
	da bere, da mangiare	
	un tavolo	

2b *In coppia. Conoscete altre espressioni con questi verbi? Scrivete le vostre ipotesi nella colonna 3, come nell'esempio.*

ESEMPIO:

bere	acqua naturale, acqua frizzante	un bicchiere di vino

3 **PARLARE** Una prenotazione

3a *In coppia. Uno studente telefona a un ristorante e prenota un tavolo per pranzo o per cena. L'altro studente risponde.*

3b *Invertite i ruoli e ripetete la conversazione.*

Pronto?

Pronto, salve, vorrei...

FOCUS

PER PAGARE

AL BAR
• Quant'è?

AL RISTORANTE
• Il conto, per favore.

DIECI piccole parole molto frequenti

1 e

2 il

3 un

4 di

5 a

6 in

7 sì

8 ma

9 non

10 che

Conosci altre parole di due o tre lettere?

ASCOLTO IMMERSIVO®

Inquadra il QRcode a sinistra o vai su www.almaedizioni.it/dieciA1, chiudi gli occhi, rilassati e ascolta.

VIDEO ▶

1 *Prima* di guardare il video: osserva l'immagine. Dove sono Francesca e Ivano? Scrivi tre parole che secondo te dicono nell'episodio. Poi guarda il video e verifica se dicono le tue parole!

_____ _____

_____

2 Di che cosa parlano Francesca e Ivano? Guarda ancora il video e seleziona i prodotti che senti. Poi scrivi sotto i nomi dei prodotti selezionati.

_____

_____

_____

3 Vero o falso?

	V	F
1. Ivano sogna di bere un caffè.	○	○
2. Francesca ha fame.	○	○
3. Ivano prende un caffè al bar.	○	○
4. Francesca prende una tazza di latte.	○	○
5. Francesca preferisce i cornetti alla marmellata.	○	○

4 Completa il dialogo con le parole della lista. Attenzione: c'è una parola in più.

caffè | **bevo** | **adesso** | **bistecca** | **colazione** | **cereali**

● Lei fa _____ con il caffè?
▶ No... io _____ una tazza di latte
e _____ a casa e poi prendo
un _____ al bar... Finiamo?
Perché _____ ho fame...

5 Completa con la preposizione giusta.

_____ crema
_____ cioccolato
_____ marmellata

6 Seleziona l'opzione corretta tra quelle **evidenziate**.

Ivano — Buongiorno! Un caffè! Dottoressa! **Prende / Prendo / Prendi** qualcosa?

Francesca — Ah, buongiorno, Ivano. Un cappuccino, **prego / grazie / ciao**.

Ivano — Per me anche... Io prendo anche **una / uno / un** cornetto. Un cornetto a...

Francesca — A...?

Ivano — Alla crema.

Francesca — Ah, alla crema!

Ivano — No? No, no! Al cioccolato!

Francesca — Al cioccolato...?

Ivano — No, dico... Al cioccolato no! Lei, come...

Francesca — Io preferisco alla marmellata!

Ivano — Alla marmellata! Sì, sì, anche **per / in / con** me! Un cornetto alla marmellata! Grazie!

Barista — Certo, signore, **cosa / chi / che** marmellata? **Avete / Abbiamo / Hanno** arancia, albicocca...

UN MENÙ PERFETTO

1 *In coppia. Immaginate di avere un ristorante italiano (di carne, di pesce, di cucina vegetariana, vegana, tradizionale, ecc.).*

Trovate un nome interessante e scrivete (su un foglio, o al computer) il menù del ristorante italiano ideale!

Potete aggiungere foto, usare il dizionario, o domandare parole all'insegnante.

NOME DEL RISTORANTE
PRIMI
SECONDI
CONTORNI
DOLCI
BEVANDE

2 *Qual è il ristorante preferito della classe?*

DIECI RICETTE ITALIANE TIPICHE... E BUONE!

1 Spaghetti alla carbonara (Roma)
Spaghetti, uova e guanciale (carne di maiale).

2 Pizza Margherita (Napoli)
Pizza con pomodoro, mozzarella e basilico.

3 Tortellini in brodo (Bologna)
Pasta con carne.

4 Risotto allo zafferano (Milano)
Il riso... giallo!

5 Parmigiana (Sicilia, Emilia Romagna e Campania)
Specialità a base di melanzane, pomodoro, basilico e formaggio.

6 Pesto alla genovese (Genova)
Salsa con basilico, parmigiano, olio di oliva, pinoli e aglio.

7 Bruschetta (Toscana, Umbria, Lazio)
La più famosa è con pane, olio e pomodoro.

8 Polenta (Nord Italia)
Tipico piatto del Nord Italia a base di mais.

9 Canederli (Trentino – Alto Adige)
Palle di pane con carne o formaggio.

10 Tiramisù (Veneto, Friuli – Venezia Giulia)
Dolce con crema, biscotti e caffè.

La cucina del tuo Paese ha ingredienti uguali o differenti? Quali sono gli ingredienti più importanti?

_____

_____

GRAMMATICA

1 *Scrivi il plurale, come nell'esempio.*

1. il gelato ➡ *i gelati*
2. la spremuta ➡ _____
3. il bicchiere ➡ _____
4. l'insalata ➡ _____
5. lo yogurt ➡ _____
6. il tè ➡ _____

> **OGNI OPZIONE CORRETTA = 4 PUNTI** ___ / 20

2 *Completa le frasi con i verbi della lista al presente, come nell'esempio. Sono possibili più soluzioni.*

volere | **bere** | ✓**avere** | **prendere** | **stare** | **potere**

1. Voglio un primo, un secondo e un contorno:
   _____*ho*_____ fame!
2. ● Che cosa _____ tu? ▶ Un caffè, grazie.
3. ● Come _____ Linda e Mario? ▶ Benissimo!
4. ● _____ un contorno, signora? ▶ No, grazie.
5. Io non _____ mangiare dolci.
6. Enzo e Annalisa non _____ caffè.

> **OGNI OPZIONE CORRETTA = 4 PUNTI** ___ / 20

VOCABOLARIO

3 *Forma gruppi di parole logici, come nell'esempio.*

1. una bruschetta   di arancia
2. un panino   al pomodoro
3. una spremuta   al formaggio
4. un bicchiere   alla banana
5. uno yogurt   di melanzane
6. una parmigiana   d'acqua

> **OGNI ABBINAMENTO CORRETTO = 4 PUNTI** ___ / 20

4 *Completa il testo in alto a destra con le parole che corrispondono alle immagini, come negli esempi.*

Che cosa mangia la famiglia Bersani?

MATTEO FABIO IRENE AGNESE

La mattina Fabio e Agnese bevono un **1.** _____ e mangiano **2.** _____. Matteo e Irene invece prendono una tazza di **3.** _____ con i **4.** _*cereali*_. A pranzo Agnese e Fabio mangiano al bar: lui prende un **5.** _____, lei un' **6.** _____ mista. I bambini pranzano a scuola (mangiano **7.** _____ o pasta, e **8.** _____). Il pomeriggio a casa fanno merenda con **9.** _____ fresca e **10.** _*yogurt*_. La sera mangiano tutti **11.** _____ bianca o **12.** _____.

1	2	3	4
5	6	7	8
9	10	11	12

> **OGNI OPZIONE CORRETTA = 2 PUNTI** ___ / 20

COMUNICAZIONE

5 ~~Cancella~~ *la frase* <u>non</u> *appropriata in ogni contesto.*

1. Un cliente in un bar:
   a. Per me un caffè. / b. Pronto? / c. Quant'è?

2. Un cliente in un ristorante:
   a. Posso pagare con la carta? / b. Il conto, per favore.
   c. Sto bene, grazie.

3. Il cameriere di un ristorante:
   a. Per primo vorrei la pasta. / b. Lei che cosa prende?
   c. Volete ordinare da bere?

4. Un cliente chiama un ristorante:
   a. Pronto? / b. Tre euro e dieci, grazie. / c. Vorrei prenotare un tavolo.

5. Un cliente ordina da bere in un ristorante:
   a. Ho fame. / b. Una bottiglia d'acqua. / c. Un bicchiere di vino rosso.

> **OGNI OPZIONE CORRETTA = 4 PUNTI** ___ / 20

> **TOTALE** ___ / 100

AUTOVALUTAZIONE

CHE COSA SO FARE IN ITALIANO?	☺	😐	☹
dire come sto	○	○	○
ordinare al bar	○	○	○
ordinare al ristorante	○	○	○

LEZIONE
CASA E ALBERGO

4

Qui imparo a:
- descrivere case e alberghi
- dire che cosa preferisco
- leggere recensioni
- chiedere assistenza in albergo

COMINCIAMO

a   *Fai il test.*

tu abiti:	○ in un appartamento	○ in una villetta	○ altro: in _____
casa tua è:	○ in centro ◉	○ in periferia ◉	○ fuori città ◉ ●
in vacanza preferisci:	○ un appartamento	○ un hotel	○ altro: _____
in vacanza vuoi:	○ una sistemazione economica	○ abitare in centro ◉	○ essere nella natura

b   *Confronta le tue risposte con i compagni.*

1 *LEGGERE* A casa di...

1a Ordina i gruppi di lettere **evidenziati** e forma i contrari degli aggettivi, come nell'esempio. Poi leggi il testo "A casa di..." e verifica.

1. | O | VO | NU |

 _nuovo_ >< vecchio

2. | MICO | ECO | NO |

_____ >< caro

3. | LENZIO | SO | SI |

 _____ >< rumoroso

4. | LO | CO | PIC |

 _____ >< grande

1b Leggi ancora il testo e scrivi i vantaggi e gli svantaggi della casa di Eleonora, Niccolò e Maria Cristina, come nell'esempio. Attenzione: in un caso <u>non</u> ci sono svantaggi.

	☺ VANTAGGI DELLA CASA	☹ SVANTAGGI DELLA CASA
Eleonora		_l'appartamento è piccolo..._
Niccolò		
Maria Cristina		

testo parlante 20 ▶

A casa di...

Vantaggi e svantaggi della vita in città.
Entriamo a casa di Eleonora, Niccolò e Maria Cristina.

VENEZIA
Eleonora M.
28 anni, guida turistica

Vivo con Sebastiano, il mio ragazzo. Purtroppo abitiamo in un appartamento piccolo e caro: Venezia non è economica, ma io lavoro qui! Abbiamo una sola stanza: zero spazio. Per fortuna il quartiere è silenzioso, non è in una zona turistica: dormiamo molto bene!

BARI
Niccolò S.
47 anni, cuoco

Abito in un vecchio appartamento in centro. La zona è fantastica, si chiama "Barivecchia". Mangiare con gli amici è importante a casa mia: faccio il cuoco! Ho una cucina grande, con un tavolo per... 12 persone!

MILANO
Maria Cristina O.
50 anni, architetto

Vivo con i miei due bambini in un appartamento nuovo ma rumoroso per il traffico. I bambini dormono male, per questo voglio cambiare casa. La mia stanza preferita? Non è una stanza... è il terrazzo, adoro le piante!

2 GRAMMATICA Verbi in -ire

Ricordi i verbi in -are e -ere? Prova a completare lo schema su dormire con le forme plurali (nel testo al punto 1) e singolari (non sono nel testo).

DORMIRE	
io	
tu	
lui / lei / Lei	dorme
noi	
voi	dormite
loro	

3 VOCABOLARIO
Dentro casa

Leggi le attività che facciamo nelle stanze della casa. Poi abbina stanze e oggetti, come nell'esempio.

cucina
mangiare, cucinare

soggiorno
guardare la TV, stare con gli amici

bagno
fare la doccia, fare il bagno

doccia

camera da letto
dormire

oggetti

divano

frigorifero   √ doccia   armadio   letto

4 PARLARE A casa mia

4a Com'è la tua casa? Completa la mappa con gli aggettivi del punto 1a, o altri. Puoi usare il dizionario o domandare all'insegnante.

la mia casa

4b In coppia. Racconta al tuo compagno: dove abiti? Com'è la tua casa? Che vantaggi e svantaggi ha?

1   ASCOLTARE E LEGGERE   Un angolo di paradiso

21 ▶ **1a**   *Ascolta: per chi è questa pubblicità?*

Per una persona che ama:
- ○ la montagna   ○ il mare   ○ l'arte italiana
- ○ mangiare bene   ○ fare shopping

1b   *Ascolta ancora e abbina gli aggettivi della lista e i nomi della tabella, come nell'esempio.*

tradizionale | ✓**unica**
italiana | **elegante**
mediterranea | **fresco**

NOME + AGGETTIVO		
vacanza	*unica*	atmosfera
stile		pesce
colazione		ambiente

1c   *Leggi le due descrizioni, poi ascolta ancora: a quale sistemazione corrisponde l'audio?*

A

Bed and Breakfast "Bari Vecchia"

centro storico, sul mare (30 metri)

SERVIZI:

 wi-fi gratuito

 aria condizionata

 colazione inclusa

promozione:
camera singola -20%

in zona:

 spa

prezzo speciale per i clienti al ristorante "Il Pugliese"

PRENOTARE

B

Agriturismo "Antico Trullo"

SERVIZI:

 spa

 wi-fi gratuito

 aria condizionata

 colazione inclusa

 cucina tipica a base di pesce

promozione:
camera doppia
o matrimoniale -15€

in zona:
Alberobello, mare, Bari

PRENOTARE

2 *GRAMMATICA* Verbi

2a *In coppia. Provate a completare lo schema dei verbi: immaginate com'è la forma che va con* tu. *Poi ascoltate ancora e verificate.*

2b *In coppia. I due verbi della lista funzionano come* preferire: *tu coniughi un verbo, il tuo compagno l'altro verbo.*

capire | **finire**

	VERBI IRREGOLARI		
	PREFERIRE	**ANDARE**	**VENIRE**
io	prefer**isc**o	vado	vengo
tu			
lui / lei / Lei	prefer**isc**e	va	viene
noi	prefer**i**amo	and**i**amo	ven**i**amo
voi	prefer**i**te	and**a**te	ven**i**te
loro	prefer**isc**ono	vanno	ven**g**ono

2c *Un gruppo di 3 studenti gioca con un altro gruppo di 3 studenti. Un gruppo inizia da "studiare". Lancia il dado (● = io, ●● = tu, ●●● = lui/lei, ecc.) e forma una frase con il verbo. Se per l'altro gruppo è corretta, ha un punto. Poi l'altro gruppo continua con "avere". Seguite le frecce (→ ↓) e arrivate a "fine". Vince il gruppo con più punti.*

inizio →	STUDIARE →	AVERE →	FINIRE →	PARLARE →	LEGGERE
					↓
	LAVORARE ←	PREFERIRE ←	FARE ←	ASCOLTARE ←	DORMIRE
	↓				
	ANDARE →	CAPIRE →	ABITARE →	SCRIVERE →	POTERE
					↓
fine ←	MANGIARE ←	VENIRE ←	ESSERE ←	AMARE ←	GUARDARE

3 *PARLARE* L'hotel ideale

In che tipo di hotel preferisci passare le vacanze? Pensa alle categorie sotto e parla con un compagno.

stile

tipo di cucina

posizione

servizi

Preferisco andare in un hotel elegante in città.

Io preferisco gli hotel con la spa.

Per me è importante avere il wi-fi.

4 *SCRIVERE* Un hotel

Guarda la foto dell'hotel e scrivi una breve descrizione per la home page. Dov'è? Che servizi offre? Usa il testo al punto 1c come ispirazione, ma anche l'immaginazione.

HOTEL CANAL GRANDE — Dove siamo | Camere e prezzi | ARRIVO | PARTENZA

1 *LEGGERE* Un albergo

1a *Abbina le stelle e le espressioni per indicare la qualità di un albergo, come nell'esempio.*

★ ★★ ★★★ ★★★★ ★★★★★

nella media ___★ ★___   pessimo ___★___   eccellente ___★ ★ ★ ★ ★___
molto buono ___★ ★ ★ ★___   buono ___★ ★ ★___

1b *Leggi e abbina le recensioni e le espressioni del punto* **1a**, *come nell'esempio.*

Albergo Amalia

 MARI
___nella media___

Camere grandi, ma bagno piccolo. Albergo vecchio, ambiente non molto elegante. Lo staff è simpatico, ma parla solo italiano (ragazzi, dovete studiare inglese!)

 SALVATORE
___molto buono___

Posto ideale per le vacanze! Albergo pulito, camere silenziose. Panorama bellissimo. Rapporto qualità-prezzo molto buono: 50 euro per una camera matrimoniale!

 DANILO
___pessimo___

Purtroppo anche in vacanza devo dormire in hotel economici (non ho soldi), ma qui è un disastro: televisione rotta, frigobar rotto... Poi: niente wi-fi!!! Ma perché non chiudono questi alberghi vecchi?

 EMANUELA
___eccellente___

Ristorante eccellente, posizione perfetta. Hanno anche il parcheggio e un centro fitness! Consiglio questa sistemazione!

DAVID
___buono___

Questo hotel è ideale per dormire (i letti sono nuovi) e fare colazione (il cibo è buono). Per queste tariffe economiche è perfetto.

1c *Qual è la tua opinione? L'albergo Amalia è una buona opzione per le tue vacanze, o no? Parla con un compagno.*

💡 **FOCUS**

DOVERE	
io	devo
tu	devi
lui / lei / Lei	deve
noi	dobbiamo
voi	dovete
loro	devono

2 GRAMMATICA Aggettivi plurali

2a *Leggi ancora le recensioni al punto 1 e trova il contrario degli aggettivi evidenziati, come nell'esempio.*

1. camere **piccole** → *camere grandi*
2. camere **rumorose** → *camere silenzioso*
3. hotel **cari** → *camere economici*
4. alberghi **nuovi** → *camere vecchia*
5. letti **vecchi** → *letti nuovi*
6. tariffe **care** → *tariffe economique*

2b *Completa lo schema con le forme plurali degli aggettivi.*

AGGETTIVI IN -O		
	singolare	plurale
maschile	piccolo	
femminile	piccola	

AGGETTIVI IN -E		
	singolare	plurale
maschile e femminile	grande	

2c *Trasforma al plurale i gruppi di parole.*

1. televisione rotta → *televisioni rotte*
2. camera matrimoniale → *camere matrimoniale*
3. bagno piccolo → *bagni piccoli*
4. ristorante eccellente → *ristoranti eccellenti*
5. albergo pulito → *alberghi puliti*
6. posto ideale → *posti ideali*

3 SCRIVERE Una recensione per i *social*

Guarda la pubblicità e scrivi una breve recensione (positiva o negativa) sull'Hotel Amico per Tripadvisor o un altro social network. Usa i testi al punto 1 come ispirazione, le idee sotto e la tua immaginazione!

> **tariffe:** economiche, care

> **camere:** grandi, piccole, pulite, sporche

> **ambiente:** elegante, informale

> **tipo di cucina:** italiana, internazionale

> **servizi:** parcheggio, wi-fi, aria condizionata

4D Voglio cambiare camera!

v da lunedì a domenica • Non funziona. • Non c'è problema.

1 ASCOLTARE Hotel Bellavista

22 ▶ 1a Ascolta il dialogo al telefono tra un cliente
e un receptionist. Seleziona i problemi.

Il cliente ha problemi con:

- ◉ la finestra
- ○ il telefono fisso
- ◉ il letto
- ○ il bagno

- ○ il prezzo della camera
- ◉ l'aria condizionata
- ○ la porta
- ◉ il wi-fi

1b Ascolta ancora e abbina il tipo di problema
e gli elementi che hai selezionato al punto **1a**.

1. non funziona: ....

....

2. sono rotte: ....

3. è scomodo: ....

1c Chi parla? Il cliente o il receptionist? Le frasi non sono in
ordine. Poi ascolta ancora e verifica.

	CLIENTE	RECEPTIONIST
1. Non c'è problema.	○	◉
2. Può venire qualcuno?	◉	○
3. Non sono soddisfatto.	◉	○
4. Ho un problema.	◉	◑
5. Voglio cambiare camera!	◉	○
6. Oggi non può venire nessuno.	○	◉

💡 FOCUS

I GIORNI DELLA SETTIMANA

lunedì
martedì
mercoledì
giovedì
venerdì
sabato
domenica

il fine settimana /
il weekend

1d *Leggi il dialogo e rispondi alla domanda: i problemi del signor Baldini hanno una soluzione? Quale? Parla con un compagno.*

- ● Reception.
- ▶ Salve, qui è la camera 25.
- ● Buonasera, signor Baldini.
- ▶ Senta, ho un problema. Non funziona l'aria condizionata. Può venire qualcuno?
- ● Eh... Mi dispiace, signor Baldini, ma è sabato. Oggi non può venire nessuno.
- ▶ Hm. Allora domani?
- ● Domani è domenica. Il fine settimana il tecnico non lavora! Viene lunedì mattina.
- ▶ E va bene. Un'altra cosa: il cellulare non prende. Io devo fare una telefonata di lavoro!
- ● Eh, ma siamo in campagna, è normale. Deve usare il telefono fisso.
- ▶ Ah, ok... Senta, però... non funziona neanche il wi-fi...
- ● Come, non funziona il wi-fi? Ma ha la password, no?
- ▶ Ah, devo mettere una password?
- ● Certo! È "Hotel Bellavista".
- ▶ Ah... Comunque non sono soddisfatto, le finestre sono rotte e il letto è scomodo! Voglio cambiare camera!
- ● Non c'è problema, abbiamo ancora camere libere.

2 **VOCABOLARIO** Problemi in albergo

In coppia. Scrivete le risposte alle domande. Pensate agli oggetti e alle stanze di questa lezione. Se necessario, usate il dizionario o domandate all'insegnante.

In una camera d'albergo, che cosa può:

funzionare male?
essere rotto?
essere scomodo?
essere sporco?

3 **PARLARE** Hotel Relax

Lavora con un compagno (non lo stesso del punto 2). Dividetevi i ruoli (studente A e B), leggete le istruzioni e fate un dialogo al telefono.

STUDENTE A Sei un / una cliente dell'Hotel Relax. Hai problemi con la camera. Chiami la reception e protesti.

> Senta, ho un problema... Non funziona...

STUDENTE B Sei il / la receptionist dell'Hotel Relax. Ricevi la telefonata di un / una cliente. Devi soddisfare le sue richieste.

> Non c'è problema...

DIECI verbi regolari

1 abitare
2 capire
3 finire
4 leggere
5 mangiare
6 parlare
7 preferire
8 prendere
9 scrivere
10 vedere

Forma combinazioni logiche con i verbi della lista, come in questi esempi: LEGGERE un testo, ABITARE in centro, PARLARE inglese.

ASCOLTO IMMERSIVO®

Inquadra il QRcode a sinistra o vai su www.almaedizioni.it/dieciA1, chiudi gli occhi, rilassati e ascolta.

VIDEO ▶

1 *Guarda una prima volta il video <u>senza</u> audio. Secondo te, di che cosa parlano Ivano e Paolo? Fai delle ipotesi, poi confrontati con un compagno.*

2 *Ora guarda il video <u>con</u> l'audio e seleziona l'opzione corretta. In un caso devi selezionare due persone.*

	IVANO	PAOLO
1. Vuole partire per il fine settimana.	○	○
2. Vuole andare in campagna.	○	○
3. Preferisce andare al mare.	○	○
4. Vuole avere la connessione internet.	○	○
5. Preferisce andare in albergo.	○	○

3 *Seleziona l'opzione corretta.*

1. Paolo:
   a. ○ vuole cambiare il progetto.
   b. ○ non vuole cambiare il progetto.
   c. ○ vuole cambiare solo la cucina.

2. Per Ivano Francesca:
   a. ○ è brava e brutta.
   b. ○ è bella ma non è brava.
   c. ○ è brava e bella.

3. Secondo Ivano, un weekend al mare significa:
   a. ○ tranquillità.
   b. ○ confusione.
   c. ○ mangiare bene.

4. Nell'agriturismo la colazione:
   a. ○ è inclusa.
   b. ○ non è inclusa.
   c. ○ non è buona.

5. Il ristorante dell'agriturismo:
   a. ○ non è buono.
   b. ○ è buono e economico.
   c. ○ è buono ma non è economico.

6. Paolo preferisce un albergo:
   a. ○ con il ristorante.
   b. ○ con piscina.
   c. ○ con accesso a internet.

4 *Completa il dialogo con le parole della lista.*

mare | colazione | agriturismo | preferisci | lontano
venerdì | caldo | ristoranti | economico | dobbiamo

Paolo Senti, ma allora _____ partiamo?

Ivano Ah sì, giusto! Aspetta, ehm... Che cosa pensi di... questo?

Paolo Ah, un _____. Ma perché _____ andare in campagna?

Ivano _____ una città?

Paolo O il _____? No?

Ivano Ma, Paolo, scusa, un weekend al mare significa gente, _____, non troviamo posto nei _____... Qui invece è tranquillo, la _____ è inclusa, il ristorante è buono, _____...

Paolo Ivano! Niente wi-fi?? Ma come è possibile?

Ivano Ma va bene così... In campagna è giusto stare un po' _____ dal mondo...

Allora ciao. Ciao, ciao...

CIAO!
Spesso ripetiamo più volte *ciao* quando chiudiamo una conversazione al telefono.

CERCARE INFORMAZIONI SU UNA SISTEMAZIONE TURISTICA

1 *In gruppi di 3 studenti. Volete passare quattro giorni in una città italiana. Quale città volete visitare? Selezionate un luogo interessante. Potete domandare informazioni all'insegnante.*

2 *Decidete quanti soldi volete spendere.*

3 *Con un computer o un cellulare, andate su un sito italiano di recensioni, come tripadvisor.it, e selezionate: la città, le date, il tipo di sistemazione, il tipo di servizi.*

4 *Leggete i commenti / le recensioni. Non dovete capire il 100%, ma solo l'idea generale: i commenti sono positivi o negativi?*

5 *Selezionate la sistemazione ideale. Alla fine ogni gruppo spiega dove va, quando parte e dove dorme. Tutta la classe indica su una cartina dell'Italia dove vanno i vari gruppi.*

MODICA (SICILIA)

DIECI MONUMENTI MOLTO FAMOSI

1 Colosseo (Roma)

2 Pantheon (Roma)

3 Torre pendente (Pisa, Toscana)

4 Duomo di Firenze (Firenze)

5 Ponte di Rialto (Venezia)

6 Basilica di San Pietro (Roma, Vaticano)

7 Duomo di Milano (Milano)

8 Fontana di Trevi (Roma)

9 Ponte Vecchio (Firenze)

10 Basilica di San Marco (Venezia)

*Qual è il monumento più antico?
E il monumento più moderno?
La soluzione è a sinistra.*

GRAMMATICA

1 *Rispondi alle domande sui verbi della lista.*

**parlare | essere | volere | capire | avere
guardare | andare | scrivere | dovere | finire
potere | leggere | dormire | venire | fare**

a. Quali verbi sono irregolari al presente?

_____ _____ _____ _____

_____ _____ _____ _____

b. Quali verbi funzionano come *preferire*?

_____ _____

> **OGNI VERBO CORRETTO = 2 PUNTI** ___ / 20

2 *Trasforma nomi e aggettivi al plurale.*

a. appartamento nuovo _____ _____

b. albergo brutto _____ _____

c. hotel economico _____ _____

d. città rumorosa _____ _____

e. camera grande _____ _____

f. letto comodo _____ _____

g. casa pulita _____ _____

h. ristorante caro _____ _____

i. trattoria buona _____ _____

l. ostello silenzioso _____ _____

> **OGNI TRASFORMAZIONE CORRETTA = 2 PUNTI** ___ / 20

VOCABOLARIO

3 *Trova nello schema (in verticale ↓ o orizzontale →) in alto a destra gli aggettivi mancanti, come nell'esempio.*

a. [icon] wi-fi *gratuito*

b. [icon] aria _____

c. [icon] colazione _____

d. [icon] camera _____

e. [icon] camera _____

f. [icon] camera _____

I	B	A	N	C	I	L	U	S	S	T	O
N	D	U	G	R	A	T	U	I	T	O	G
C	O	N	D	I	Z	I	O	N	A	T	A
L	P	E	G	G	E	C	O	G	T	E	T
U	P	Q	U	E	R	R	G	O	P	P	T
S	I	M	E	V	E	M	I	L	L	O	I
A	A	P	P	E	R	T	U	A	M	M	E
M	A	T	R	I	M	O	N	I	A	L	E

> **OGNI AGGETTIVO CORRETTO = 4 PUNTI** ___ / 20

4 *Forma i giorni della settimana e poi ordina i giorni, come negli esempi.*

✓ NI-ME-DO-CA _____

  GIO-DÌ-VE *martedì*

✓ MAR-DÌ-TE _____

  SA-TO-BA _____

  NE-LU-DÌ _____

  NER-DÌ-VE _____

  DÌ-CO-MER-LE *domenica*

> **OGNI OPZIONE CORRETTA = 2 PUNTI** ___ / 10

COMUNICAZIONE

5 *Leggi i commenti dei clienti di un hotel. Chi è contento ☺? Chi non è contento ☹?*

		☺	☹
Dario	Il bagno non è pulito.	○	○
Franco	Staff simpatico e panorama molto bello: consiglio questo albergo!	○	○
Ines	In camera non funziona niente. Non sono soddisfatta.	○	○
Serena	Il rapporto qualità – prezzo è molto buono.	○	○
Naima	Questo hotel è una sistemazione ideale.	○	○
Sandro	È un disastro, voglio cambiare camera!	○	○

> **OGNI RISPOSTA CORRETTA = 5 PUNTI** ___ / 30

> **TOTALE** ___ / 100

AUTOVALUTAZIONE

CHE COSA SO FARE IN ITALIANO? ☺ 😐 ☹

	☺	😐	☹
descrivere casa mia	○	○	○
leggere commenti su un albergo	○	○	○
indicare problemi in albergo	○	○	○

LEZIONE 5
SPAZIO E TEMPO

Qui imparo a:
- *descrivere la mia città*
- *indicare la posizione*
- *capire indicazioni stradali*
- *dire che ora è*
- *prenotare una visita guidata*

COMINCIAMO

a   *Queste sono le prime 10 città italiane per numero di turisti. Quali conosci?*

1. Roma	6. Catania
2. Milano	7. Pisa
3. Venezia	8. Firenze
4. Napoli	9. Bologna
5. Palermo	10. Bari

b   *Qual è la città della foto?*

c   *Sai dove sono le 10 città? Guarda la cartina d'Italia a pagina 14.*

SOLUZIONE DEL PUNTO *b*
Bologna: Torre degli Asinelli e Torre della Garisenda.

1 LEGGERE Venezia e Milano

1a *In coppia. Lo studente A legge il testo su Venezia, lo studente B il testo su Milano.*

1b *Chiudi il libro e racconta al compagno il contenuto del tuo testo.*

1c *Adesso A legge il testo su Milano, B il testo su Venezia.*

1d *Seleziona la parte giusta, come nell'esempio.*

1. A Venezia ci sono molti palazzi ☑ **antichi** ○ **moderni**.
2. In piazza San Marco c'è ○ **una chiesa** ○ **un ponte**.
3. A Venezia c'è il festival ○ **del cibo** ○ **del cinema**.
4. A Venezia ○ **ci sono** ○ **non ci sono** macchine.
5. A Milano ○ **c'è** ○ **non c'è** un centro storico interessante.
6. A Milano ○ **ci sono** ○ **non ci sono** negozi eleganti.
7. A Milano ○ **c'è** ○ **non c'è** la metropolitana.

1e *In coppia: quale città preferisci? Perché? Parla con il compagno.*

> **FOCUS**
>
> **I MESI**
> gennaio — luglio
> febbraio — agosto
> marzo — settembre
> aprile — ottobre
> maggio — novembre
> giugno — dicembre
>
> **A febbraio** c'è il Carnevale.

2 VOCABOLARIO Le parole della città

 2a *Abbina parole e immagini, come nell'esempio. Poi ascolta e verifica.*

n°___ gondola   n°___ macchina
n°___ metro   n° _7_ tram
n°___ autobus   n°___ vaporetto
n°___ bicicletta

Venezia

COSA VEDERE Venezia è una città ricca di storia e di cultura. Ci sono molti palazzi antichi, musei, chiese. Ci sono anche ponti storici, come il Ponte di Rialto. Un altro luogo importante è Piazza San Marco, con la bellissima chiesa.

COSA FARE A Venezia ci sono molte manifestazioni culturali. A febbraio c'è il Carnevale, a maggio c'è la Biennale d'arte, a agosto il Festival del cinema e a ottobre la Biennale musica.

COME MUOVERSI Venezia è sul mare e in città non ci sono macchine. I veneziani vanno a piedi o in vaporetto. Qualcuno va in gondola, specialmente i turisti.

testo parlante 23

2b *Completa il cruciverba con le parole dei due testi (VE = Venezia, MI = Milano). Segui l'esempio.*

VERTICALI ↓

1. MI

2. VE

3. MI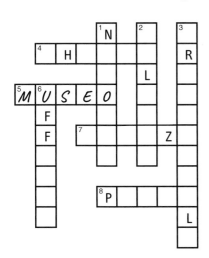

Crossword grid with letters: N, H, R, L, M U S E O, F, F, Z, P, L

ORIZZONTALI →

4. VE

√ 5. VE e MI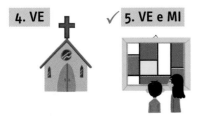

7. VE

8. VE

6. MI

---

3 **GRAMMATICA** C'è / Ci sono

3a *Completa le due frasi.*

A febbraio _____ il Carnevale.
In città non _____ macchine.

3b *Qual è la differenza tra c'è e ci sono? Discuti con un compagno.*

3c *In coppia. A turno, **A** fa domande su Venezia e **B** su Milano. Seguite l'esempio. Se necessario, verificate le risposte nei testi.*

ESEMPIO:

A A Venezia **ci sono** <u>ponti storici</u>?
B ○ Sì, c'è.
○ No, non c'è.
⊘ Sì, ci sono.
○ No, non ci sono.

B A Milano **c'è** <u>il mare</u>?
A ○ Sì, c'è.
⊘ No, non c'è.
○ Sì, ci sono.
○ No, non ci sono.

A / VENEZIA 1. √ponti storici | 2. la metropolitana
3. il mare | 4. palazzi antichi | 5. il Festival del cinema
6. i grattacieli | 7. il Carnevale

B / MILANO a. √il mare | b. negozi eleganti
c. il centro storico | d. musei interessanti
e. opere di Leonardo | f. il tram | g. la Biennale d'arte

4 **SCRIVERE** La mia città

Che cosa c'è nella tua città? Scrivi un testo.
Spiega: che cosa vedere, che cosa fare e come muoversi.

Ci sono molte cose interessanti...
Ci sono molti musei...

testo parlante 24 ⊙

Milano

COSA VEDERE Milano è la seconda città italiana.
Ci sono grattacieli e uffici, ma non è solo una città moderna.
Milano infatti ha un centro storico con molte cose
interessanti: il Duomo, il Teatro Alla Scala e musei
con opere di Leonardo, Mantegna e molti altri artisti
italiani del Rinascimento.

COSA FARE Passeggiare per le vie del centro
e guardare i negozi eleganti. La sera, andare nella
zona dei Navigli dove ci sono bar e ristoranti
per mangiare, bere e incontrare gli amici.

COME MUOVERSI I milanesi usano
la metropolitana, l'autobus o il tram.
Molti milanesi usano anche la bicicletta.

5B Lo spazio

1 GRAMMATICA Espressioni di luogo

1a *Guarda l'immagine della piazza e forma frasi, come nell'esempio.*

| vicino / accanto | davanti | dietro | sotto | sopra |

1. Il ristorante   **sotto** la stazione.

2. La stazione   **vicino** al supermercato.

3. Il museo   **accanto** al bar.

4. L'ospedale   **è**   **davanti** al supermercato.

5. Il parcheggio   **davanti** alla chiesa.

6. La fermata   **dietro** alla banca.
   della metro

1b *In coppia. A turno, uno studente domanda che cosa c'è nella classe. Seguite i modelli. L'altro studente indovina.*

> 💡 **FOCUS**
>
> **PREPOSIZIONI: A + ARTICOLO**
> a + il → **al** bar
> a + la → **alla** banca

| Chi c'è **vicino a** Rita? | Maria! | Sì, giusto! / No, sbagliato! |

| Che cosa c'è **sotto** il tavolo? | Lo zaino! | Sì, giusto! / No, sbagliato! |

2 ASCOLTARE Senta, scusi...

26 ▶ **2a** *Ascolta. Secondo te dove sono le due persone?*

1. ○ All'ufficio informazioni della stazione.
2. ○ All'ufficio informazioni dell'aeroporto.
3. ○ Al bar dell'aeroporto.

2b *Ascolta ancora e seleziona la risposta giusta.*

1. Con il treno ci vogliono
   - ○ 40 minuti.
   - ○ 55 minuti.
   - ○ 2 ore.
2. Con l'autobus ci vogliono
   - ○ 40 minuti.
   - ○ 55 minuti.
   - ○ 2 ore.
3. Il signore vuole prendere
   - ○ il taxi.
   - ○ l'autobus.
   - ○ il treno.
4. Il signore può comprare il biglietto
   - ○ al bar.
   - ○ alla biglietteria automatica.
   - ○ sul treno.

2c *Ascolta ancora e scrivi le parole al posto giusto, come nell'esempio.*

aeroporto | bar | ✓ **biglietteria automatica** | **stazione**

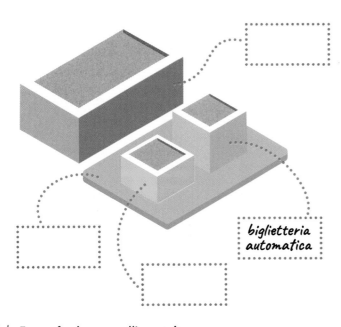

biglietteria automatica

2d *Forma frasi come nell'esempio.*

1. Senta,   55 minuti.

2. Che mezzi   dove parte?

3. Con il treno   scusi...

4. Con l'autobus ci vogliono   quanto tempo ci vuole?

5. Mi sa dire da   il biglietto sul treno?

6. Posso fare   posso prendere?

2e *Completa con le espressioni del dialogo.*

1. PER CHIEDERE INFORMAZIONI:
   Senta, _____...
   _____ _____ dire...

2. PER CHIEDERE QUANTO TEMPO È NECESSARIO:
   Quanto tempo _____ _____?

3. PER RISPONDERE:
   _____ _____ 55 minuti.

3 **PARLARE** Quanto tempo ci vuole?

In coppia. A turno, scegliete ogni volta un luogo reale della vostra città e domandate come arrivare lì dalla scuola. Il compagno risponde. Potete usare gli esempi delle liste.

LUOGHI	MEZZI	TEMPO
Alla stazione	Treno	10 minuti
All'aeroporto	Metro	25 minuti
Allo stadio	Tram	Un'ora
All'ospedale	Taxi	Due ore
In centro	In macchina	...
...	A piedi	
	...	

Senta, scusi, per andare allo stadio che mezzi posso prendere?

Può andare in metro o in taxi.

Con la metro quanto tempo ci vuole?

5c **La strada**

G a destra / a sinistra • da 1° a 10° • preposizioni articolate
V Non lo so. • Gira alla seconda a sinistra.

1 *ASCOLTARE* La seconda a sinistra

27 ▷ 1a *Ascolta. Quante persone parlano?*

1b *Ascolta ancora: dov'è via degli Angeli? Segna il percorso sulla mappa da piazza Firenze e seleziona la via.*

 dritto   a destra   a sinistra   incrocio   semaforo

> 💡 **FOCUS**
>
> **NON LO SO**
> ● Senta scusi, sa dov'è via degli Angeli?
> ◆ **Non lo so**, mi dispiace.

1c *Leggi e verifica.*

● Senta scusi, sa dov'è via degli Angeli?

◆ Non lo so, mi dispiace.

...

● Scusi, sa dov'è via degli Angeli?

▶ Sì... Allora... Vede l'incrocio con il semaforo?

● Sì.

▶ Bene. Lei arriva all'incrocio e gira a destra. Poi continua dritto, e gira alla seconda a sinistra.

● Seconda a sinistra, ok...

▶ Poi va sempre dritto, e quando arriva alla piazza, gira alla prima a destra. Quella è via degli Angeli.

● Grazie.

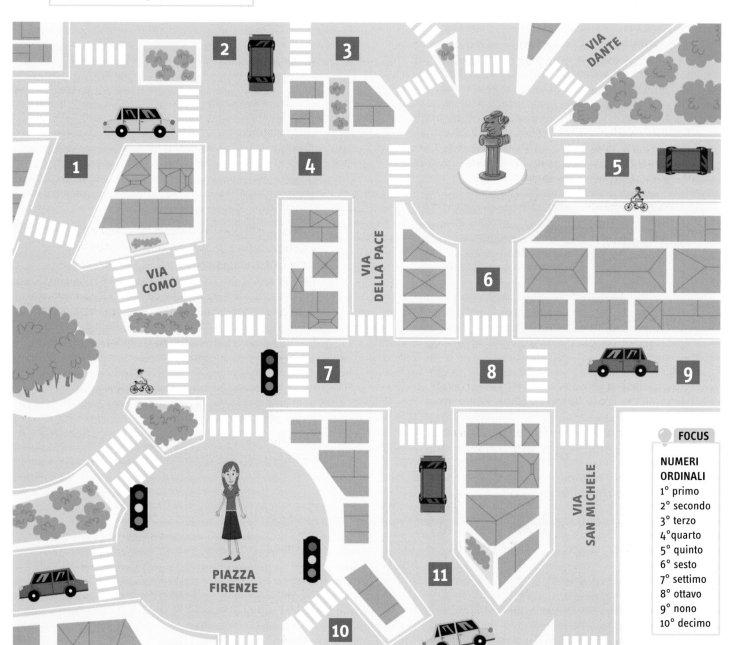

> 💡 **FOCUS**
>
> **NUMERI ORDINALI**
> 1° primo
> 2° secondo
> 3° terzo
> 4° quarto
> 5° quinto
> 6° sesto
> 7° settimo
> 8° ottavo
> 9° nono
> 10° decimo

2 VOCABOLARIO Verbi di movimento

2a Indica con una ✓ le combinazioni del dialogo. Per adesso *ignora* i numeri tra parentesi.

	DRITTO	A DESTRA	A SINISTRA	ALL'INCROCIO	AL SEMAFORO
andare [5]					
girare [4]					
arrivare [2]					
continuare [1]					

2b In coppia. Guardate i numeri tra parentesi dopo i verbi al punto 2a: sono possibili altre combinazioni. Quali?

3 PARLARE Dov'è...?

In coppia. Siete in piazza Firenze (mappa del punto 1). Lo studente A seleziona una via della lista e domanda allo studente B come arrivare. Lo studente B guarda la mappa e risponde. Poi invertite i ruoli.

via Dante | **via della pace** | **via Como** | **via San Michele**

Senta scusi, sa dov'è...

Sì, allora...

4 GRAMMATICA Preposizioni articolate

4a Da che cosa sono formate le preposizioni articolate **evidenziate**? Segui l'esempio.

● Senta scusi, mi sa dire dov'è via **degli** Angeli? | di+gli
▶ Sì... Allora... Vede l'incrocio con il semaforo?
● Sì.
▶ Bene. Lei arriva **all'** incrocio e gira a destra. |
Poi continua dritto, e gira **alla** seconda a sinistra. |

4b Unisci preposizioni e articoli e completa la tabella.

	IL	LO	L'	LA	I	GLI	LE
DI	del		dell'	della	dei		delle
A		allo			ai	agli	
DA	dal		dall'				dalle
IN	nel		nell'	nella		negli	
SU		sullo		sulla	sui		sulle

4c Forma le preposizioni articolate e completa i dialoghi, come nell'esempio.

● Scusi, posso lasciare la macchina __nel__ parcheggio _____ museo?
▶ Sì, ma deve girare a destra. Questo è il parcheggio _____ autobus.

di + il = _____
di + gli = _____
in + il = __nel__

● Senta, scusi, che autobus posso prendere per andare _____ stadio?
▶ Può prendere il 19. La fermata è accanto _____ bar.
● Posso comprare il biglietto _____ autobus?
▶ Sì.

su + l' = _____
a + lo = _____
a + il = _____

● Scusi, mi sa dire dove trovo gli orari _____ treni?
▶ Sì, sono vicino _____ biglietteria.
● La biglietteria dov'è?
▶ Davanti _____ ufficio informazioni.

a + la = _____
di + i = _____
a + l' = _____

5 SCRIVERE Un dialogo

Forma una squadra con due o tre compagni. Giocate contro un'altra squadra. Selezionate una situazione della lista. Ogni squadra ha 5 minuti per fare un dialogo con le preposizioni articolate. Alla fine legge il dialogo: ogni preposizione corretta vale un punto. Ripetete il gioco un'altra volta. Vince chi ha più punti.

Un turista domanda a una persona come arrivare alla fermata della metro.

Un turista domanda all'ufficio informazioni dell'aeroporto come arrivare in città.

Al telefono, un cliente domanda al receptionist come arrivare in hotel dalla stazione.

ITALIANO IN PRATICA
5D **Vorrei tre biglietti.**

G l'ora • qui / lì
V biglietto intero / biglietto ridotto • Quanto costa?

1 GRAMMATICA Che ore sono?

28 ▶ 1a Abbina orologi e ore, come nell'esempio. Poi ascolta e verifica.

a. 8:00 b. 8:10 c. 8:15 d. 8:30 e. 8:40
f. 8:45 g. 12:00 ✓h. 00:00 i. 1:00

00:00
È mezzanotte.

Sono le otto e quaranta. /
Sono le nove meno venti.

Sono le otto e trenta. /
Sono le otto e mezza.

Sono le otto e dieci.

Sono le otto
e quindici. /
Sono le otto
e un quarto.

Sono le otto.

È l'una.

Sono le otto e quarantacinque. /
Sono le nove meno un quarto.

È mezzogiorno. / Sono le dodici.

FOCUS

CHE ORE SONO? / CHE ORA È?

Sono le dieci e venti. ☀

Sono le dieci e venti. / Sono le ventidue e venti. 🌙

29 ▶ 1b Ascolta e disegna l'ora.

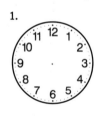 
1. 2. 3.

4. 5. 6.

7. 8. 9.

1c Forma una squadra. L'insegnante scrive ogni volta un'ora diversa alla lavagna e domanda che ore sono. Ogni squadra scrive su un foglio che ora è in tutti i modi possibili, come nell'esempio. Quando finisce, dice "STOP!" e dà la soluzione. Se la risposta è giusta, prende un punto.

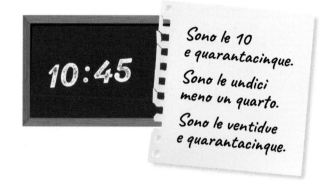

10:45

Sono le 10
e quarantacinque.
Sono le undici
meno un quarto.
Sono le ventidue
e quarantacinque.

2 ASCOLTARE Vorrei tre biglietti.

30 ▶ 2a Ascolta il dialogo all'ufficio informazioni turistiche e abbina domande e risposte.

GIORNO	
1. Che giorno è?	lunedì
2. Quando deve partire il signore?	martedì
	mercoledì
3. Per quale giorno compra i biglietti alla fine?	giovedì
	venerdì
	sabato
	domenica

ORE	
1. Che ore sono?	10:00
2. A che ora comincia la visita?	11:15
	11:30
3. A che ora il signore deve essere alla Galleria Borghese?	11:45
	12:00
	12:30

2b Completa la brochure della Galleria Borghese a pagina 71 con le informazioni mancanti. Se necessario, ascolta ancora.

2c Abbina le parole di sinistra e di destra e forma le espressioni del dialogo.

biglietto   guidata
ufficio   informazioni
visita   intero
            ridotto

GALLERIA BORGHESE

Cosa c'è

La Galleria ospita opere di Raffaello, Tiziano, Correggio, Caravaggio e splendide sculture del Bernini e del Canova.

Dove siamo

piazzale del Museo Borghese, 00197 - Roma

Orari

9:00-19:00
chiuso il _____

Biglietti

intero _____ €
ridotto _____ €

Visite guidate

costo _____ € a persona
(gratis per i bambini)

Appuntamento _____ minuti prima
_____ all'entrata della Galleria.

PER INFORMAZIONI **www.galleriaborghese.it**

💡 **FOCUS**

VICINO e LONTANO	QUI e LÌ
È **vicino**.	Noi siamo **qui**.
Non è **lontano**.	Dovete essere **lì** 10 minuti prima.

3 🗨 **PARLARE** In un ufficio informazioni

In coppia (studente A e studente B).
Andate in ▶ *COMUNICAZIONE: A va a pagina 135,*
B *va a pagina 139. Fate un dialogo in un ufficio informazioni.*

Vorrei...

Per quando?

Quanto costa la visita?

DIECI espressioni di spazio

1 a destra ☐

2 a sinistra ☐

3 davanti (a) ☐

4 dietro (a) ☐⭐

5 accanto (a) ☐⭐

6 sopra ☐

7 sotto ☐

8 vicino (a) ☐⭐

9 lontano (da) ☐⭐

10 dentro ⭐

Per ogni espressione, metti il simbolo nella posizione giusta, come negli esempi.

ASCOLTO IMMERSIVO® *Inquadra il QRcode a sinistra o vai su www.almaedizioni.it/dieciA1, chiudi gli occhi, rilassati e ascolta.*

▶ *GRAMMATICA* ES 9 ▶ *VOCABOLARIO* ES 9 ▶ *FONETICA*

VIDEO

1 *Guarda il video. Poi seleziona l'opzione corretta.*

1. Francesca è:
   ○ in autobus.
   ○ in taxi.

2. Francesca dice che:
   ○ non sa quando arriva.
   ○ arriva tra 5 minuti.

3. Quando Ivano arriva, sono:
   ○ le undici e mezza.
   ○ le undici e un quarto.

4. Ivano è:
   ○ il terzo paziente.
   ○ il primo paziente.

5. Secondo Ivano nello studio c'è:
   ○ Francesca.
   ○ Anna.

2 *Completa con c'è, ci sono, ci sei, ci vuole.*

Francesca? _____?
Perché non apri la porta?

Scusa Anna, sono in taxi, ma _____ molto traffico. Non so quanto tempo _____.

Le chiavi sono sotto lo zerbino. Perché non entri? Così aspetti in studio. _____ anche la macchina per il caffè!

_____ problemi?
È giovedì, giusto?

3 *Ordina i momenti del video. Attenzione: c'è una frase in più.*

☐ Francesca dice a Anna che ha un problema ed è in ritardo.

☐ Anna manda un messaggio a Francesca.

☐ Ivano arriva all'appuntamento alle 11:15.

☐ Anna entra nello studio di Francesca.

☐ Francesca entra nello studio e trova Ivano.

☐ Ivano parla con Anna, ma crede di parlare con Francesca.

La frase in più è: _____

4 *Completa le frasi con parole della lista. Poi abbina le frasi e le immagini sotto.*

con | davanti alla | alla | sul

1. Anna aspetta Francesca _____ porta.
2. Anna mette i vestiti _____ divano.
3. Anna parla _____ Ivano.
4. Anna suona _____ porta.

5 *Secondo voi che cosa succede nel prossimo episodio? Parla con un compagno.*

○ Anna rivela la sua identità.
○ Anna invita Ivano a una festa.
○ Anna inventa una scusa e va via.

MAMMA MIA!
Alla fine Anna dice sottovoce: *Mamma mia!*
Questa espressione è molto comune
e indica paura o sorpresa.

CERCARE INFORMAZIONI SU ATTRAZIONI TURISTICHE

NAPOLI: IL DIO NILO [II / III SECOLO DOPO CRISTO]

1 In gruppi di 3. Per questa attività dovete usare internet, o una guida di Napoli.
Cercate informazioni* su <u>una</u> coppia di musei o luoghi importanti di Napoli nella lista sotto. Ogni gruppo seleziona una coppia diversa. Scrivete le informazioni su un foglio a parte e, se possibile, stampate una foto delle due attrazioni.

- **a.** Museo archeologico
  Complesso di Santa Chiara

- **b.** Napoli sotterranea
  Scavi di Ercolano

- **c.** Museo nazionale di Capodimonte
  Città della Scienza

- **d.** Museo Madre
  Museo civico di Castel Nuovo

- **e.** Scavi di Pompei
  Scavi di San Lorenzo Maggiore

  * **informazioni da cercare:**
  - ▶ orari
  - ▶ giorni di chiusura / giorni di apertura
  - ▶ tariffe (biglietto intero, biglietto ridotto)
  - ▶ costo della visita guidata
  - ▶ possibilità di prenotare online

2 La classe stampa una grande cartina di Napoli. Tutti i gruppi attaccano i fogli e le foto sulla cartina. Avete una miniguida di Napoli: quali attrazioni volete visitare?

DIECI CITTÀ ITALIANE

1. La città "eterna": ROMA
2. La città della moda: MILANO
3. La città sull'acqua: VENEZIA
4. La città studentesca: BOLOGNA
5. La città del Rinascimento: FIRENZE
6. La città del Barocco: LECCE
7. La città dell'acquario: GENOVA
8. La città della pizza: NAPOLI
9. La città della cioccolata: TORINO
10. La città dei caffè: TRIESTE

Nel tuo Paese qual è la città del buon cibo, della moda, dell'arte?

_____

_____

_____

GRAMMATICA

1 Seleziona l'opzione corretta tra quelle **evidenziate**.

Visitare Napoli

Napoli è la terza città italiana dopo Roma e Milano. Ha una posizione unica, davanti **a le / alle** isole di Procida e Ischia, **sopra / vicino** a Capri, alla Costiera amalfitana e al Vesuvio.
Nel / In il centro storico **c'è / ci sono** molte attrazioni turistiche: rovine greche e romane, musei, castelli e chiese. Questa città bellissima e rumorosa è famosa anche per la pizza, la vita culturale dinamica e la musica. Per visitare Napoli con attenzione **ci vuole / ci vogliono** circa una settimana.
La temperatura ideale è **al / a** maggio (circa 22 °C).

OGNI OPZIONE CORRETTA = 5 PUNTI   ___ / 30

2 In quali frasi ci sono problemi (P)? Sostituisci la parola sbagliata con la parola corretta.

1. Sono mezzogiorno, devo andare.
   P: ○ sì ○ no ➥ _____
   _____

2. Vieni a casa mia oggi?
   P: ○ sì ○ no ➥ _____
   _____

3. Andiamo a scuola con l'autobus.
   P: ○ sì ○ no ➥ _____
   _____

4. Scusi, mi sape dire dov'è piazza Dante?
   P: ○ sì ○ no ➥ _____
   _____

5. Quante ore ci vogliono per arrivare a Bari?
   P: ○ sì ○ no ➥ _____
   _____

OGNI ERRORE CORRETTO = 2 PUNTI   ___ / 10

VOCABOLARIO

3 Dove fai queste cose? Abbina azioni e luoghi.

1. vedere un film	a. al supermercato
2. prendere un aereo	b. in stazione
3. comprare da mangiare	c. in aeroporto
4. prendere un treno	d. in biglietteria
5. prenotare una visita guidata	e. al cinema

OGNI ABBINAMENTO CORRETTO = 3 PUNTI   ___ / 15

4 Rispondi alle domande sui mesi.

Qual è:
a. il primo mese dell'anno?   _____
b. il quarto mese dell'anno?   _____
c. il sesto mese dell'anno?   _____
d. il settimo mese dell'anno?   _____
e. il decimo mese dell'anno?   _____

OGNI ABBINAMENTO CORRETTO = 3 PUNTI   ___ / 15

COMUNICAZIONE

5 Ordina il dialogo tra due persone, come negli esempi. Quattro frasi sono al posto giusto.

5	Ok, arrivo all'incrocio, giro alla prima a sinistra...
	Sì, allora... Lei arriva all'incrocio, gira alla prima a sinistra...
10	Eh, questo non lo so, mi dispiace.
	Ho capito. Quanto tempo ci vuole?
3	Ma è lontano? Devo prendere un mezzo?
	E il museo è aperto oggi?
	Sì, e poi va sempre dritto fino alla piazza. Lì c'è il museo.
1	Senta, scusi, sa dov'è il Museo del Cinema?
	Poco, cinque minuti.
	No, no, è vicino. Può andare a piedi.

OGNI FRASE AL POSTO GIUSTO = 5 PUNTI   ___ / 30

TOTALE   ___ / 100

AUTOVALUTAZIONE

CHE COSA SO FARE IN ITALIANO?	☺	😐	☹
descrivere la mia città	○	○	○
capire informazioni stradali	○	○	○
chiedere e dire l'ora	○	○	○

LEZIONE
PARLIAMO DI ME

Qui imparo a:
- descrivere la mia giornata
- indicare la frequenza
- raccontare come passo il tempo libero
- dire che cosa mi piace
- fissare un appuntamento con un amico

COMINCIAMO

Guarda la foto e rispondi alle domande. Usa l'immaginazione. Poi confrontati con un compagno.

Secondo te la donna:

1. quanti anni ha?

2. dove vive?

3. che lavoro fa?

4. che tipo di giornata ha?

5. che passioni ha?

1 VOCABOLARIO I verbi della mattina

1a Abbina azioni e foto, come negli esempi. Attenzione: c'è una foto in più.

a. FARSI LA DOCCIA
b. USCIRE DI CASA
c. FARE COLAZIONE
d. VESTIRSI
e. ALZARSI
f. SVEGLIARSI
g. FARE GINNASTICA

1 e
2
3 d
4
5
6
7
8

31 ⏵ **1b** Ascolta e verifica.

1c Scrivi in ordine le lettere **evidenziate** in ogni verbo al punto **1a** e leggi qual è il verbo della foto in più.

☐☐☐☐☐☐☐☐ I DENTI

2 ASCOLTARE E PARLARE
Due giornate diverse

32 ⏵ **2a** Ascolta: secondo te, che lavoro fanno Maria e Giulio?

	MARIA	GIULIO
cuoco / cuoca	○	○
dottore / dottoressa	○	○
musicista	○	○
scrittore / scrittrice	○	○

2b Ascolta ancora e completa il questionario.

DI SOLITO...	MARIA	GIULIO
1. A che ora ti svegli?	Mi sveglio alle 6.	
2. Ti fai la doccia la mattina o la sera?		
3. Fai ginnastica?		
4. Che cosa mangi a colazione?		
5. Come vai al lavoro?		Lavoro a casa.
6. Dove mangi a pranzo?		
7. Con quante persone parli in un giorno?		
8. Che cosa fai la sera?		
9. A che ora vai a letto?		

2c E tu di solito che cosa fai? Usa il questionario e intervista un compagno. Rispondi anche tu alle sue domande.

A che ora ti svegli? → Alle 8. / Verso le 8. Presto. / Tardi.

3 GRAMMATICA I verbi riflessivi

3a Completa la tabella.

SVEGLIARSI

io		sveglio
tu		
lui / lei / Lei	si	sveglia
noi	ci	
voi	vi	svegliate
loro	si	

3b In coppia. A turno selezionate un'espressione, lanciate un dado per decidere la persona (• = io, •• = tu, ecc.) e formate una frase. Se per il compagno la frase è corretta, conquistate la casella. Vince chi conquista più caselle.

ESEMPIO:
sveglìarsi
•••• = noi

Noi **ci svegliamo** presto.

svegliarsi	farsi la doccia	andare a letto
fare colazione	alzarsi	lavarsi i denti
prendere l'autobus	mangiare	vestirsi

ALMA Edizioni | DIECI

4 LEGGERE Com'è la tua giornata?

Ordina le 4 parti del testo.

LA GIORNATA DI NINO, STUDENTE

FOCUS USCIRE	
io	esco
tu	esci
lui / lei / Lei	esce
noi	usciamo
voi	uscite
loro	escono

☐ Dopo colazione, io e mio padre usciamo di casa. Spesso prendiamo il motorino perché a Roma c'è molto traffico. Resto a scuola tutta la mattina.

☐ Durante la settimana la sera non esco mai. Resto a casa e vado a letto presto. Invece il sabato esco sempre con gli amici.

☐ La mia giornata? Di solito la mattina mi alzo alle 7. Prima mi faccio la doccia e poi preparo la colazione per tutta la famiglia.

☐ Alle 14 torno a casa, mangio e il pomeriggio faccio i compiti. Qualche volta studio con un compagno.

5 GRAMMATICA E PARLARE
Gli avverbi di frequenza

5a *Leggi le frasi nelle foto e completa con gli avverbi di frequenza evidenziati, come negli esempi.*

100% ➤ ➤ ➤ 0%

_____ spesso qualche volta _____

Non mangio **mai** carne.

Qualche volta mi addormento in classe.

Vado **spesso** allo stadio.

Penso **sempre** a lei.

5b *Sottolinea gli stessi avverbi nel testo del punto 4.*

5c *Quali sono le tue abitudini? Completa lo schema e indica con una ✓ con quale frequenza fai queste cose.*

	SEMPRE	SPESSO	QUALCHE VOLTA	MAI
bere caffè				
mangiare carne				
arrabbiarsi				
fare sport				
piangere				
andare in bicicletta				
fare le scale a piedi				
cucinare				

FOCUS
NON... MAI
Non mangio **mai** carne.

5d *In coppia. A turno, indovinate le abitudini dell'altro.*

Secondo me tu non bevi mai caffè. Giusto?

Giusto! / Sbagliato, qualche volta io bevo caffè.

6 SCRIVERE La mia giornata

Racconta la tua giornata.

Di solito... Prima... Poi...

1 VOCABOLARIO Il tempo libero

1a *Che cosa fai nel tempo libero? Indica le tue attività.*

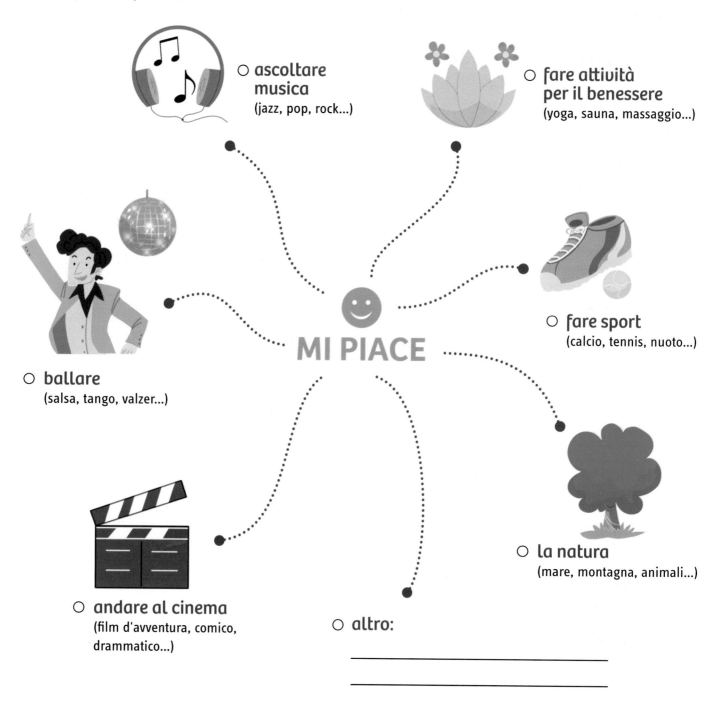

○ ascoltare
musica
(jazz, pop, rock...)

○ fare attività
per il benessere
(yoga, sauna, massaggio...)

○ ballare
(salsa, tango, valzer...)

MI PIACE

○ fare sport
(calcio, tennis, nuoto...)

○ andare al cinema
(film d'avventura, comico,
drammatico...)

○ altro:

○ la natura
(mare, montagna, animali...)

_____

_____

1b *Gira per la classe e scopri gli interessi dei compagni. Fai domande come nell'esempio.*
Chi ha più interessi in comune con te?

Ti piace **ballare**?

Sì,
mi piace! ☺

No, non
mi piace! ☹

2 LEGGERE Le passioni di una velista

2a *Il testo a destra si chiama "Le passioni di una velista".
Secondo te, quali interessi può avere questa persona?
Fai ipotesi, poi leggi il testo e verifica.*

2b *Leggi ancora e rispondi alle domande, come
nell'esempio. Poi confrontati con un compagno.*

Come si chiama la donna?   *Sonia Giorgi*

Quanti anni ha?

Che lavoro fa?

Come si chiama la sua barca?

Dove è nata?

Dove vive?

Che passioni ha?

Che progetti ha?

3 GRAMMATICA Mi piace / Mi piacciono

3a *Completa con il verbo* piacere *le tre frasi dell'intervista.*

> Perché ti _____ la vela?
>
> Mi _____ gli animali.
>
> Mi _____ vincere.

3b *Quando usiamo* piace *e quando usiamo* piacciono*?
Discuti con un compagno.*

3c *In coppia. A turno, uno studente intervista e l'altro
studente è Sonia. Seguite l'esempio. Se necessario,
verificate le risposte nell'intervista.*

Ti piace **la vela**?	☑ Sì, mi piace.
	○ Sì, mi piacciono.
	○ No, non mi piace.
	○ No, non mi piacciono.

a. ✓ la vela	f. le cose semplici
b. la natura	g. arrivare seconda
c. i gatti	h. la musica
d. il mare	i. i film romantici
e. l'avventura	l. i film d'avventura

testo parlante 33 ▶

LE PASSIONI DI UNA VELISTA

Sonia Giorgi ha 25 anni
ed è una velista. Con la sua barca,
Lilith III, partecipa a importanti
competizioni internazionali
ed è sempre in giro per il mondo.

**Tu sei nata a Milano ma vivi a Genova.
Perché?**
Perché qui c'è il mare e posso allenarmi
con regolarità.

Perché ti piace la vela?
Perché amo la natura, il mare, l'avventura.
Con la vela posso unire tutte queste passioni.

Hai altre passioni, a parte la vela?
Mi piacciono gli animali: ho un cane,
due gatti, e anche una tartaruga!

E nel tempo libero che cosa fai?
Sono una ragazza normale, mi piacciono
le cose semplici: ascoltare musica,
andare al cinema a vedere un film
con il mio ragazzo, Vincenzo...

Film romantici?
No. Preferisco i film d'avventura.

Quali sono i tuoi progetti?
Partecipare alle Olimpiadi.
Ma non mi piace arrivare seconda,
mi piace vincere: voglio
la medaglia d'oro!

4 PARLARE E SCRIVERE Un'intervista

*In coppia. A turno, intervistate il compagno sulle sue
passioni. Poi scrivete l'intervista.*

LE PASSIONI DI...
Che cosa ti piace fare?
Nel tempo libero che cosa fai?
Quali sono i tuoi progetti? ...

▶ *GRAMMATICA* ES 6   ▶ *VOCABOLARIO* ES 3

1 ASCOLTARE Odio il pesce!

34 **1a** Ascolta il dialogo tra Lucia e Paolo. Qual è il problema? Parla con un compagno.

1b Ascolta ancora e indica con un emoji che cosa piace 😊 e che cosa non piace 😞 alle 3 persone.

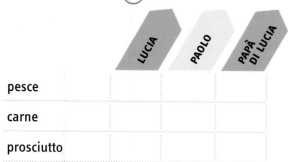

	LUCIA	PAOLO	PAPÀ DI LUCIA
pesce			
carne			
prosciutto			

1c Leggi il dialogo e verifica.

▷ Lucia, che cosa fai sabato sera?

● Devo andare a cena dai miei genitori.
Ma c'è un problema: cucina mio padre.

▷ E allora? Qual è il problema?

● Mio padre cucina sempre pesce.

▷ Non ti piace?

● No, non mi piace per niente! Io odio il pesce!

▷ Povera! Neanche a me piace. Ma perché non dici a tuo padre di preparare anche un piatto di carne?

● Nooo, la carne non gli piace, è vegetariano.

▷ Vegetariano? Ma se mangia il pesce...

● Sì, hai ragione, ma non è un vegetariano vero: mangia il pesce e gli piace anche il prosciutto!

▷ Hm, anche a me piace il prosciutto! E a te?

● A me no!

1d Forma frasi, come nell'esempio.

A Lucia
A Paolo   piace   la carne.
Al papà di Lucia non piace   il pesce.
                                 il prosciutto.

1e E tu? Che cosa odi o non ti piace? Parla con alcuni compagni.

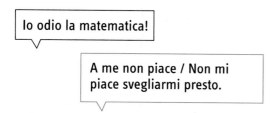

Io odio la matematica!

A me non piace / Non mi piace svegliarmi presto.

2 GRAMMATICA Anche / Neanche

2a Completa lo schema con i simboli della lista, come nell'esempio.

😞😞   😊😊   😊😞   😞😊

😊😊	▷ A me piace la carne. E a te? ● Anche a me.
	▷ A me piace il prosciutto! E a te? ● A me no!
	▷ A me non piace il calcio. E a te? ● Neanche a me.
	▷ A me non piace il jazz! E a te? ● A me sì!

2b In coppia. Andate in ▷ COMUNICAZIONE a pagina 136 e giocate.

3 VOCABOLARIO Hai ragione.

3a Abbina le espressioni del dialogo e il significato corrispondente.

ESPRESSIONE	SIGNIFICATO
1. Povera!	a. Sì, è vero.
2. Hai ragione.	b. Non capisco, puoi spiegare?
3. E allora?	c. Mi dispiace per te.

3b Completa i dialoghi con le espressioni del punto **3a**.

1.
▷ Il nuovo ragazzo di Lucia è molto simpatico.
● _____ È anche bello!

2.
▷ Oh no, c'è un gatto in giardino!
● _____ Qual è il problema?
▷ Io odio i gatti!

3.
● Ciao Marina. Come va?
▷ Così così. Domani ho un esame e devo studiare tutta la notte.
● _____ Neanche a me piace studiare.

4 PARLARE Sì, le piace!

4a In coppia (studente A e studente B). Indica con il simbolo 😊 *tre cose che possono piacere a ogni persona nel tuo schema.*

studente A

	il calcio	ballare	la carne	il mare	cucinare	andare in bicicletta
 **LEO**						
 **RITA**						

studente B

	il tennis	svegliarsi presto	lo yoga	la musica rap	leggere	il pesce
 **FABIO**						
 **KATIE**						

4b Adesso gioca con il compagno e segui gli esempi.
Lo studente A prova a indovinare che cosa piace a Fabio o Katie e lo studente B risponde.
Poi B prova a indovinare che cosa piace a Leo o Rita e A risponde, ecc.
Ogni risposta giusta = 1 punto. Vince chi arriva per primo a 6 punti.

ESEMPIO:

studente A	Secondo me a Fabio piace lo yoga.
studente B	Sì, **gli** piace! / No, non **gli** piace.
studente B	Secondo me a Rita piace ballare.
studente A	Sì, **le** piace! / No, non **le** piace.

...

💡 **FOCUS**

PIACERE + PRONOMI

(a me)	mi piace
(a te)	ti piace
(a lui)	gli piace
(a lei)	le piace

6D ITALIANO IN PRATICA
Usciamo venerdì sera?

G venerdì sera / il venerdì sera
v Usciamo? • Mi dispiace, non posso. • D'accordo.

1 ASCOLTARE Mi dispiace, non posso.

35 ▶ **1a** Ascolta. Alla fine dove vanno le due amiche? Seleziona l'immagine giusta.

1

Teatro Nuovo

Antonio Albanese
Personaggi

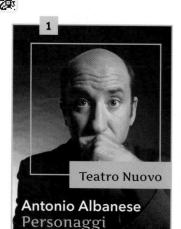

Teatro Dal Verme

OSR

presenta

Concerto di Natale

ORCHESTRA
SINFONICA
G. ROSSINI

2

3

007
SPECTRE

Questione di Cuore

Antonio Albanese
Kim Rossi Stuart

4

5

YOGA E MEDITAZIONE NEL PARCO

domenica 6 settembre
dalle ore 14:30

l'evento è gratuito
e aperto a tutti

1b Ascolta ancora e completa l'agenda di Martina.

A CHE ORA?	VENERDÌ	SABATO	DOMENICA

1c Leggi il dialogo e verifica.

● Allora Martina, usciamo venerdì sera? Andiamo al cinema?

▶ Mi dispiace, non posso: il venerdì sera dalle 8 alle 9 e mezza ho il corso di teatro. Facciamo sabato?

● Per me va bene. Ti piacciono i film d'azione? Al cinema Europa c'è l'ultimo di James Bond.

▶ No, preferisco una commedia. C'è l'ultimo di Albanese, per esempio... Fa sempre film divertenti.

● D'accordo. Albanese piace anche a me. Che spettacolo preferisci?

▶ Quello delle 8:30. Non voglio fare tardi perché domenica mattina alle 8 vado a fare yoga nel parco e mi alzo presto.

● Il teatro, lo yoga... Mamma mia, quante cose fai?

1d Seleziona l'opzione giusta.

1. Usciamo **venerdì** sera?
   ○ questo venerdì   ○ tutti i venerdì

2. **Il venerdì** sera dalle 8 alle 9 e mezza ho il corso di teatro.
   ○ questo venerdì   ○ tutti i venerdì

2 SCRIVERE Una chat

2a Completa con le espressioni del dialogo, come nell'esempio.

1. PER PROPORRE UN APPUNTAMENTO:
   Usciamo venerdì sera?

2. PER DIRE CHE NON SEI LIBERO:
   _____

3. PER FARE UNA PROPOSTA DIVERSA:
   _____

4. PER ACCETTARE UNA PROPOSTA:
   _____

2b *Adesso completa questa chat tra due amici. Puoi usare le espressioni del punto 2a, o l'immaginazione.*

> Ciao! Allora _____
>
> _____
>
> _____ sabato sera?

> Mi dispiace, purtroppo domenica _____
>
> _____
>
> _____ venerdì?

> Per me va bene, ma _____
>
> _____
>
> _____

> _____
>
> _____

---

3 PARLARE Usciamo?

3a *Che cosa devi fare questa settimana? Completa l'agenda.*

LUNEDÌ	....
MARTEDÌ	....
MERCOLEDÌ	....
GIOVEDÌ	....
VENERDÌ	....
SABATO	....
DOMENICA	....

3b *Gira per la classe e prendi vari appuntamenti con i compagni per uscire questa settimana.*

> Usciamo mercoledì?

> Mi dispiace, non posso, il mercoledì sera dalle 8 alle 9 e mezza ho il corso di cucina. Facciamo giovedì?

> Giovedì non posso, devo uscire con Irina.

> Ah, allora per te va bene...

FOCUS

DALLE... ALLE...
- A che ora hai il corso di teatro?
- ▶ Dalle 5 alle 6.

DIECI verbi irregolari

1 essere
↳ sono

2 avere
↳ ho

3 fare
↳ faccio

4 andare
↳ vado

5 venire
↳ vengo

6 volere
↳ voglio

7 potere
↳ posso

8 dovere
↳ devo

9 uscire
↳ esco

10 dire
↳ dico

Conosci un altro verbo irregolare: qual è?

_____ ↳ _____

ASCOLTO IMMERSIVO®

Inquadra il QRcode a sinistra o vai su www.almaedizioni.it/dieciA1, chiudi gli occhi, rilassati e ascolta.

1 *Ricordi che cosa succede nell'episodio 5? Seleziona la frase vera.*

1. Nello studio c'è Anna e non Francesca. ○
2. Ivano sa chi è Anna. ○
3. Anche Anna è una psicologa. ○
4. Alla fine Anna rivela chi è veramente. ○

2 *Guarda le immagini e completa le frasi con i verbi della lista.*

si sveglia | **gioca** | **si guarda** | **guarda**

1. Ivano _____.

2. Ivano _____ l'orologio.

3. Ivano _____ a tennis.

4. Ivano _____ allo specchio.

3 *Prima di guardare il video: ordina il dialogo, come negli esempi. Poi guarda il video e verifica.*

[6] Capisco. Ho la soluzione per Lei.

[ ] Sì. Di solito il lunedì.

[ ] Si sveglia. E fa questo sogno spesso?

[1] E poi... mi sveglio.

[ ] Questo è il sogno del lunedì.

[ ] Come il lunedì?

[ ] Una festa.

[ ] Sì? Che cosa?

4 *Completa il dialogo con le preposizioni della lista.*

alle | **di** | **tra** | **alle** | **per**

Anna   Ma come? Lei non è un attore? _____ un attore, eh, andare _____ feste, conoscere persone nuove, è molto importante.

Ivano   Sì, sì, certo, lo so... Questa festa... Come mi devo vestire... Elegante?

Anna   Ma noo, è una festa _____ amici!

Ivano   Va bene, ma io...

Anna   No no, niente 'ma'! Allora, domani _____ sette, piazza Cavour, dove c'è il cinema. _____ sera, naturalmente. E... Va bene? Oh, puntuale, eh!

5 *Secondo te che cosa succede nel prossimo episodio? Ivano va alla festa o no? Alla festa c'è anche Francesca? Discuti con due compagni.*

L'AGENDA DEL TEMPO LIBERO

1 *In coppia. Preparate una piccola brochure di un'attività culturale, sportiva, ecc. interessante per voi, come negli esempi sotto. Usate l'immaginazione! Potete usare un grande foglio, o un computer, e aggiungere immagini.*

Corso di salsa con maestri cubani

il giovedì dalle 20:00 alle 21:30
la prima lezione è gratuita
SCUOLA DI BALLO *Ritmo*, CATANIA

Museo del Design | MILANO

dal martedì al giovedì
15:00 | 19:00
dal venerdì alla domenica
10:00 | 18:30
CHIUSO IL LUNEDÌ

Orto botanico di Pisa

dal lunedì al sabato
• da marzo a ottobre: 9:00 | 18:30
• da novembre a febbraio: 9:00 | 17:00

CHIUSO LA DOMENICA
VISITE GUIDATE: SÌ

2 *Mostrate la brochure alla classe. Poi, sempre in coppia, selezionate le attività interessanti dei compagni, e su un foglio a parte completate la vostra agenda comune con attività ed eventi. Che cosa fate questa settimana?*

LUNEDÌ	....
MARTEDÌ	....
MERCOLEDÌ	....
GIOVEDÌ	....
VENERDÌ	....
SABATO	....
DOMENICA	....

DIECI IDEE SUGLI ITALIANI: VERO O FALSO?

Gli italiani:

		V	F
1	mangiano sempre pasta.	○	○
2	sono cattolici praticanti.	○	○
3	fanno sempre la "siesta" dopo pranzo.	○	○
4	amano vestirsi bene.	○	○
5	portano sempre gli occhiali da sole.	○	○
6	abitano con i genitori tutta la vita.	○	○
7	hanno molti figli.	○	○
8	parlano con i gesti.	○	○
9	adorano il calcio.	○	○
10	amano cantare.	○	○

Soluzione:
1. VERO: circa il 50% degli italiani mangia pasta tutti i giorni. | 2. FALSO: solo il 25% va regolarmente in chiesa. | 3. FALSO: di solito mangiano al lavoro. | 4. VERO: gli italiani spendono molto per scarpe e vestiti. In Europa sono al terzo posto, dopo Estonia e Portogallo. | 5. FALSO: solo il 15% usa spesso gli occhiali dal sole. | 6. FALSO: di solito lasciano la famiglia a 30 anni. | 7. FALSO: le famiglie con un solo figlio sono la maggioranza. | 8. VERO: amano muovere le mani quando parlano, anche quando telefonano e sono da soli. | 9. VERO: circa 32 milioni di italiani seguono il calcio. | 10. FALSO: alcuni amano cantare, altri no... come negli altri Paesi!

GRAMMATICA

1 Forma frasi logiche,
come nell'esempio.

*Laura Pausini
in tour:
la giornata tipo
della diva*

1. In tour, non	17:00 esco e dalle	parlo con gli amici su Skype.
2. La mattina mi	in hotel tardi,	verso le 23:30.
3. Mi piace	faccio mai	17:30 alle 19 mi preparo per il concerto.
4. Mi faccio	una doccia, mi	ginnastica.
5. Il pomeriggio spesso	un film, o	colazione.
6. Verso le	leggo, o faccio	tardi, alle 11:00.
7. La sera torno	sveglio sempre	la mattina!
8. Spesso guardo	dormire	vesto e pranzo in hotel.

OGNI FRASE CORRETTA = **5 PUNTI**   ___ / 35

2 Seleziona la preposizione corretta tra quelle **evidenziate**.

1. **Alle / A** che ora vieni a casa mia?
2. **In / Di** solito pranzo all'una.
3. Il weekend andiamo **a / in** letto molto tardi.
4. Marta lavora dal venerdì **a la / alla** domenica.
5. Mi piace molto fare sport, e **– / a** te?

OGNI OPZIONE CORRETTA = **2 PUNTI**   ___ / 10

VOCABOLARIO

3 Completa con le espressioni della lista.

dal lunedì | **telefono** | **aperta**
prenotazioni | **al sabato**

*Teatro alla Scala
di Milano*

• biglietteria:

_____
al sabato,
dalle 9:00 alle 18:00
• al _____:
02 860775, 24 ore su 24

*Teatro Massimo
di Palermo*

• biglietteria:

_____ dal
martedì _____,
dalle 9:30 alle 18:00
• _____
telefoniche: 091 8486000,
7 giorni su 7, dalle 9:00
alle 20:00

OGNI COMPLETAMENTO CORRETTO = **6 PUNTI**   ___ / 30

COMUNICAZIONE

4 Forma le domande, poi abbina domande e reazioni,
come nell'esempio.

1. alzi? | che | ti | ora | a

   _____

2. sabato? | usciamo
   Usciamo sabato?

3. sera? | fate | che | la | cosa

   _____

4. piace | le | che | fare? | cosa

   _____

5. a | letto? | che | andate
   ora | a

   _____

6. cinema? | al | andiamo

   _____

Le piace leggere, guardare la TV, fare sport.

Va bene, che film vuoi vedere?

Di solito alle 7, ma il weekend alle 9:30.

Tardi, a mezzanotte.

Non posso, tu hai tempo domenica?

Dal lunedì al giovedì niente, ma il weekend usciamo con gli amici.

OGNI DOMANDA CORRETTA = **3 PUNTI**   ___ / 15
OGNI ABBINAMENTO CORRETTO = **2 PUNTI**   ___ / 10

TOTALE   ___ / 100

AUTOVALUTAZIONE

CHE COSA SO FARE IN ITALIANO?	🙂	😐	🙁
parlare della mia giornata e del tempo libero	○	○	○
dire che cosa mi piace o non mi piace	○	○	○
fissare un appuntamento con un amico	○	○	○

LEZIONE
ITALIA DA SCOPRIRE
7

1. IN CITTÀ: BOLOGNA (EMILIA ROMAGNA)

2. IN CAMPAGNA: LAVANDETO DI ASSISI (UMBRIA)

3. AL MARE: STINTINO (SARDEGNA)

4. IN MONTAGNA: SANTA MADDALENA (TRENTINO ALTO ADIGE)

Qui imparo a:
- descrivere il tempo
- informarmi su un viaggio
- raccontare una vacanza
- indicare la data

COMINCIAMO

a   Abbina le foto e le stagioni.

autunno: __   inverno: __   primavera: __   estate: __

b   Tu che cosa fai nelle diverse stagioni? Completa lo schema con le attività della lista, o altre.

fare una vacanza lunga | lavorare | andare al mare | andare in montagna | studiare | fare sport

IN AUTUNNO	IN INVERNO	IN PRIMAVERA	IN ESTATE

1 **PARLARE** Itinerari

1a In coppia. Guardate la brochure a destra: secondo voi quali oggetti sono utili e/o necessari per le tre vacanze?

costume

crema solare

scarpe da trekking

occhiali da sole

cappello

ombrello

maglione

TESORI ITALIANI • viaggi di gruppo

Basilica palladiana, Vicenza

Laveria Lamarmora (Iglesias)

CULTURA
Visita dei palazzi e delle ville dell'architetto Andrea Palladio (1508 – 1580) in Veneto.

NATURA e CULTURA
Trekking e archeologia industriale nel sudovest della Sardegna.

1b Quale di questi tre itinerari preferisci per una vacanza di alcuni giorni? Perché? Parla con lo stesso compagno.

2 **LEGGERE** Un modulo di richiesta informazioni online

2a Leggi il modulo. Secondo te Claudio a quale tour del punto **1** vuole partecipare?

www.tesoriitaliani.it

richiesta di informazioni

DATI PERSONALI

NOME:
Claudio

COGNOME:
Cateni

E-MAIL:
claccia@gmail.com

TOUR SELEZIONATO:

ADULTI: 1 ▾   BAMBINI: 2 ▾

MESSAGGIO

Salve, vorrei avere informazioni sul viaggio.
È necessario portare scarpe da trekking?
Le escursioni sono solo il giorno, o anche la notte?
Quanto tempo rimaniamo nelle diverse località?
Conosco abbastanza bene le due regioni, in particolare Napoli e Catania: ci vado tutti gli anni, ma per la prima volta vorrei partire con i bambini (hanno 6 e 8 anni). Secondo voi l'itinerario è difficile per loro? Per i bambini è importante passare uno o due giorni in spiaggia: ci vorrei andare da solo con loro... È possibile lasciare il gruppo per uno o due giorni?
Grazie per le risposte e a presto, Claudio Cateni

2b Vero o falso?

CLAUDIO:

	V	F
1. è sicuro di fare questo viaggio.	○	○
2. visita le regioni ogni anno.	○	○

	V	F
3. di solito visita le regioni senza i bambini.	○	○
4. vuole portare i bambini al mare.	○	○
5. vuole andare in spiaggia con il gruppo.	○	○

programma di aprile

L'Etna

NATURA
Tour dei vulcani attivi in Campania e Sicilia: Vesuvio, Vulcano, Stromboli e Etna.

3 GRAMMATICA Ci

3a Leggi le due frasi e rispondi alla seconda domanda, come nell'esempio.

> Conosco bene le due regioni, in particolare Napoli e Catania: ci vado tutti gli anni...

1. Dove va Claudio tutti gli anni?
   A Napoli e a Catania   .

> Per i bambini è importante passare uno o due giorni in spiaggia: ci vorrei andare da solo con loro...

2. Dove vuole andare Claudio da solo con i bambini?

   _____

3b Perché usiamo ci?

○ per non ripetere una persona
○ per non ripetere un luogo

3c In coppia. A turno uno studente domanda all'altro quando va nei posti della lista, poi risponde alla stessa domanda. Seguite il modello a destra.

al mare | al cinema
in montagna | al ristorante | a teatro
in campagna | al lavoro | in palestra

> Tu quando vai **in discoteca?**

> **Ci** vado ogni sabato sera, e tu?

> Io non **ci** vado mai.

4 VOCABOLARIO Il tempo

4a Che tempo fa in Italia questo aprile? Completa la cartina con gli elementi della lista, come negli esempi.

è nuvoloso e fa caldo | ✓nevica | c'è il sole e fa freddo
c'è il sole e fa molto caldo | ✓piove e c'è vento
è nuvoloso e fa freddo

Il tempo in Italia per questo mese di aprile

VALLE D'AOSTA
nevica

VENETO
....

TOSCANA
....

CAMPANIA
....

SARDEGNA
piove e c'è vento

SICILIA
....

4b Pensa alla tua risposta al punto **1b**: vuoi ancora andare nello stesso posto? Perché sì o perché no? Parla con il compagno di prima.

5 SCRIVERE Richiesta di informazioni

Richiedi informazioni sul tuo itinerario preferito della brochure. Considera il tipo di viaggio e il clima.

richiesta di informazioni
DATI PERSONALI
NOME E COGNOME: E-MAIL:
TOUR SELEZIONATO: ADULTI: BAMBINI:
MESSAGGIO

▶ *GRAMMATICA* ES 1 e 2 ▶ *VOCABOLARIO* ES 1, 2, 3 e 4

Un racconto di viaggio

G il passato prossimo · participi regolari e irregolari
V le vacanze

1 LEGGERE Il viaggio di Enrico e Mariangela

1a *Leggi la mail e seleziona un titolo appropriato. La risposta è soggettiva. Poi inserisci il titolo nell'oggetto della mail.*

Una vacanza ideale! | **Una vacanza catastrofica!** | **Una vacanza perfetta... o quasi!**

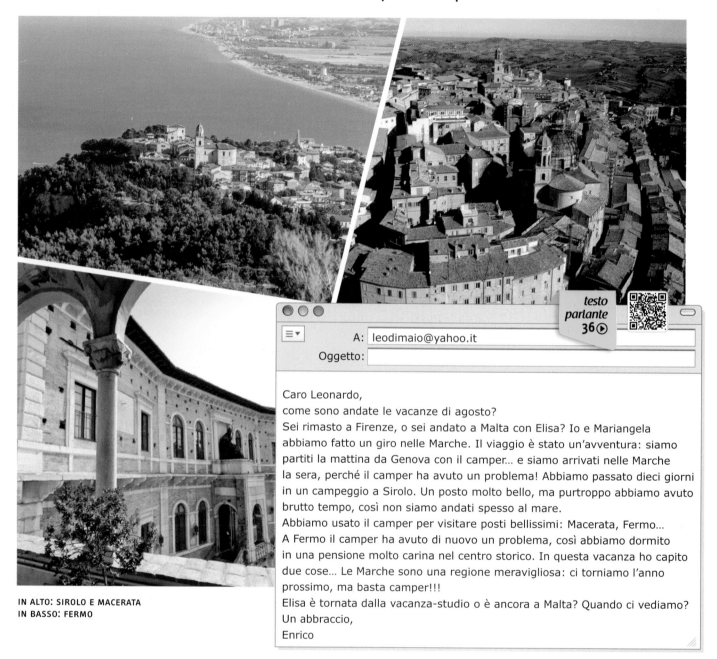

IN ALTO: SIROLO E MACERATA
IN BASSO: FERMO

A: leodimaio@yahoo.it

Oggetto:

testo parlante 36 ⏵

Caro Leonardo,
come sono andate le vacanze di agosto?
Sei rimasto a Firenze, o sei andato a Malta con Elisa? Io e Mariangela abbiamo fatto un giro nelle Marche. Il viaggio è stato un'avventura: siamo partiti la mattina da Genova con il camper... e siamo arrivati nelle Marche la sera, perché il camper ha avuto un problema! Abbiamo passato dieci giorni in un campeggio a Sirolo. Un posto molto bello, ma purtroppo abbiamo avuto brutto tempo, così non siamo andati spesso al mare.
Abbiamo usato il camper per visitare posti bellissimi: Macerata, Fermo...
A Fermo il camper ha avuto di nuovo un problema, così abbiamo dormito in una pensione molto carina nel centro storico. In questa vacanza ho capito due cose... Le Marche sono una regione meravigliosa: ci torniamo l'anno prossimo, ma basta camper!!!
Elisa è tornata dalla vacanza-studio o è ancora a Malta? Quando ci vediamo?
Un abbraccio,
Enrico

1b *Completa lo schema con le informazioni della mail, come nell'esempio.*

1. compagno/a di viaggio di Enrico	5. mezzo di trasporto
2. città di partenza	6. sistemazione *camper*
3. destinazione	7. città visitate
4. durata della vacanza	8. destinazione delle prossime vacanze

2 GRAMMATICA Il passato prossimo

2a *Nella mail trova il passato prossimo dei verbi della lista, come negli esempi.*

andare [x3] .... sei andato ....
partire .... | arrivare siamo arrivati
avere [x3] ....
passare .... | usare abbiamo usato
dormire .... | capire ho capito
tornare ....

2b *Abbina i verbi al passato prossimo e i soggetti corrispondenti, come nell'esempio. Attenzione: alcuni verbi corrispondono allo stesso soggetto.*

1. siamo partiti
2. ho capito
3. abbiamo avuto
4. sono andate
5. abbiamo usato
6. non siamo andati
7. è tornata
8. ha avuto
9. abbiamo dormito
10. sei andato
11. siamo arrivati
12. abbiamo passato

a. le vacanze di agosto
b. tu (Leonardo)
c. io e Mariangela
d. il camper
e. io (Enrico)
f. Elisa

2c *Completa il passato prossimo dei due verbi.*

AVERE + PARTICIPIO PASSATO	
USARE	
io	
tu	
lui/lei/Lei	
noi	abbiamo usato
voi	
loro	

ESSERE + PARTICIPIO PASSATO	
ANDARE	
io	
tu	sei andato/a
lui/lei/Lei	
noi	siamo andati/e
voi	
loro	sono andati/e

2d *In coppia. Formate i participi passati dei verbi regolari.*

arrivare ➥ (io) sono arriv___
avere ➥ (io) ho av___
dormire ➥ (io) ho dorm___

2e *In coppia. Guardate i verbi con l'ausiliare* essere*: che cos'ha di particolare il participio passato?*

2f *In coppia (studente* **A** *e studente* **B***). Andate in* ▶ COMUNICAZIONE *a pagina 136 e lavorate con il passato prossimo.*

FOCUS

PARTICIPI PASSATI IRREGOLARI (1)		
essere	➥	(io) sono **stato/a**
fare	➥	(io) ho **fatto**
rimanere	➥	(io) sono **rimasto/a**

3 PARLARE Che cosa hai fatto l'estate passata?

Gira per la classe e cerca un compagno che ha fatto queste cose l'estate passata. Ogni volta fai la domanda a un compagno diverso. Completa tutto lo schema.

L'estate passata **hai visitato** una città?

Sì. / No.

ATTIVITÀ	NOME DEL COMPAGNO
CON *AVERE*	
visitare una città	....
dormire in albergo	....
studiare	....
usare la bicicletta	....
usare il treno	....
ballare	....
CON *ESSERE*	
partire con amici	....
andare al mare	....
andare in montagna	....
rimanere a casa	....

▶ GRAMMATICA ES 3 e 4

1 PARLARE Vacanze... in azione!

1a *Usiamo spesso questi verbi quando parliamo di vacanze. Quando vai in vacanza, in quale ordine fai queste cose?*

tornare a casa | **visitare il luogo** | **preparare i bagagli** | **arrivare a destinazione** | **partire per la destinazione**

1. 2. 3. 4. 5.

1b *In coppia. Racconta a un compagno una vacanza speciale (bella, brutta, interessante, ecc.): quando sei partito/a, dove sei andato/a, che cosa hai fatto, ecc. Puoi anche mostrare una mappa o una foto della località.*

2 ASCOLTARE
Il Parco del Delta del Po

37 ▶ 2a *Carlotta è andata in vacanza al Parco del Delta del Po in Veneto con l'amica Viola.*
Ascolta e seleziona le 2 immagini che non corrispondono al racconto di Carlotta.

2b *Leggi la trascrizione del messaggio di Carlotta e verifica.*

> ▶ Risponde il 347 9872231. Lasciate un messaggio dopo il segnale acustico.

BIIP

● Ciao, mamma. Qui tutto bene, io e Viola siamo arrivate ieri mattina, alle 10... C'è un po' di vento... Ma tranquilla, non ho freddo, va tutto bene! L'agriturismo è bellissimo, il parco è bellissimo, insomma è tutto perfetto! Ieri **abbiamo preso** subito le biciclette e siamo andate a fare birdwatching nel parco – **ho visto** uccelli incredibili! – poi siamo tornate all'agriturismo per pranzo... Abbiamo mangiato i gamberi con la polenta... Che buoni! Dopo siamo andate a fare un'altra escursione, ma a piedi. Alla fine siamo tornate all'agriturismo veramente stanche, così ieri sera siamo andate a dormire presto. Ecco... Ah, due ore fa, stamattina, **è venuto** anche Giuseppe, il mio amico dell'università. Rimane con noi fino alla fine della vacanza. Senti, ora vado, riprovo a chiamare stasera, ok? Baci baci baci...

2c *Ordina le espressioni di tempo della lista.*

stasera | ieri mattina | stamattina | ieri sera

PRIMA — oggi pomeriggio — DOPO

FOCUS

FA
due ore **fa**
tre giorni **fa**
un anno **fa**

3 *GRAMMATICA* Participi passati irregolari (2)

3a *Guarda i verbi* **evidenziati** *nel messaggio di Carlotta e completa lo schema con i participi passati.*

PRENDERE	VEDERE	VENIRE

3b *In coppia (studente A e B). A forma una frase al passato prossimo e B continua con un'altra frase. Poi invertite i ruoli: comincia B e continua A. Usate le espressioni della lista, come nell'esempio.*

ieri | una settimana / un anno fa | poi / dopo
più tardi | alla fine | così

ESEMPIO:
studente A   Ieri ho preso la macchina...
studente B   ... ma poi ha avuto un problema tecnico.

3c *Per continuare a giocare con il passato prossimo, andate in* ▶ *COMUNICAZIONE a pagina 137.*

1 PARLARE E VOCABOLARIO · Divieti

1a In alcune località italiane esistono divieti "particolari". Osserva i 3 divieti: per te sono normali o strani? Parla con un compagno.

A Positano
(Campania):
è vietato camminare
con gli zoccoli.

A Bolzano
(Alto Adige):
non è permesso
fumare nei parchi.

A Vicenza (Veneto),
nei parchi: i giovani
non possono sedersi
sulle panchine.

> Per me...
>
> Secondo me...
>
> Perché...

1b In coppia. Abbinate i divieti e le spiegazioni della lista, come nell'esempio.

a. È vietato parcheggiare. | b. Non è permesso fare foto. | c. È vietato usare il telefono.
d. Non puoi entrare con animali. | e. È vietato entrare con cibo e/o bevande. | f. È vietato fumare.

1 **f**   2 ☐   3 ☐   4 ☐   5 ☐   6 ☐

2 LEGGERE · Saluti da Sirolo

2a Leggi la cartolina. In quale città del punto **1** abita Annalisa?

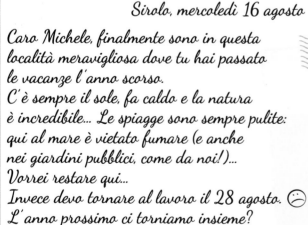

Sirolo, mercoledì 16 agosto

*Caro Michele, finalmente sono in questa
località meravigliosa dove tu hai passato
le vacanze l'anno scorso.
C'è sempre il sole, fa caldo e la natura
è incredibile... Le spiagge sono sempre pulite:
qui al mare è vietato fumare (e anche
nei giardini pubblici, come da noi!)...
Vorrei restare qui...
Invece devo tornare al lavoro il 28 agosto. ☹
L'anno prossimo ci torniamo insieme?*

*Tanti saluti e baci,
Annalisa*

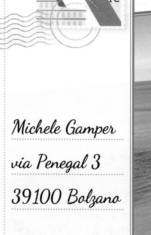

Michele Gamper

via Penegal 3

39100 Bolzano

2b *Queste informazioni sono vere (V), false (F), o assenti nella cartolina (A)?*

	V	F	A
1. Michele è stato a Sirolo l'estate scorsa.	○	○	○
2. In spiaggia a Sirolo è permesso fumare.	○	○	○
3. A Sirolo ci sono molti giardini pubblici.	○	○	○
4. Annalisa e Michele lavorano insieme.	○	○	○
5. Annalisa vuole tornare a Sirolo con Michele.	○	○	○

2c *Come funziona la data?*

1. Ordina gli elementi della data in italiano.

mese | giorno della settimana | numero

a. .... b. .... c. ....

2. Come indica Annalisa un giorno particolare del mese? Completa.

.... 28 agosto

2d *Con lo stesso compagno. A turno uno studente domanda all'altro quando ha fatto queste cose. L'altro risponde.*

**tornare dalle vacanze | mangiare al ristorante
andare al cinema | parlare al telefono
andare in vacanza | vedere gli amici
leggere un libro | dormire fino a tardi | cucinare
fare sport | prendere l'aereo**

Quando sei tornato/a dalle vacanze?

La settimana scorsa.

Il 5 luglio.

3 **SCRIVERE** La mia cartolina

3a *Pensa a una località che hai visitato. Completa lo schema con gli aspetti interessanti della visita. Non devi completare tutto lo schema e puoi usare altre categorie.*

LOCALITÀ
- CIBO
- ALLOGGIO
- NATURA
- MONUMENTI

3b *Adesso scrivi una cartolina dalla località a un amico, o un compagno di classe, o una persona immaginaria.*

caro/a

un abbraccio / tanti saluti e baci / un bacio

DIECI participi passati irregolari

1 ho detto una frase in italiano
→ _____

2 ho bevuto un caffè
→ _____

3 sono stato/a a Napoli
→ _____

4 ho fatto un viaggio
→ _____

5 ho letto un libro
→ _____

6 ho preso il treno
→ _____

7 sono rimasto/a a casa
→ _____

8 ho scritto una cartolina
→ _____

9 ho visto un film
→ _____

10 sono venuto/a a piedi
→ _____

Scrivi l'infinito dei verbi sotto le frasi.

ASCOLTO IMMERSIVO® *Inquadra il QRcode a sinistra o vai su www.almaedizioni.it/dieciA1, chiudi gli occhi, rilassati e ascolta.*

1 _Prima_ di guardare il video, osserva le immagini e scrivi tre frasi: che cosa è successo alla festa?
Usa i verbi ballare, baciare, bere _al passato prossimo... e la tua immaginazione!_

Ivano _____

_____

Ivano e Anna _____

_____

Anna _____

_____

2 _Guarda il video e rispondi: vero o falso?_

	V	F
1. A Ivano la festa è piaciuta.	○	○
2. Ivano alla festa ha incontrato un amico.	○	○
3. Ivano ha capito che la ragazza della festa non è Francesca: è Anna.	○	○
4. Anna balla molto bene.	○	○
5. Ivano è rimasto alla festa fino all'una di notte.	○	○

3 _Completa i verbi al passato prossimo con gli ausiliari e i participi corretti, come nell'esempio._

Paolo Allora, ieri sera, la festa? Com'_____ andat____?

Ivano Mah... Bene. Bene, molto bene. _____ stat____ una bella festa. Ho conosciuto gente nuova...

Paolo Bene! E (_tu_) _____ ballat____?

Paolo E (_voi_) _____ rimast____ a lungo?

Ivano (_Io_) _____ stat____ dalle sette alle undici e mezzo. Poi alla fine della festa __è__ success_a_ una cosa strana.

4 _Anna racconta la festa a un'amica: completa il testo con i verbi coniugati al passato prossimo._

Ieri sera (_io – essere_) _____
a una festa con Ivano.
(_Noi – ballare_) _____
e Ivano (_parlare_) _____
con gente nuova.
(_Essere_) _____ una bella festa!
Ivano (_rimanere_) _____
fino alle undici e mezzo, poi (_tornare_)
_____ a casa;
io (_rimanere_) _____
alla festa con i miei amici fino all'una.

5 _Per Ivano, la ragazza della festa è Francesca:
secondo te che cosa succede nel prossimo episodio?
Che problemi prevedi?
Fai delle ipotesi con altri compagni._

PREPARARE UNA PUBBLICITÀ TURISTICA

1 *In gruppi di 3 studenti. Pensate a una regione o a una zona interessante da visitare: può essere in Italia, o in un altro Paese.*

2 *Cercate insieme informazioni su questa regione. Usate internet o una guida su carta.*
Raggruppate le informazioni su un foglio grande, in uno schema come quello sotto.
Potete ignorare alcune categorie e/o aggiungere informazioni diverse.

- stagione ideale per la visita
- monumenti importanti
- attrazioni naturali
- città interessanti
- **NOME DELLA REGIONE**
- cucina
- abbigliamento consigliato
- mezzo di trasporto ideale

3 *Preparate una pubblicità della regione. Potete usare gli itinerari della Lezione 7 (sezione A) come modello.*

4 *Mostrate la pubblicità ai compagni. Alla fine la classe decide qual è la destinazione ideale per un weekend lungo.*

DIECI LUOGHI IMPERDIBILI

1 POMPEI (Campania)
Antica città romana, distrutta dal vulcano Vesuvio (79 dopo Cristo).

2 SAN GIMIGNANO (Toscana)
La "Manhattan del Medioevo".

3 VALLE DEI TEMPLI DI AGRIGENTO (Sicilia)
Esempio di architettura greca in Italia (VI-II secolo avanti Cristo).

4 TRULLI DI ALBEROBELLO (Puglia)
Antiche abitazioni tradizionali.

5 CINQUE TERRE (Liguria)
Uno spettacolo incredibile di mare e montagna.

6 SASSI DI MATERA (Basilicata)
Il centro storico di Matera con le caratteristiche case nella roccia.

7 LAGO DI GARDA (Lombardia, Veneto, Trentino – Alto Adige)
Importante destinazione turistica con milioni di visitatori ogni anno.

8 CAPRI (Campania)
L'isola con la grotta azzurra.

9 VIA APPIA ANTICA (da Roma a Brindisi, in Puglia)
La più importante strada dell'antica Roma.

10 BURANO (Veneto)
L'isola delle case colorate.

Nel tuo Paese ci sono località così particolari?

GRAMMATICA

1 Completa i participi passati con le lettere corrette.

dormire	1. Ieri Flavia ha dorm_____ tutto il pomeriggio!
comprare	2. Noemi e Guido hanno compr_____ una casa al mare.
arrivare	3. A che ora sono arriv_____ Antonio e Matteo?
avere	4. Maddalena, hai av_____ un problema con la moto?
partire	5. Io (Eva) e Gianna siamo part_____ il 6 agosto.
ricevere	6. (Io – Manuel) Ho ricev_____ una cartolina da Praga.

OGNI PARTICIPIO CORRETTO = 2 PUNTI   ___ / 12

2 Completa le frasi con i verbi al passato prossimo.

1. (Noi – fare) _____ un viaggio in Irlanda.
2. Domenica per andare a Verona (tu – prendere) _____ il treno?
3. Ieri sera Letizia (rimanere) _____ a casa.
4. A Roma (voi – vedere) _____ il Pantheon?
5. Valeria e Saverio (essere) _____ in vacanza a Cipro.

OGNI VERBO CORRETTO = 4 PUNTI   ___ / 20

VOCABOLARIO

3 Scrivi che tempo fa questa settimana.

1.	Lunedì	🌧	_____
2.	Martedì	🌡*	_____
3.	Mercoledì	☁	_____
4.	Giovedì	🚩	_____
5.	Venerdì	☀	_____

OGNI DESCRIZIONE CORRETTA = 4 PUNTI   ___ / 20

4 Separa le espressioni di tempo.

stamattinadueannifadomattinalasettimanascorsastaseraieri

1. _____
2. _____
3. _____
4. _____
5. _____
6. _____

OGNI ESPRESSIONE CORRETTA = 2 PUNTI   ___ / 12

COMUNICAZIONE

5 Chiedi a un'amica com'è andata la sua vacanza. Abbina le domande e le informazioni che vuoi avere.

LA DOMANDA PER LA TUA AMICA	L'INFORMAZIONE CHE VUOI AVERE
1. Dove sei andata?	compagni di viaggio
2. Quanto tempo sei stata fuori?	destinazione
3. Con chi sei partita?	alloggio
4. Che cosa hai mangiato?	durata della vacanza
5. Come ci sei andata?	mezzo di trasporto
6. Dove hai dormito?	tipo di cibo

OGNI ABBINAMENTO CORRETTO = 6 PUNTI   ___ / 36

TOTALE   ___ / 100

Qui imparo a:
- raccontare come ho passato le feste
- dire che programmi ho
- descrivere la mia famiglia
- fare gli auguri

COMINCIAMO

Rispondi alle domande insieme a un compagno.

- Quando è il tuo compleanno?

- È un giorno importante per te?

- Che cosa fai e con chi stai?

spegnere
le candeline

ricevere
regali

festeggiare

mangiare
la torta

8A **Facciamo festa!**

G nel + anno
V feste italiane · da 101 a 10000 · In che anno?

1 *LEGGERE* Festività

1a *In Italia ci sono varie festività, religiose e non. Abbina le feste e le immagini, come negli esempi.*

a. **capodanno**:
   primo giorno dell'anno

b. **Epifania**: 6 gennaio,
   i bambini ricevono dolci dalla Befana

c. **Pasqua**: tra marzo e aprile,
   resurrezione di Gesù

d. **festa della Liberazione**: 25 aprile,
   fine del fascismo e della guerra
   in Italia

e. **ferragosto**: 15 agosto

f. **Natale**: 25 dicembre,
   nascita di Gesù

1b *Leggi l'articolo: di quale festa parla? Completa il testo con il nome della festa. Poi confronta la tua ipotesi con un compagno.*

Tradizioni di .... nel mondo

testo parlante 38 ▶

I **brasiliani** si vestono di giallo, il colore simbolo del sole.
Ma non tutti: a .... gli abitanti di Rio de Janeiro
e San Paolo preferiscono il bianco, il colore della pace.

A cena i **greci** e i **belgi** nascondono una moneta, simbolo di
ricchezza: i primi dentro un dolce, i secondi sotto un piatto.

I **tedeschi** invece bevono il "Feuerzangenbowle",
una bevanda a base di vino rosso, arancia e rum.

Gli **argentini** gettano pezzi di carta dalla finestra:
con questa tradizione eliminano cose vecchie.

In Cina il .... si chiama "festa della primavera"
e ha una data differente (i **cinesi** hanno un calendario
tradizionale diverso). I festeggiamenti durano quindici giorni
e finiscono con la famosa "festa delle lanterne".

A mezzanotte i **russi** aprono la porta di casa
per accogliere l'anno nuovo.

Alla stessa ora gli **spagnoli** e i **messicani**
mangiano uva per avere fortuna (una tradizione
nata in Spagna nel 1909).

E gli **italiani**? A .... mangiamo cotechino e lenticchie
(simbolo di ricchezza), panettone e pandoro, e beviamo spumante.

Infine, in molti paesi porta fortuna indossare vestiti nuovi o qualcosa
di rosso.

glistatigenerali.com

1c *Completa lo schema con le informazioni dell'articolo, come nell'esempio.*

TRADIZIONE	DA DOVE VIENE	SIGNIFICATO
1. mangiare cotechino e lenticchie		
2. vestirsi di giallo	*Brasile*	*è il simbolo del sole*
3. aprire la porta di casa a mezzanotte		
4. mangiare uva a mezzanotte		
5. nascondere una moneta		
6. vestirsi di bianco		
7. gettare pezzi di carta dalla finestra		

2 VOCABOLARIO E GRAMMATICA I numeri da 101 a 10000

2a *Completa le serie di numeri.*

101	centouno
110	....
128	centoventotto
150	....
200	duecento
500	....
1000	mille
1500	millecinquecento
1850	....
2000	duemila
2125	....
6000	seimila
9000	....
10000	diecimila

2b *Lavorate tutti insieme. Uno studente legge il numero più piccolo, un altro studente il numero successivo, ecc. Finite la serie.*

700	238	5000	1330	112	3821
409	1001	7990	957	4264	301
999	1999	613	182	2047	9810
518	810	6126			

2c *Completa la frase tratta dall'articolo. Quale preposizione usiamo con l'anno?*

È una tradizione nata in Spagna _____ 1909.

2d *In coppia. Domanda a un compagno in che anno sono successe cose importanti nella sua vita, come negli esempi. Ogni studente fa cinque domande. Potete fare le stesse domande.*

> In che anno sei nato?

> In che anno hai finito la scuola?

3 PARLARE Lo scorso capodanno

Che cosa hai fatto lo scorso capodanno?
Dove sei andato?
Hai festeggiato in famiglia o con amici?
Che cosa hai mangiato e bevuto?
A che ora sei andato a dormire?
Racconta la tua esperienza a un compagno.

1 ASCOLTARE Il Palio di Siena

1a *Conosci il Palio di Siena? A quale immagine corrisponde secondo te? Confronta la tua risposta con il resto della classe. Poi verificate la soluzione in fondo alla pagina.*

39 ▶ **1b** *Ascolta il dialogo tra Tommaso e Arianna sul Palio di Siena e seleziona le quattro informazioni vere.*

1. La corsa del Palio:
a. ○ c'è una volta all'anno.
b. ○ è gratis per chi è in Piazza del Campo.

2. Tommaso:
a. ○ va a Siena a luglio.
b. ○ dopo Siena non sa dove va.

3. Arianna:
a. ○ conosce bene Siena.
b. ○ forse non parte a ferragosto.

4. Diego e Greta:
a. ○ hanno una casa a Siena.
b. ○ vanno a Siena in treno.

1c *Completa le frasi con le parole della lista, come nell'esempio. Poi ascolta ancora e verifica.*

dopo | **anno** | ✓ **dopo** | **mai** | **prima**

1. Io non sono _____ stata a Siena...
2. Il giorno _____ di ferragosto, il 14.
3. C'è due volte all'_____, il 2 luglio e il 16 agosto.
4. E _____ la gita a Siena che cosa fate?
5. Non lo so, decidiamo ___*dopo*___.

1d *Adesso leggi il dialogo e verifica tutte le soluzioni.*

> ▶ Hai programmi per ferragosto?
> ● Vado a Siena.
> ▶ Bello! Con chi?
> ● Con i miei amici Diego e Greta. Hanno una casa lì.
> ▶ Vai per il Palio?
> ● Sì, è la mia festa preferita!
> ▶ Io non sono mai stata a Siena... Quando vai di preciso?
> ● Il giorno prima di ferragosto, il 14.
> ▶ Ma... Il Palio non è a luglio?
> ● C'è due volte all'anno, il 2 luglio e il 16 agosto.
> ▶ Ah, ok. Quanto costa il biglietto?
> ● Niente, guardare la corsa in Piazza del Campo è gratis.

> ▶ E vai con le tue bambine?
> ● Noo, macché! Non è un'esperienza ideale per loro, al Palio c'è molto caos.
> ▶ Ci andate in treno?
> ● No, Diego e Greta vogliono andare con la loro macchina.
> ▶ E dopo la gita a Siena che cosa fate? Un giro in Toscana?
> ● Non lo so, decidiamo dopo... Tu invece a ferragosto parti con Tiziano, no? Quali sono i vostri progetti?
> ▶ Eh, sì, vorrei partire con Tiziano, ma il suo ufficio quest'anno a agosto non chiude, forse rimaniamo qui.

SOLUZIONE DEL PUNTO *a*

Foto 1: carnevale di Satriano di Lucania (Basilicata) | Foto 2: Palio di Siena (Toscana) | Foto 3: Festa di Sant'Efisio, Cagliari (Sardegna)

2 GRAMMATICA Gli aggettivi possessivi

2a *Abbina gli aggettivi possessivi a sinistra e i nomi a destra, come negli esempi.*

1. le tue .... progetti
2. i vostri .... ufficio
3. la mia   bambine
4. il suo .... macchina
5. la loro .... amici
6. i miei   festa preferita

2b *Adesso completa le caselle azzurre con gli aggettivi possessivi del punto 2a.*

SINGOLARE		PLURALE	
MASCHILE	**FEMMINILE**	**MASCHILE**	**FEMMINILE**
il mio			le mie
	la tua	i tuoi	
	la sua	i suoi	
il nostro		i nostri	
	la vostra		le vostre
il loro		i loro	le loro

2c *In coppia. Completate insieme anche le caselle gialle.*

2d *In coppia. Rispondete alle due domande.*

1. Che cosa c'è prima dell'aggettivo possessivo?
2. Che cos'ha di particolare l'aggettivo *loro*?

FOCUS

UNA VOLTA A...

una volta { **al** giorno / **alla** settimana / **al** mese / **all'**anno

2e *Trasforma i gruppi di parole al singolare o al plurale, come negli esempi.*

SINGOLARE	PLURALE
1.	i miei amici
2. la mia festa preferita	*le mie feste preferite*
3.	le tue bambine
4. la loro macchina	
5. *il vostro progetto*	i vostri progetti
6. il suo ufficio	

3 PARLARE Che programmi hai?

In coppia. Domanda a un compagno che programmi ha per le prossime festività importanti e rispondi anche tu.

Che cosa fai a capodanno / per la festa di...?

Hai programmi per capodanno / per la festa di ...?

Che programmi hai per...?

Non lo so, e tu?

Vado..., e tu?

▶ *GRAMMATICA* ES 1, 2, 3 e 4   103

1 ASCOLTARE E VOCABOLARIO
Un album fotografico

40 ▶ 1a *Una donna (Irene) mostra un album fotografico a un'amica. Com'è Irene e come sono i suoi familiari? Seleziona gli aggettivi che senti.*

PIETRO:
○ biondo
○ castano
○ moro

PADRE:
○ timido
○ socievole

MADRE:
○ robusta
○ magra

GIULIANA:
○ alta
○ bassa

IRENE:
○ robusta
○ magra

NONNI:
○ anziani
○ giovani

1b *In coppia. Guardate lo schema e rispondete alle domande alla pagina successiva, come nell'esempio.*

Pietro

mamma

Irene: io!

ROSA

ALFREDO

PINO

RITA

NADIA

FABIO

IVO

SARA

PIETRO

IRENE

GIULIANA

MARTINA

> **FOCUS**
>
> Per le persone usiamo **anziano**, non **vecchio**.

la mia famiglia

nonno Alfredo
e nonna Rosa

papà

io e Giuliana bambine

---

1. Nadia e Fabio sono i genitori di Pietro, Irene e Giuliana. Come si chiamano i genitori di Martina?

2. Pietro ha due sorelle: una si chiama Irene. Come si chiama l'altra?

3. Pietro è il fratello di Irene e Giuliana. Come si chiama il fratello di Fabio?

4. Ivo è lo zio di Pietro, Irene e Giuliana. Come si chiama la zia di Martina?

5. Pino e Rita sono marito e moglie. Come si chiama la moglie di Alfredo? | *Rosa*

6. Martina è la nipote di Pino e Rita. Come si chiama il nipote di Rosa e Alfredo?

7. Rosa è la nonna di Pietro, Irene e Giuliana. Come si chiama l'altra nonna?

8. Martina è la cugina di Irene e Giuliana. Come si chiama il cugino di Martina?

---

2 GRAMMATICA · Possessivi e famiglia

2a *Guarda i gruppi di parole presenti nel dialogo al punto 1 e completa lo schema sotto.*

**tuo fratello | mia madre | tuo padre | mio padre
i miei genitori | tua sorella | i miei nonni**

DAVANTI AI POSSESSIVI	L'ARTICOLO
con i nomi di famiglia al singolare	○ c'è ○ non c'è
con i nomi di famiglia al plurale	○ c'è ○ non c'è

2b *In piccoli gruppi. Andate in ▶ COMUNICAZIONE a pagina 138 e giocate con i possessivi!*

3 SCRIVERE · La mia famiglia

Scrivi un testo breve sulla tua famiglia, una famiglia che conosci o una famiglia immaginaria. Puoi usare gli elementi sotto come ispirazione. Puoi anche usare il dizionario, o domandare all'insegnante, e inserire foto.

> nome   aspetto   lavoro

> età   carattere

---

1 LEGGERE Biglietti di auguri

1a *A ogni festa corrispondono due biglietti.*
Abbina feste e biglietti.

1. capodanno ☐ ☐
2. compleanno ☐ ☐
3. Natale ☐ ☐

b Buon compleanno!
Serena

c Auguri!
con affetto, Maya

a Auguri!
zio Mario e zia Tina

d Tanti auguri!
mamma e papà

e Buon Natale!
nonna Agnese

f Buon anno!
Daniele

1b *Completa i tre messaggi con un augurio appropriato.*
Devi usare tre espressioni diverse.

1. Oggi spegni 35 candeline?!?
   O 36? _____!

2. Ciao amici, avete preparato
   il cotechino per la cena di fine anno?
   _____! ♡

3. Ciao Alessio, hai comprato i regali
   per tutta la famiglia? Io non ancora:
   panico! _____,
   ci vediamo dopo le feste!

2 ASCOLTARE E VOCABOLARIO Auguri!!

41 ▶ **2a** *Ascolta il dialogo e rispondi alle domande.*

 DARIO   MELISSA

1. Chi ha portato un regalo? ○ ○
2. Chi ha preparato il dolce? ○ ○
3. Di chi è il compleanno? ○ ○

2b *In italiano ci sono molte espressioni con il verbo* fare. *Sotto ci sono diversi esempi. Ascolta ancora e unisci il verbo* solo *alle espressioni della lista che senti, come nell'esempio.*

fare {
colazione | un dolce | il biglietto
una domanda | una festa | un regalo
un brindisi | shopping | gli anni
la spesa | una foto | ✓ tardi
}

tardi

| fare | ········· |

2c *A quali delle espressioni che hai sentito al punto* **2b** *corrispondono le immagini sotto?*

1. ....
2. ....
3. ....
4. ....

| 1 | 2 | 3 | 4 |

2d *Quali espressioni della lista usi nelle situazioni sotto? Segui l'esempio. Attenzione: per la numero 6 devi usare* <u>due</u> *espressioni.*

Prego, prego! | **Cin cin!** | **Tanti auguri!** | **Incredibile!**
Tutto buonissimo! | **Salute!** | ✓ **Scusa, ho fatto tardi!**

1. Non sei puntuale:
   Scusa, ho fatto tardi!
   ....

2. È il compleanno di qualcuno:
   ....
   ....

3. Sei molto sorpreso/a:
   ....

4. Inviti qualcuno a entrare a casa tua:
   ....

5. Fai i complimenti a qualcuno per il cibo:
   ....

6. Fai un brindisi:
   ....
   ....
   ....

3 PARLARE E SCRIVERE

Quando è il tuo compleanno?

Domanda ai compagni quando è il loro compleanno e scrivi il giorno. Poi tutti insieme create un cartellone con i compleanni della classe. Durante il corso, quando è il compleanno di un compagno / una compagna, ricordate di fare gli auguri!

Katrin 16 luglio

Alejandro 2 marzo

Sylvie 28 ottobre

DIECI nomi di parentela

1 cugino
cugina

2 zio
zia

3 cognato
cognata

4 nonno
nonna

5 figlio
figlia

6 suocero
suocera

7 marito
moglie

8 nipote
nipote

9 fratello
sorella

10 padre
madre

Le parole padre *e* madre *hanno due sinonimi:* papà *e* mamma. *Secondo te qual è la differenza tra le prime due parole e i loro sinonimi?*

 ASCOLTO IMMERSIVO®

Inquadra il QRcode a sinistra o vai su www.almaedizioni.it/dieciA1, chiudi gli occhi, rilassati e ascolta.

1 Guarda l'episodio _senza_ audio. Poi osserva le immagini e indica chi dice le frasi della lista, secondo te.

	IVANO	FRANCESCA	ANNA
1. Io e Lei non siamo mai andati ad una festa.	○	○	○
2. Oggi è il mio compleanno.	○	○	○
3. Grazie anche per la festa.	○	○	○
4. Hai fatto una cosa molto grave!	○	○	○
5. Posso spiegare tutto...	○	○	○

2 In questo episodio Francesca capisce che Anna è andata alla festa con Ivano e telefona alla sorella.
Secondo te, che cosa dicono? _Prima_ di guardare il video con l'audio lavora con un compagno e scrivi un possibile dialogo tra le due gemelle su un foglio a parte. Qui trovi le prime tre frasi del dialogo.

Anna   Ciao!
Francesca Anna?
Anna   Francesca, tesoro!

3 Dopo la visione, utilizza alcune delle frasi del punto **1** e completa il dialogo tra Francesca e Ivano.

Francesca E in questo sogno non ci sono genitori, sorelle, fratelli...? Ma è un sogno frequente?
Ivano   No. Però _____, e allora, forse...
Francesca Auguri!
Ivano   Grazie, Francesca. E _____, la settimana scorsa...
Francesca La festa la settimana scorsa? Che festa?
Ivano   Come, la festa! Siamo andati insieme...
Francesca Io e Lei, a una festa? Ma è sicuro? _____. Forse è un altro dei suoi sogni...

TESORO! AMORE!
Anna dice: _Francesca, tesoro!_
Spesso gli italiani usano le parole _tesoro_ e
amore quando parlano a amici cari o a parenti.

LE COSE IMPORTANTI NELLA VITA

1 *In coppia. Leggete quali sono le cose importanti per gli italiani.*

Quali sono le cose importanti nella tua vita?

89% la mia nuova famiglia
85% la mia famiglia di origine
60% l'amicizia
50% il successo nel lavoro

fonte: Censis

2 *Anche per voi sono queste le cose importanti nella vita? O sono altre? Parlate e decidete __una__ cosa importante per tutti e due. Potete usare un dizionario o domandare parole all'insegnante.*

3 *Uno studente di ogni coppia scrive alla lavagna la cosa importante.*

4 *Ogni coppia seleziona __due__ cose importanti scritte alla lavagna: quale cosa ottiene più voti, alla fine?*

DIECI COSE FANTASTICHE DA FARE IN ITALIA

1 Mangiare una granita di limone o un gelato in Sicilia.

2 Gettare una moneta nella Fontana di Trevi per tornare a Roma in futuro!

3 Assistere a uno spettacolo al Teatro alla Scala di Milano.

4 Vedere il balcone di Romeo e Giulietta a Verona.

5 Assistere al Palio di Siena.

6 Vedere le maschere del carnevale di Venezia.

7 Bere un caffè a Napoli.

8 Sciare o fare trekking sulle Dolomiti (Alpi).

9 Prendere un aperitivo a Portofino (Liguria), nella sua famosa "piazzetta" sul mare.

10 Visitare l'isola e le terme di Ischia in Vespa.

Pensa a 5 cose fantastiche che puoi fare nel tuo Paese.

GRAMMATICA

1 *Inserisci l'articolo determinativo dove è necessario.*

1. Ho passato le feste con _____ mie sorelle.
2. _____ suo nonno è molto anziano.
3. _____ tuoi regali sono sempre così belli!
4. _____ loro festa di compleanno è stata molto bella.
5. Per _____ suo compleanno fa una grande festa.
6. _____ tua moglie fa gli anni oggi?
7. Quali sono _____ vostri progetti per capodanno?
8. _____ loro figli si chiamano Leo e Giulia.

> OGNI FRASE CORRETTA = 2 PUNTI _____ / 16

2 *Seleziona l'opzione corretta tra quelle **evidenziate**.*

1. Sono nato **in / nel** 1985.
2. **Dopo / Poi** la Sicilia abbiamo visitato la Calabria.
3. **Non sono mai / Non mai sono** andata in Sardegna.
4. Vedo i miei nonni tre volte **all' / in** anno.
5. Tania è nata due giorni prima **– / di** me.

> OGNI OPZIONE CORRETTA = 3 PUNTI _____ / 15

VOCABOLARIO

3 *Scrivi i numeri in lettere.*

a. 342 ➡ _____
b. 1550 ➡ _____
c. 3080 ➡ _____
d. 9710 ➡ _____

> OGNI NUMERO CORRETTO = 4 PUNTI _____ / 16

4 *Quale verbo va bene per ogni serie di espressioni?*

1. _____
   un brindisi | la spesa | una domanda | colazione
2. _____
   una cartolina | una mail | un biglietto di auguri
3. _____
   ragione | sete | caldo | tempo
4. _____
   fuori | in palestra | a ballare | a letto
5. _____
   male | in un hotel | su un letto comodo | fino alle 9

> OGNI VERBO CORRETTO = 5 PUNTI _____ / 25

COMUNICAZIONE

5 *Osserva le immagini, ordina le lettere e forma le espressioni.*

1.  UAELST

   _____!

2.  OBUN CPEOONLNAM

   _____

   _____!

3.  NRICEIDBLIE

   _____!??

4.  RPGEO

   _____!

5.  ONBU ANLATE

   _____

   _____!

> OGNI PAROLA CORRETTA = 4 PUNTI _____ / 28

> TOTALE _____ / 100

Qui imparo a:
- *fare shopping*
- *descrivere l'abbigliamento*
- *fare la spesa*
- *chiedere qualcosa gentilmente*
- *capire ricette semplici*

COMINCIAMO

Rispondi alle domande e poi confronta le tue risposte con due compagni.

1. Ti piace fare shopping?

2. Per che cosa spendi di più + ? Per che cosa spendi di meno − ?

   ☐ cibo   ☐ abbigliamento   ☐ casa   ☐ altro: _____

3. Dove preferisci comprare?

   ○ in grandi centri commerciali
   ○ in piccoli negozi
   ○ su internet

4. Hai un negozio "del cuore" dove vai spesso?

MILANO: GALLERIA VITTORIO EMANUELE II

9A Shopping online

G i colori • lo / la • li / le
V abbigliamento • largo / stretto • C'è in blu?

donnamagica.it

Buongiorno, sono Monica.

Buongiorno. Cerco il vestito modello FUNNY, colore rosso. Ma non lo trovo.

Il modello FUNNY è nella sezione NOVITÀ, in alto a destra. Che taglia porta?

La media. C'è?

Sì.

Ok, grazie.

Del modello FUNNY c'è anche la giacca. La trova a questo link: *donnamagica.it/funny_giacca*. Per la media è rimasto il colore bianco.

Bene.

Costa 70 euro. Ma se prende anche il vestito c'è uno sconto del 50 per cento.

Perfetto. Un'altra cosa: le scarpe nere sulla home page, ci sono in blu? Non le vedo.

Che numero ha?

39.

No, in blu c'è solo il 40.

Il 40 è un po' grande per me.

Oggi sono in offerta speciale a 60 euro. Può fare una prova: se non vanno bene le può cambiare.

Va bene. Grazie.

---

1 **LEGGERE** Live chat

1a *Leggi la chat a sinistra e completa lo schema.*

CHE COSA COMPRA LA CLIENTE			
	COLORE	TAGLIA / NUMERO	PREZZO
VESTITO	....	....	⟋
GIACCA	....	....	....
SCARPE	....	....	....

1b *Completa le frasi.*

▶ Che ....
● La media.

▶ Quanto costa?
● 70 euro. Ma c'è uno .... del 50%.

▶ Che ....
● 39.

▶ Com'è?
● È .... / piccolo.

2 **VOCABOLARIO** Abbigliamento e colori

2a *Forma le parole come nell'esempio.*

1. GON ⟶ CA
2. VE — MICIA
3. GIAC — LONI
4. CA — STITO
5. SCAR — NA
6. MA — PE
7. PANTA — GLIETTA

2b *Osserva alcuni compagni e memorizza come sono vestiti. Poi lavorate in gruppi di 3. A turno, uno studente descrive un compagno della classe (capo di abbigliamento e colore). Gli altri due devono indovinare chi è.*

Ha una giacca marrone.

È Peter?

Sì, giusto! / No, sbagliato!

FOCUS

I COLORI
aggettivi in -o: giallo, rosso, bianco, nero, grigio
aggettivi in -e: verde, arancione, marrone
invariabili: viola, rosa, blu

| BIANCO | ARANCIONE | ROSA | BLU | MARRONE | NERO |
| GIALLO | ROSSO | VIOLA | VERDE | GRIGIO | |

3 GRAMMATICA | I pronomi diretti

3a *A che cosa si riferiscono i pronomi* evidenziati *? Segui l'esempio.*

1. Buongiorno, cerco il vestito modello FUNNY, colore rosso. Ma non **lo** trovo.

   lo *= il vestito*

2. Del modello FUNNY c'è anche la giacca. **La** trova a questo link: *donnamagica.it/funny_giacca*.

3. Perfetto. Un'altra cosa: le scarpe nere sulla home page, ci sono in blu? Non **le** vedo.

4. Può fare una prova: se non vanno bene **le** può cambiare.

3b *Completa lo schema sui pronomi diretti.*

	singolare	plurale
maschile		li
femminile		

3c *Completa con i pronomi diretti della lista.*

la | la | le | li | lo

1. ● È una giacca molto bella e costa solo 50 euro.
   ▶ Va bene, __ prendo.

2. ● Bello questo vestito, è tuo?
   ▶ Sì, __ metto solo nelle occasioni speciali!

3. Dove sono le mie scarpe? Non __ trovo!

4. Questa maglietta non mi piace, per questo non __ metto mai.

5. ● Buongiorno, sono Anna.
   ▶ Buongiorno, cerco i jeans *slim* da uomo. Ma non __ vedo sul vostro sito.

4 SCRIVERE | Cerco un vestito.

In coppia. Uno studente vuole comprare un capo di abbigliamento su un sito, l'altro studente è un / un'assistente della live chat del sito. Usate un'app di messaggistica e fate una conversazione. Potete usare gli aggettivi e le domande sotto.

AGGETTIVI	DOMANDE
grande >< piccolo	Che taglia porta?
largo >< stretto	Che numero ha?
lungo >< corto	Quanto costa / costano?
	C'è / Ci sono in blu?

1 VOCABOLARIO Negozi

In quali negozi è possibile comprare queste cose?

MACELLERIA — ALIMENTARI — FRUTTIVENDOLO — FORNO

	MACELLERIA	ALIMENTARI	FRUTTIVENDOLO	FORNO
1. prosciutto salame formaggio	○	○	○	○
2. pane pizza dolci	○	○	○	○
3. latte uova olive	○	○	○	○
4. insalata pomodori patate	○	○	○	○
5. mele arance banane	○	○	○	○
6. carne	○	○	○	○

2 ASCOLTARE Due etti di prosciutto

42 ▷ **2a** Ascolta il dialogo. Secondo te in quale negozio del punto **1** sono le persone che parlano?

2b Che cosa compra il signore? Ascolta di nuovo e unisci le colonne. Attenzione: devi unire solo i prodotti che compra.

2 etti		caciotta	di soia
una confezione		latte	verdi
mezzo chilo		prosciutto	romana
600 grammi	di	uova	toscano
1 litro		pecorino	da 6
1 chilo e 200 grammi		olive	di Parma

2c Leggi il dialogo alla pagina successiva e verifica.

2d Trova nel dialogo le misure corrispondenti.

200 g = ...

500 grammi = ...

1200 grammi = ...

1000 ml = ...

2e Unisci le prime due colonne e forma le espressioni del dialogo. Poi indica chi parla, la negoziante o il cliente, come nell'esempio.

		NEGOZIANTE	CLIENTE
1. Buongiorno,	così.	○	○
2. Vuole	tutto?	○	○
3. Lo vuole	mi dica.	○	○
4. Quanto	assaggiare?	◉	○
5. È	pesa?	○	○
6. Basta	altro?	○	○

> **FOCUS**
>
> **CHILO, ETTO, GRAMMO / LITRO**
> 1 chilo (1 kg) = 1000 grammi (1000 g)
> mezzo chilo (½ kg) = 500 grammi (500 g)
> 1 etto (1 hg) = 100 grammi (100 g)
> 1 litro (1 l)

- Buongiorno, mi dica.
- ▶ Buongiorno, volevo due etti di prosciutto di Parma.
- Va bene.

...

- Ecco qui... 200 grammi. Vuole altro?
- ▶ Sì. Un po' di formaggio. Che cosa avete in offerta?
- Abbiamo questa caciotta romana.
- ▶ No, preferisco un formaggio stagionato. Quel pecorino toscano com'è?
- Molto buono. Lo vuole assaggiare? Prego.
- ▶ Grazie... Hm, è vero, è molto buono.
- Allora lo prende?
- ▶ Sì, ma non tutto. Quanto pesa?
- 1 chilo e 2.
- ▶ È troppo. Va bene la metà.
- D'accordo. Altro?
- ▶ Sì, volevo anche una confezione di uova.
- Una confezione da 6 va bene?
- ▶ Sì, e poi mezzo chilo di quelle olive verdi e un litro di latte di soia.
- Ok. È tutto?
- ▶ Sì, basta così. Grazie.

3 GRAMMATICA Quello

3a *Guarda l'immagine: qual è la differenza tra* questo *e* quello*?*

Abbiamo **questa** caciotta romana.

No, preferisco un formaggio stagionato. **Quel** pecorino toscano com'è?

FOCUS

VOLEVO
Per chiedere qualcosa in modo gentile in un negozio uso "volevo" o "vorrei".

Volevo
Vorrei ⟩ due etti di prosciutto di Parma.
~~Voglio~~

3b Quello *funziona come l'articolo determinativo. Completa lo schema.*

QUELLO			
	singolare		plurale
maschile	_____ formaggio	_____ dolci	
	quell'olio	**que**gli spaghetti	
	quello yogurt		
femminile	_____ pizza	_____ olive	
	quell'acqua		

3c *In coppia. Fate un dialogo come nell'esempio. Ogni volta invertite i ruoli.*

ESEMPIO: **prosciutto / salame**
▶ Abbiamo questo **prosciutto** in offerta. Lo vuole?
● No, preferisco quel **salame**.

mele / arance | **pecorino / parmigiano**
mozzarella / caciotta | **ravioli / tortellini**
dolci / biscotti | **formaggio / yogurt fresco**

4 PARLARE Panini per tutti

Devi andare in gita con la classe e preparare panini per tutti. Vai in ▶ *COMUNICAZIONE a pagina 138 e segui le istruzioni.*

Il **Mercato Orientale di Genova** offre una straordinaria varietà di prodotti: olive, mozzarella, formaggi, salumi, carne, frutta, verdura e soprattutto pesce fresco. Un'altra specialità è l'olio: su una fetta di pane e con un po' di sale, è il cibo più buono del mondo!

Il **Mercato Centrale di Firenze** non è un semplice mercato. Dalle 10 di mattina a mezzanotte qui è possibile fare la spesa, bere e naturalmente mangiare: piatti di pasta, panini, specialità di pesce, dolci. Ma i fiorentini vengono qui anche per leggere un libro, imparare a cucinare (con i corsi di cucina) o a degustare il vino.

4 MERCATI CHE DOVETE CONOSCERE

Per chi cerca cibi particolari ed esotici il **Mercato dell'Esquilino di Roma** è il posto giusto. Qui ci sono prodotti da tutto il mondo, Asia, Africa, Sud America. Una curiosità: molti venditori danno anche ricette e consigli di cucina.

Il **Mercato della Vucciria a Palermo** è un'esperienza magica. Apre alle 4 di mattina e chiude la sera tardi, perché molti palermitani ci vanno per fare la spesa e poi cucinare lì i prodotti che hanno comprato. Nel mercato infatti è possibile preparare il cibo e mangiare. La Vucciria è anche il paradiso dello *street food*: qui potete trovare tutte le specialità della tradizione siciliana.

1 LEGGERE Mercati italiani

Leggi il testo sopra e seleziona le risposte giuste. In alcuni casi devi indicare due città.

DOVE È POSSIBILE:	GENOVA	FIRENZE	ROMA	PALERMO
1. ricevere consigli sui piatti?	○	○	○	○
2. seguire un corso di cucina?	○	○	○	○
3. trovare prodotti di molti Paesi?	○	○	○	○
4. anche mangiare?	○	○	○	○
5. anche cucinare?	○	○	○	○
6. comprare un olio speciale?	○	○	○	○
7. andare a fare la spesa molto presto?	○	○	○	○
8. andare a fare la spesa molto tardi?	○	○	○	○

2 PARLARE Un mercato particolare

In piccoli gruppi. Rispondete alle domande.

Di solito vai a fare la spesa al mercato?
Conosci un mercato molto bello o strano? Com'è?

3 ASCOLTARE E SCRIVERE La ricetta dell'insalata caprese

44⏵

3a *Ascolta più volte la ricetta e seleziona gli elementi giusti nella scheda.*

TEMPO DI PREPARAZIONE
●○○ ○ 5 minuti   ●●○ ○ 15 minuti   ●●● ○ 50 minuti

LIVELLO DI DIFFICOLTÀ
★☆☆ ○ facile   ★★☆ ○ medio   ★★★ ○ difficile

UTENSILI

○ coltello
○ forchetta
○ cucchiaio
○ piatto
○ pentola
○ padella

INGREDIENTI PER 4 PERSONE

○ 2 cucchiai di acqua
○ 1 kg di patate
○ ½ kg di mozzarella
○ 200 g di prosciutto
○ 1 kg di pomodori rossi

○ 1 cucchiaio di olio extravergine di oliva
○ 1 bicchiere di vino
○ sale
○ basilico
○ burro

PREPARAZIONE

1. ○ a.   ○ b.   2. ○ a.   ○ b.

3. ○ a.   ○ b.   4. ○ a.   ○ b.

3b *Rispondi nel forum a Kim96 e spiega come fare l'insalata caprese. Puoi usare le parole a destra.*

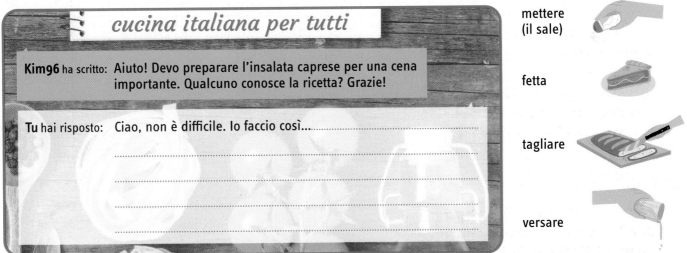

cucina italiana per tutti

Kim96 ha scritto: Aiuto! Devo preparare l'insalata caprese per una cena importante. Qualcuno conosce la ricetta? Grazie!

Tu hai risposto: Ciao, non è difficile. Io faccio così...

mettere (il sale)

fetta

tagliare

versare

9D Serviamo il numero 45.

v il supermercato

1 ASCOLTARE Annunci

45 ▶ 1a In quale luogo puoi sentire questi annunci? Ascolta e abbina luoghi e numero degli annunci.

| mercato | metropolitana | supermercato | cinema | parcheggio |

1b In quale luogo del punto **1a** puoi sentire queste frasi?

a. ☐ Due biglietti per lo spettacolo delle 20:30.

b. ☐ Mi scusi, a quale fermata devo scendere per Piazza di Spagna?

c. ☐ Sono entrato e uscito dopo dieci minuti. Perché devo pagare un'ora?

d. ☐ Volevo un chilo di pane integrale.

2 LEGGERE La spesa intelligente

2a Leggi il testo "La spesa intelligente" e ordina le azioni, come nell'esempio.

2b Indica con una ✓ le combinazioni del testo, come nell'esempio.

	PRENDERE [2]	FARE [2]	PAGARE [3]	RIEMPIRE [2]
alla cassa				
il carrello				
la fila				
la lista della spesa				
i sacchetti		✓		
il resto				
in contanti				

2c E tu come fai la spesa? Quali sono le tue abitudini? Parla con due compagni.

LA SPESA INTELLIGENTE

Io non amo spendere molti soldi quando faccio la spesa. Grazie a queste regole risparmio soldi... e tempo.

Fare la fila
Per fare la fila scelgo una cassa lontana, perché di solito ci sono meno persone.

Riempire i sacchetti
Porto sempre i sacchetti da casa, così non li devo pagare.

5

Prendere il resto
Alla fine non dimentico di prendere il resto e controllo sempre il conto.

3 SCRIVERE Lo shopping intelligente

Devi andare a fare shopping in un centro commerciale, ma non hai molto tempo. Scrivi una lista di consigli per uno shopping intelligente.

LO SHOPPING INTELLIGENTE

Io non amo perdere tempo quando vado in un centro commerciale.

Grazie a queste regole risparmio tempo e evito lo stress.

Pagare alla cassa
Lascio la carta di credito a casa e pago in contanti, così non posso spendere troppo.

Prendere il carrello
Prendo sempre un carrello piccolo, così non c'è spazio per le cose inutili.

Fare la lista della spesa
A casa faccio una lista delle cose che devo comprare.

Riempire il carrello
Guardo le offerte ma riempio il carrello solo con le cose della lista.

DIECI frasi utili nei negozi

1 Mi dica...

2 Vorrei... / Volevo...

3 Che taglia porta?

4 Che numero ha?

5 Quanto costa?

6 Quanto pesa?

7 Quanto viene al chilo?

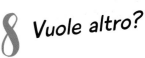

8 Vuole altro?

9 È tutto?

10 Basta così, grazie.

Quali frasi sono utili per fare shopping? Quali per fare la spesa? Quali per tutte e due le cose?

ASCOLTO IMMERSIVO®

Inquadra il QRcode a sinistra o vai su www.almaedizioni.it/dieciA1, chiudi gli occhi, rilassati e ascolta.

1 <u>Prima</u> di guardare il video. (Cerchia) nell'immagine gli oggetti indicati nella lista. Poi scrivi il colore nei riquadri a sinistra.

carrello | formaggio | prosciutto | pesce

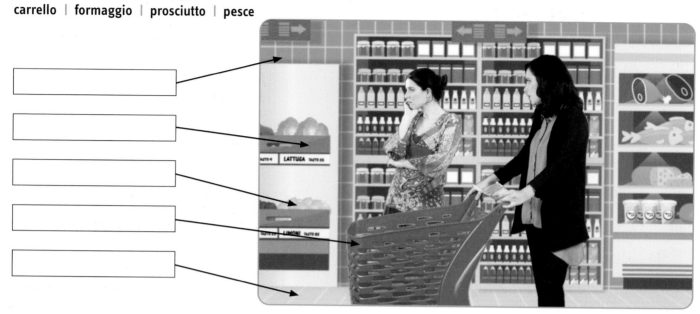

VIDEO ▶

2 Guarda il video. Che cosa devono comprare? Completa lo schema con le quantità corrette. Attenzione: c'è una quantità in più.

½ litro | 1 chilo | 1 litro | sei | un etto | 2 etti | 1 chilo e ½

Ivano e Paolo

....

Francesca e Anna

....

3 Ordina le parole e ricostruisci l'annuncio al supermercato.

prosciutto | sul | offerta | di | al | etti | prezzo | tre | di | due | Parma

Oggi _____ : _____ !

4 Guarda l'ultima scena, scegli un personaggio e immagina che cosa pensa in quel momento. Poi confrontati con un compagno che ha scelto un personaggio diverso.

Personaggio scelto:

_____

Ivano

Francesca

Anna

Paolo

5 Secondo te, che cosa succede nel prossimo episodio dopo questo incontro imprevisto? Fai ipotesi insieme a un compagno.

UNA RICETTA FAMOSA

1 *In coppia. Pensate a una ricetta italiana famosa. Sotto ci sono esempi.*

trofie al pesto (nella foto)
spaghetti alle vongole
risotto
polenta funghi e formaggio
insalata rucola e parmigiano
panna cotta

2 *Guardate blog e video su internet e cercate informazioni* sulla vostra ricetta. Potete usare il dizionario e/o chiedere aiuto all'insegnante.*

> ***** **informazioni da cercare:**
> ▸ **nome della ricetta**
> ▸ **ingredienti**
> ▸ **tempo di preparazione**
> ▸ **preparazione**

3 *Presentate la ricetta alla classe. Potete fare un cartellone con disegni e foto, un video o... portare il piatto pronto!*

'ALMA.tv ▶

Guarda il video *Trofie al pesto* nella rubrica L'italiano per la cucina.

DIECI "ERRORI" DA NON FARE IN ITALIA

1 Bere il cappuccino dopo pranzo.
Gli italiani non bevono mai il cappuccino dopo mezzogiorno.

2 Mangiare la pasta come contorno.
La pasta è sempre un primo.

3 Portare i calzini con i sandali.
Gli italiani portano i calzini solo con le scarpe chiuse, mai con i sandali o le scarpe da mare!

4 Dividere il conto in parti diverse al ristorante.
Con gli amici, gli italiani dividono il conto in parti uguali, anche quando mangiano cose differenti.

5 Togliersi le scarpe a casa di qualcuno.
Togliersi le scarpe è un gesto intimo e per alcune persone può essere imbarazzante.

6 Non offrire un caffè a un ospite a casa.
Il rito del caffè è importante: non offrirlo a un invitato è maleducato.

7 Tagliare gli spaghetti con coltello e forchetta.
Per gli spaghetti gli italiani usano solo la forchetta.

8 Non aspettare gli altri per mangiare.
A tavola gli italiani cominciano a mangiare tutti insieme.

9 Entrare in chiesa poco vestiti.
In chiesa gli italiani non indossano canottiere, gonne o pantaloni corti.

10 Arrabbiarsi con un amico per un piccolo ritardo.
Gli appuntamenti informali in Italia sono flessibili. Di solito due amici non dicono: "Ci vediamo alle 10.", ma "Ci vediamo verso le 10."

Quali di queste cose sono normali nel tuo Paese?

GRAMMATICA

1 *Completa le frasi con le forme corrette di* quello.

1. Volevo un etto di _____ prosciutto crudo.
2. Salve, c'è uno sconto su _____ pantaloni neri, vero?
3. Vuole _____ olive o queste qui?
4. Vorrei provare _____ scarpe marroni.
5. Questa gonna è brutta, preferisco _____ vestito.

> **OGNI OPZIONE CORRETTA = 4 PUNTI** ___ / 20

2 *I quattro pronomi diretti* **evidenziati** *sono nella frase sbagliata. Metti i pronomi nella frase giusta.*

IN UN NEGOZIO DI SCARPE O ABBIGLIAMENTO

1. Non mi piacciono i jeans stretti, **lo** voglio larghi. ___
2. Queste scarpe sono scomode, non **la** prendo. ___

IN UN ALIMENTARI

3. La ricotta è buonissima, **le** vuole assaggiare? ___
4. ● Volevo un etto di parmigiano.
   ▸ **Li** vuole stagionato? ___

> **OGNI OPZIONE CORRETTA = 2,5 PUNTI** ___ / 10

VOCABOLARIO

3 *Completa con le parole della lista.*

taglie | **carrello** | **sacchetti** | **paghi**
speciale | **spesa** | **sconto** | **contanti**

offerta _____:
arance
0,99 €/kg!

su tutti i jeans:
_____
del 50%!

yogurt:
_____ 2,
prendi 3!

hai 2 prodotti nel _____

la _____
comoda a casa tua, gratis!

cassa solo _____

-30%
sulla collezione
_____ comode

per la frutta:
0,03 €

> **OGNI OPZIONE CORRETTA = 2,5 PUNTI** ___ / 20

4 *Guarda le due persone e rispondi alle domande.*

Sebastiano — Ada

Chi ha:

	SEBASTIANO	ADA
1. un paio di scarpe nere?	○	○
2. una gonna viola?	○	○
3. un paio di scarpe bianche e rosse?	○	○
4. una borsa verde?	○	○
5. un cappello azzurro?	○	○

> **OGNI OPZIONE CORRETTA = 2 PUNTI** ___ / 10

COMUNICAZIONE

5 *Chi fa queste domande?*

IN UN NEGOZIO DI SCARPE O ABBIGLIAMENTO

	COMMESSO	CLIENTE
1. Che numero ha?	○	○
2. La small è piccola. Avete la media?	○	○
3. Che taglia porta?	○	○
4. C'è il 38 di queste scarpe?	○	○

IN UN ALIMENTARI

	COMMESSO	CLIENTE
5. Vuole altro?	○	○
6. Quanto viene al chilo?	○	○
7. Basta così?	○	○
8. Vuole assaggiare le olive?	○	○

> **OGNI OPZIONE CORRETTA = 5 PUNTI** ___ / 40

> **TOTALE** ___ / 100

Qui imparo a:
- *indicare vantaggi e svantaggi*
- *descrivere piccoli problemi di salute*
- *dare consigli e istruzioni*
- *chiedere consiglio in farmacia*

COMINCIAMO

a **Per te come deve essere il lavoro ideale? Completa il test. Puoi selezionare più risposte.**

1. Preferisco lavorare:

   a. ○ seduto.
      ○ in movimento.

   b. ○ in un ufficio.
      ○ a casa.
      ○ all'aperto.

   c. ○ da solo.
      ○ con colleghi.

2. Voglio fare:

   a. ○ molti soldi.
      ○ amicizia con i colleghi.

   b. ○ un lavoro intellettuale.
      ○ un lavoro manuale.

   c. ○ un lavoro sempre diverso.
      ○ un lavoro regolare.

3. Non voglio fare:

   ○ un lavoro stressante.
   ○ un lavoro lontano da casa.

b **Confronta le tue risposte con quelle di due compagni. Ci sono punti in comune?**

10A Lavori: pro e contro

G cominciare a • finire di • continuare a • ero
V Sono in pensione. • Guadagno bene. • azienda

---

46 ▶ **1** *ASCOLTARE* Due lavori diversi

1a *Ascolta le due interviste e completa lo schema come negli esempi: quali sono per Donato e Maddalena gli aspetti positivi e negativi della loro professione?*

Maddalena / programmatrice

Donato / giardiniere

ASPETTI POSITIVI ☺	ASPETTI NEGATIVI ☹
un lavoro all'aperto	

ASPETTI POSITIVI ☺	ASPETTI NEGATIVI ☹
guadagna bene	

1b *Completa la trascrizione con gli elementi della lista, poi ascolta ancora e verifica.*

Donato

certo, in inverno questa
perché fa freddo, a volte
e mi piace stare da solo
ma nella natura, all'aperto, non stressante

Maddalena

è lontano da casa, passo molto tempo
lavorare tardi
molto bene con i colleghi
guadagno bene, ma purtroppo rimango ore

Io mi chiamo Donato... e sono in pensione da dieci anni. Ho cominciato a lavorare molto giovane, a 16 anni, e ho sempre fatto il giardiniere nei parchi della mia città, Torino. Era un lavoro manuale, fisico, _____.
Io ho sempre amato le piante _____
_____, quindi ero molto felice.
_____ è una
professione difficile _____
_____ piove, ma in primavera i parchi sono meravigliosi. Anche adesso in pensione continuo a andare al parco tutti i giorni.

Mi chiamo Maddalena e ho cominciato a lavorare due anni fa, dopo l'università. Faccio la programmatrice in un'azienda informatica. All'inizio ero molto timida, ma nella mia azienda ho fatto amicizia rapidamente: mi trovo
_____,
sono molto simpatici e spesso usciamo insieme.
_____ e ore
seduta davanti al computer, questo aspetto non mi piace molto. Poi l'ufficio _____
_____ nel traffico in macchina e
finisco di _____,
quindi la sera sono davvero stanca.

1c *In coppia. Uno studente completa le domande per Donato, l'altro le domande per Maddalena. Poi ogni studente fa le sue domande: il compagno usa il testo su Donato o Maddalena e risponde.*

DOMANDE PER DONATO
**Che cosa	A quanti anni	Che tipo	Da quanto tempo**
1. _____ sei in pensione?
2. _____ hai cominciato a lavorare?
3. _____ di lavoro era?
4. _____ fai adesso in pensione?

DOMANDE PER MADDALENA
**Come	Che	Come	Quando**
1. _____ hai cominciato a lavorare?
2. _____ lavoro fai?
3. _____ eri all'inizio?
4. _____ stai la sera dopo il lavoro?

2 GRAMMATICA L'imperfetto: introduzione

2a *Completa l'imperfetto di essere con le forme che usano Donato e Maddalena.*

ESSERE

io	
tu	eri
lui / lei / Lei	
noi	eravamo
voi	eravate
loro	erano

2b *Perché usiamo l'imperfetto?*

Per fare descrizioni:
a. ○ al presente. b. ○ al passato. c. ○ al futuro.

2c *In coppia. Scrivi 2 frasi di minimo 5 parole con il verbo essere all'imperfetto. Ritaglia le parole di ogni frase. A turno, uno di voi dà le parole in disordine di una frase al compagno, che forma la frase corretta. Seguite l'esempio sotto.*

🔵 **FOCUS**

COMINCIARE, FINIRE, CONTINUARE
comincio **a** lavorare
finisco **di** lavorare
continuo **a** lavorare

3 SCRIVERE Il mio / La mia insegnante

Fai una breve descrizione della vita professionale del tuo / della tua insegnante di italiano.
Usa informazioni che conosci e/o la tua immaginazione.
Da quanto tempo fa questo lavoro?
Quali sono gli aspetti positivi e negativi del suo lavoro?
Com'era quando ha cominciato a lavorare in classe?

sempre *nonno* *lavoro* *era* *stanco* *il* *dopo* *mio*

➡

mio *nonno* *era* *sempre* *stanco* *dopo* *il* *lavoro*

1 LEGGERE L'influenza

1a Leggi la sezione A e scrivi i nomi delle tre parti del corpo presenti nel testo.

....

A. TI SENTI MALE? ECCO COME SCOPRIRE SE HAI L'INFLUENZA.
ATTENZIONE: NON è NECESSARIO AVERE TUTTI QUESTI SINTOMI INSIEME!

1 HO LA TOSSE

2 MI FA MALE LA TESTA

3 HO MAL DI GOLA

4 HO LA FEBBRE (ALTA O BASSA)

5 HO IL NASO CHIUSO E IL RAFFREDDORE, RESPIRO MALE

6 SONO SEMPRE STANCO, MI SENTO MOLTO DEBOLE

B. CONSIGLI E RIMEDI PER CHI HA L'INFLUENZA

1   2 80%   3 50%   4 46%   5 95%

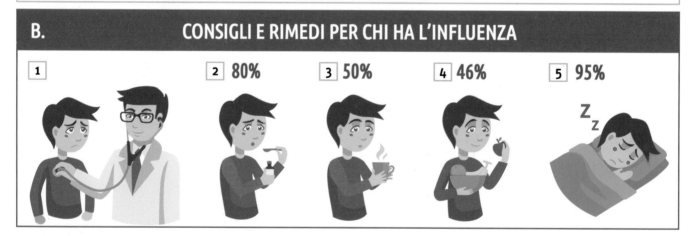

1b Adesso abbina i testi e le immagini corrispondenti nella sezione B.

a ☐
Per quasi tutti dormire molto è una soluzione efficace: riposo assoluto per diversi giorni!

b ☐
Per una persona su due è utile bere bevande calde (e buone!), come il tè al miele o una tisana con il limone.

c ☐
Il primo consiglio è andare dal medico di famiglia.

d ☐
Per quasi il 50% delle persone è utile mangiare frutta, in particolare quella ricca di vitamina C.

e ☐
Per molte persone può essere un aiuto prendere farmaci; diverse medicine riducono la febbre e la sensazione di forte stanchezza.

2 VOCABOLARIO Disturbi e corpo

2a Da quale medico devono andare queste persone?

 dall'oculista | dall'otorino

 dall'ortopedico |  dal dentista

1
Ho mal di denti!

Jane

....

2
Mi fa male
la schiena.

Lisa

....

3
Ho problemi
agli occhi.

Jonas

....

4
Mi fanno male
le orecchie!

Achille

....

2b Completa l'immagine con le parole della lista.

naso | schiena | orecchio | occhio | testa

braccio

bocca

mano

stomaco

gamba

ginocchio

piede

3 PARLARE Problemi e consigli

*In gruppi di 3 (studente A, B e C). A turno, A mima
un disturbo fisico alle parti del corpo del punto 2b.
B dice che problema ha. C propone una soluzione.
Ripetete varie volte e cambiate ruolo ogni volta.
Seguite l'esempio.*

A

B
Ti fa male
lo stomaco.

C
Forse sei stressato,
devi riposare. Può essere
utile fare una vacanza!

10c Rallentare

1 VOCABOLARIO Verbi

Abbina verbi ed espressioni della lista. Attenzione: puoi abbinare un'espressione a verbi diversi.

**bene | fame | amicizia | caldo | così così
sete | stanchi | mal di testa | soldi
un lavoro stressante | freddo**

avere
_____
_____
_____
_____

fare
_____
_____
_____
_____

sentirsi
_____
_____

stare
_____
_____

trovarsi
_____

2 LEGGERE E PARLARE Consigli

2a *In coppia. Coprite il testo sotto. Il titolo è: "Sano e felice – consigli anti stress". Secondo voi, che consigli dà?*

2b *Adesso leggete la colonna rossa e abbinate i consigli alle spiegazioni nella colonna blu, come negli esempi.*

2c *Quando siete stressati, quali di queste cose fate o non fate? Discutete insieme.*

testo
parlante
47 ▶

SANO E FELICE dimentica lo stress con i nostri consigli

1		dormi minimo sette o otto ore a notte
2		fa' sport
3	*b*	medita nelle pause
4		non guardare sempre il cellulare
5		al lavoro fa' amicizia con i colleghi
6	*f*	ridi
7		va' a passeggiare al parco ogni tanto
8	*g*	non avere sempre fretta
9		non fare mille cose insieme

a. concentrarsi su una cosa alla volta riduce lo stress

✓ b. lo yoga aiuta se fai un lavoro stressante

c. sentirsi sempre stanchi rovina la giornata

d. fa male agli occhi e alla mente

e. la natura è una medicina potente

✓ f. l'allegria è la medicina della felicità

✓ g. rallentare il ritmo della giornata aiuta a stare bene

h. l'attività fisica dà energia positiva

i. le relazioni umane sono molto importanti

3 GRAMMATICA L'imperativo con *tu*

3a *Trova nel testo l'imperativo con tu di questi verbi.*

VERBI REGOLARI		
DIMENTICARE	**RIDERE**	**DORMIRE**

VERBI IRREGOLARI	
FARE	**ANDARE**

3b *Nel testo c'è anche l'imperativo negativo dei verbi guardare, avere e fare. Come formiamo l'imperativo negativo con tu? Completa.*

_____ + infinito

3c *Usiamo l'imperativo per:*

○ dare consigli.
○ esprimere entusiasmo.
○ protestare.
○ dare ordini e istruzioni.

3d *Prova a completare queste frasi con i verbi all'imperativo appropriati. Sono possibili soluzioni diverse. Poi confronta le tue frasi con quelle di un compagno.*

Ti senti triste e stressato? _____ questi consigli!

- _____ con un amico!
- _____ un film divertente!
- _____ una lettera a una persona cara!
- _____ una musica rilassante!

💡 **FOCUS**

IMPERATIVO – CASI PARTICOLARI
Per *andare* e *fare* esistono due forme:
va' / vai e **fa' / fai.**

4 ASCOLTARE Una posizione yoga

4a *Ascolta la lezione di yoga:* 48▶ *ogni volta che senti il nome di una parte del corpo, tocca quella parte.*

4b *Ascolta ancora e seleziona la posizione che spiega l'insegnante.*

1. ○ l'albero

2. ○ il guerriero

3. ○ il cane a faccia in giù

4c *Ascolta ancora e completa con i verbi tra parentesi all'imperativo, come negli esempi. Attenzione: un verbo è alla forma negativa.*

1. Attenzione: (*fare*) _____ questo esercizio se hai problemi alle gambe.

2. (*Andare*) _____ piano e (*seguire*) ____*segui*____ le istruzioni passo dopo passo.

3. Prima (*rilassare*) ___*rilassa*___ il corpo, (*respirare*) _____...

4. (*Aprire*) _____ le gambe...

5. (*Aprire*) _____ anche le braccia...

6. (*Fare*) _____ attenzione...

7. Adesso (*girare*) _____ il piede sinistro a sinistra, poi (*piegare*) _____ il ginocchio sinistro.

8. Alla fine (*girare*) _____ la testa a sinistra e (*guardare*) _____ davanti a te.

9. (*Rimanere*) ___*Rimani*___ nella posizione per un minuto.

10. (*Tornare*) _____ in piedi e poi (*ripetere*) _____ la posizione a destra.

4d *Volete provare due posizioni yoga? Giocate in coppia (studente A e studente B). Andate in* ▶ *COMUNICAZIONE: A va a pagina 135, B va a pagina 139.*

💡 **FOCUS**

IL CORPO – PLURALI IRREGOLARI
il braccio   **le braccia**
l'orecchio   **le orecchie**

10D Ho bisogno di qualcosa di forte.

v in farmacia • forte, potente, efficace • Ho bisogno di...

1 SCRIVERE Prodotti in farmacia

Scrivi una breve pubblicità per Fortifix e Olio di Argan,
come nei due esempi. Usa l'immaginazione!
Puoi anche usare i nomi e gli aggettivi della lista.

farmaco | **medicina** | **aiuto** | **soluzione**
potente | **utile** | **efficace** | **forte** | **naturale**

✓ combatti i sintomi
del raffreddore

✓ un aiuto efficace
per l'inverno

SPRAY OK

crema solare
Buon sole

proteggi la pelle
della tua famiglia

a base di ingredienti naturali

Fortifix

OLIO DI ARGAN
capelli sani

2 ASCOLTARE La farmacista consiglia

49▶ 2a *Ascolta e seleziona l'opzione corretta.*

Il ragazzo:

1.
a. ○ sta male da due giorni.
b. ○ sta male da lunedì.

2.
a. ○ dorme bene.
b. ○ ha dolore sempre.

3.
a. ○ non deve cenare.
b. ○ deve mangiare leggero.

4.
a. ○ deve andare dal dottore tra alcuni giorni.
b. ○ deve andare dal dottore immediatamente.

5.
a. ○ alla fine compra un farmaco.
b. ○ alla fine non compra niente.

2b *Ordina le parole e forma frasi corrispondenti alle descrizioni, come nell'esempio. Poi ascolta ancora e verifica.*

1. Il ragazzo chiede qualcosa in farmacia:
   il | stomaco | qualcosa | mal | volevo | contro | di

   ....

2. La farmacista chiede dettagli sul problema:
   dolore | è | senti, | forte | un

   ....**?**

3. Il ragazzo indica che tipo di farmaco vuole:
   di | qualcosa | ho | di | bisogno | forte

   Ho bisogno di qualcosa di forte.

4. La farmacista indica una soluzione diversa:
   hai | di | mah, | forse | riposare | bisogno

   ....

5. Il ragazzo accetta il consiglio:
   come | Lei | faccio | dice

   ....

3 `PARLARE` Ho bisogno di...

In coppia (studente A e studente B). A è un/una farmacista, B un/una cliente. Leggete le istruzioni e fate un dialogo in farmacia.

B entra in farmacia e chiede un rimedio per il suo problema.

A chiede dettagli sul problema di **B**.

B dà altre informazioni su come si sente.

A dà consigli e istruzioni.

DIECI espressioni con *avere*

AVERE...

1 fame   **2** sete

3 caldo

4 freddo

5 bisogno (di riposare)

6 fretta

7 ragione

8 torto   **9** sonno

10 mal di testa

A te quando succedono queste cose?

MAI O QUASI MAI	QUALCHE VOLTA	SPESSO

 ASCOLTO IMMERSIVO® *Inquadra il QRcode a sinistra o vai su www.almaedizioni.it/dieciA1, chiudi gli occhi, rilassati e ascolta.*

1 *Guarda il video e rispondi: vero o falso?*

	V	F
1. Francesca chiede a Ivano di uscire con sua sorella.	○	○
2. Ivano vuole continuare ad andare da Francesca.	○	○
3. Francesca torna a casa.	○	○
4. Paolo ha un appuntamento con una ragazza.	○	○
5. Anna invita Ivano a pranzo.	○	○
6. Ivano ha un problema al cuore.	○	○

2 *Completa le frasi con le preposizioni corrette.*

1. Fino all'ultimo ho sperato _____ non annullare il nostro appuntamento.

2. Non possiamo continuare _____ vederci, signor Solari.

3. Ora vado a casa, ho bisogno _____ stare un po' da sola e capire che cosa fare.

4. Ma voi due potete rimanere insieme _____ mangiare, perché no?

5. Sono... felice _____ stare con te.

3 *È l'ultimo episodio: che cosa è successo finora? Abbina le frasi a sinistra e quelle a destra, come nell'esempio.*

1. Ivano comincia ad andare
2. Anna Busi va allo studio della sorella e
3. Anna è nello studio di Francesca e
4. Anna invita Ivano a una festa. Ivano
5. Ivano va alla festa e si diverte con
6. Dopo una settimana, Ivano
7. Francesca si arrabbia al telefono con Anna
8. Francesca e Anna incontrano
9. Al bar, Francesca spiega tutto a Ivano
10. Ivano invita Anna a pranzo. Lei

a. vede Ivano. Chiede a Francesca informazioni su di lui.
b. pensa di parlare con Francesca.
c. dalla psicologa Francesca Busi.
d. Anna, che secondo lui è Francesca.
e. in quel momento arriva Ivano.
f. perché ha capito che lei è andata alla festa con Ivano.
g. ringrazia Francesca per la festa. Francesca non capisce.
h. accetta con piacere.
i. Ivano e Paolo al supermercato.
l. e poi va a casa.

4 *Sei Paolo e scrivi a Giorgia. Racconta a Giorgia la storia di Ivano e Anna (come si sono conosciuti, perché, chi è Francesca, ecc.).*

....

....

....

....

....

....

CONSIGLI PER UNA VITA FELICE

1 In coppia. Scrivete una lista di tre consigli per vivere una vita felice.

2 Lavorate con un compagno diverso. Guardate le vostre liste e correggete problemi di vocabolario e grammatica. Poi selezionate due consigli particolarmente importanti.

3 Ogni studente scrive alla lavagna un consiglio.

4 Adesso lavorate in gruppi di 4. Guardate la lavagna: quali consigli seguite in generale? Quali non seguite? Quali cose volete cominciare a fare? Discutete insieme.

DIECI GESTI TIPICAMENTE ITALIANI

1 Aspetta un momento.

2 Prendiamo un caffè?

3 Vai via!

4 Non mi interessa!

5 Ma che cosa dici?

6 Ok, va bene.

7 Costa molto.

8 Che buono!

9 Sei matto?

10 Sintetizza, parli troppo!

Nella tua cultura ci sono gesti per questi concetti? Sono simili o diversi?

3 active volcanos ETNA, Stromboli, Vesuvio

GRAMMATICA

1 Seleziona l'opzione corretta tra quelle **evidenziate**.

1. Mi fa male la testa **di / da** lunedì.
2. Ti consiglio **– / di** fare sport.
3. Che tipo **di / –** lavoro cerchi?
4. Ho cominciato **per / a** lavorare a 23 anni.
5. Devi andare **dal / al** dottore.
6. Silvia ha mal **con / di** denti.
7. Augusto non lavora più, è **in / alla** pensione.
8. Continui **a / di** frequentare il corso di cinese?

OGNI OPZIONE CORRETTA = 2 PUNTI ___ / 16

2 Coniuga i verbi tra parentesi all'imperativo con tu.
Attenzione: tre verbi sono alla forma <u>negativa</u>.

Obiettivo: zero mal di schiena!

1. (*Praticare*) _____ uno sport "soft", come lo stretching, sempre con un insegnante.
2. (*Fare*) _____ movimenti molto veloci.
3. (*Proteggere*) _____ la schiena dal freddo: fa molto male.
4. (*Portare*) _____ scarpe comode.
5. (*Stare*) _____ seduto/a per molte ore al giorno.
6. (*Mangiare*) _____ pesce e frutta secca: sono ricchi di Omega 3.
7. (*Mangiare*) _____ dolci: prendere peso fa male alla schiena.
8. (*Dormire*) _____ 7-8 ore a notte.
9. (*Andare*) _____ in vacanza ogni tanto!

OGNI VERBO AFFERMATIVO CORRETTO = 2 PUNTI ___ / 12
OGNI VERBO NEGATIVO CORRETTO = 4 PUNTI ___ / 12

VOCABOLARIO

3 Come si chiamano queste parti del corpo?

1. la _____   2. l' _____   3. il _____

4. i _____   5. la _____   6. i _____

OGNI COMPLETAMENTO CORRETTO = 2 PUNTI ___ / 12

4 Leggi la spiegazione (colonna 2) e completa la colonna 1 con le parole della lista, come nell'esempio.

caldo | fame | bisogno | freddo | fretta | sete | ✓ sonno

SITUAZIONE	PERCHÉ
1. Ho _sonno_ .	Non ho dormito bene stanotte.
2. Sara ha _____ .	Non mangia da 8 ore!
3. Federico ha _____ .	Ha cominciato a nevicare e lui è in t-shirt!
4. Ho _____ .	Ho fatto sport sotto il sole.
5. Lucio ha _____ di riposare.	La sua vita è molto stressante.
6. Dino ha _____ .	C'è molto sale nella sua carbonara.
7. Rita ha _____ .	Ha un appuntamento tra 5 minuti ed è ancora a casa!

OGNI COMPLETAMENTO CORRETTO = 4 PUNTI ___ / 24

COMUNICAZIONE

5 Abbina le espressioni più o meno equivalenti, come nell'esempio.

1. Mah…
2. Vorrei un farmaco potente.
3. È un dolore forte?
4. Faccio come dice Lei.
5. Da quando hai questo dolore?
6. È una soluzione molto efficace.
7. Ho capito.

Quando ha cominciato a farti male?
Non sono convinto.
È un rimedio molto utile.
È tutto chiaro.
Ti fa molto male?
Seguo il Suo consiglio.
Ho bisogno di qualcosa di forte.

OGNI ABBINAMENTO CORRETTO = 4 PUNTI ___ / 24

TOTALE ___ / 100

3 *PARLARE* In una scuola di lingue

Sei Fabio Segre.
Sei nella scuola di
lingue "Mondolingua"
per un'iscrizione
a un corso di cinese.
Parli con il segretario /
la segretaria.

Nome: *Fabio*
Cognome: *Segre*
indirizzo: *via Candia 82, Roma*
e-mail: *segrefa@gmail.com*
telefono: *06 33200978*
età: *48*
professione: *architetto*
lingue: *italiano, inglese*

3 *PARLARE* In un ufficio informazioni

Sei un impiegato / un'impiegata all'ufficio
informazioni turistiche di Torino. Guarda il depliant e
dai informazioni al turista davanti a te.

MUSEO EGIZIO

#SpecialeEstate
TARIFFA UNICA 5 €
TUTTI I VENERDÌ DI LUGLIO E AGOSTO
dalle 18:30 alle 22:30
Via Accademia delle Scienze, 6 Torino | museoegizio.it

4d *ASCOLTARE* Una posizione yoga

1. *Guarda la foto sotto e da' istruzioni: il tuo compagno ascolta e esegue la posizione. Usa l'imperativo dei verbi della lista, o altri.*

alzare | **abbassare** | **aprire** | **chiudere** | **fare**
girare | **mettere** | **piegare** | **prendere** | **respirare**
rilassare | **rimanere** | **toccare**

2. *Adesso ascolta le istruzioni del compagno e esegui la posizione che descrive.*

COMUNICAZIONE

LEZIONE 6C

2b GRAMMATICA Anche / Neanche

Scrivi che cosa ti piace 😊 *e che cosa non ti piace* 😞*, come nell'esempio. Il compagno risponde (a una frase positiva risponde* anche a me / a me no*; a una frase negativa risponde* neanche a me / a me sì*).*
Indica le risposte del compagno con 😊 / 😞 *nelle caselle* blu.

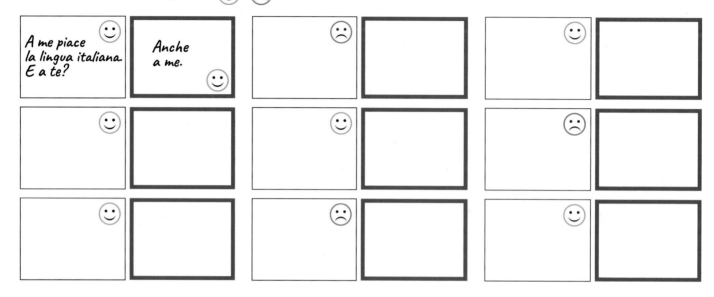

LEZIONE 7B

2f GRAMMATICA Il passato prossimo

In coppia: studente A e B. A turno, A forma la frase 1 con il soggetto in blu*. Poi B forma la sua frase 1 con il soggetto in* rosso*.*
Seguite l'esempio. Se una frase non è corretta, lo studente perde un turno. Vince lo studente che completa per primo la sua frase 6.

ESEMPIO:

Maria	rimanere a Milano in agosto	Valerio

studente A   Maria **è rimasta** a Milano in agosto. / studente B   Valerio **è rimasto** a Milano in agosto.

1.	Dario	**andare** in vacanza in Sardegna	Giada	6.
2.	Virginia e Raffaella	**fare** un giro in Liguria	Elio e Umberto	5.
3.	Vera	**arrivare** a casa la sera tardi	tu	4.
4.	Ottavio e Aldo	**partire** alle 10 di mattina	Sara e Cristina	3.
5.	tu	**avere** un problema con la moto	Franco	2.
6.	io e Rita	**passare** dieci giorni a Capri	io e Salvo	1.

LEZIONE 7c

3c *GRAMMATICA* Participi passati irregolari

Un gruppo di 3 studenti gioca con un altro gruppo di 3 studenti (gruppo A e B).
Il gruppo A lavora con le caselle blu. Il gruppo B con le caselle verdi.
*Il gruppo A comincia con **ARRIVARE**: lancia il dado (• = io, •• = tu, ••• = lui / lei, ecc.) e forma una frase con il verbo al passato prossimo, come nell'esempio. Il gruppo B verifica. Se la frase è corretta, il gruppo A va al verbo successivo (**DORMIRE**). Se ci sono problemi, il gruppo A rimane dov'è.*
*Poi il gruppo B forma una frase con il verbo **VEDERE**: lancia il dado e forma una frase al passato prossimo. Il gruppo A verifica. Eccetera.*
*Attenzione: con il **JOLLY** decidete voi che verbo usare!*
Seguite le frecce (→ ↓) e arrivate a "fine". Vince il gruppo che arriva per primo a "fine".

ESEMPIO: **TORNARE** + •••• (= noi) >>> L'estate passata siamo tornate in vacanza in Liguria.

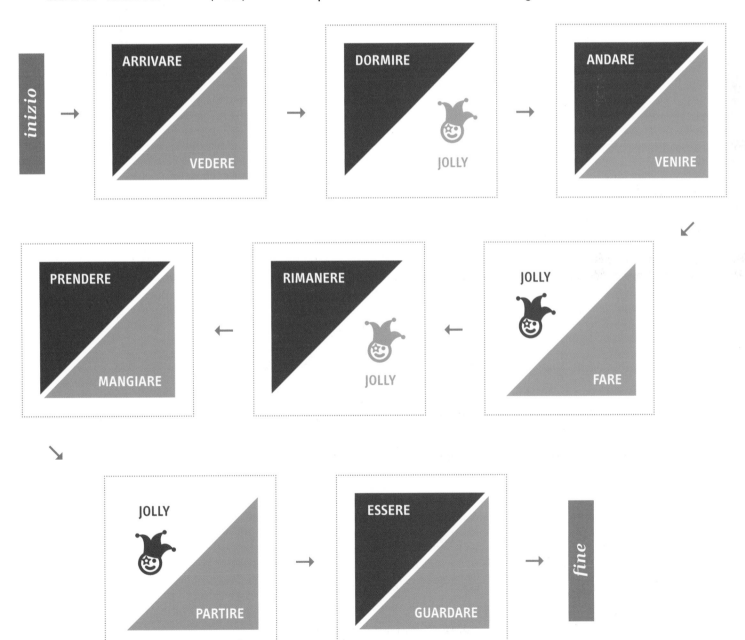

COMUNICAZIONE

2b GRAMMATICA Possessivi e famiglia

Giocate in piccoli gruppi. A turno uno studente lancia il dado: • = avanza di una casella, •• = avanza di due caselle, ecc.
Il numero sul dado indica anche un aggettivo possessivo: • = mio, •• = tuo, ecc. Lo studente forma una frase con la parola
nella casella e il possessivo che indica il dado, come nell'esempio. Se la frase è corretta, lo studente resta sulla casella.
Se è sbagliata, torna alla casella precedente. Poi il turno passa a un altro studente, che lancia il dado, ecc.
Vince lo studente che arriva per primo a "fine".

ESEMPIO: **ZIO** + ••••• (= vostro) >>> Mi piace la casa di <u>vostro</u> zio.

inizio →	LAVORO →	MACCHINA →	BIGLIETTI →	SORELLE →	VIAGGIO ↓
CAPPELLO ↓	← AMICHE	← FAMIGLIA	← FRATELLI	← TRADIZIONI	
NONNI →	CANE →	ZIA →	OCCHIALI →	BICICLETTA ↓	
COMPLEANNO ↓	← SCARPE	← CUGINA	← NATALE	← AMICI	
GENITORI →	BORSE →	CASA →	VACANZE →	fine	

4 PARLARE Panini per tutti

1. *Devi andare in gita con la classe e preparare panini per tutti.*
   Scrivi su un foglio che panino vuoi e passa il foglio a un compagno,
   che passa il suo foglio a un altro e così via.
   Alla fine tutti hanno un foglio con i panini di tutti i compagni.

2. *Fai una lista delle cose che devi comprare per preparare tutti i panini.*

3. *La classe si divide in due gruppi, clienti e negozianti.*
   Formate coppie (un cliente + un negoziante) e fate un dialogo
   in un alimentari.

LISTA DELLA SPESA

Buongiorno,
mi dica.

Buongiorno,
volevo...

LEZIONE 2D | **STUDENTE B**

3 *PARLARE* In una scuola di lingue

Lavori nella scuola di lingue "Mondolingua" come segretario/a. Dai informazioni in segreteria.

Mondolingua

Corsi di inglese, arabo, cinese, russo.
Per l'iscrizione:
test online sul sito www.mondolingua.com

LEZIONE 5D | **STUDENTE B**

3 *PARLARE* In un ufficio informazioni

Sei un / una turista in vacanza a Torino per la prima volta. Ti interessano molto la storia dell'Egitto e l'archeologia. Vai all'ufficio informazioni turistiche per chiedere informazioni e prenotare una visita al Museo Egizio.

LEZIONE 10C | **STUDENTE B**

4d *ASCOLTARE* Una posizione yoga

1. *Ascolta le istruzioni del tuo compagno e esegui la posizione che descrive.*

2. *Adesso guarda la foto a destra e da' istruzioni tu: il tuo compagno ascolta e esegue la posizione. Usa l'imperativo dei verbi della lista, o altri.*

   **alzare | abbassare | aprire | chiudere
   fare | girare | mettere | piegare
   prendere | respirare | rilassare
   rimanere | toccare**

LA GRAMMATICA DEL BARBIERE
Vai su almaedizioni.it/dieciA1 e guarda
il primo episodio della videogrammatica

ALFABETO

A a	B bi	C ci	D di	E e
F effe	G gi	H acca	I i	J i lunga
K kappa	L elle	M emme	N enne	O o
P pi	Q qu	R erre	S esse	T ti
U u	V vu	W doppia vu		
X ics	Y ipsilon	Z zeta		

	minuscolo	MAIUSCOLO
vocali	a, e, i, o, u	A, E, I, O, U
consonanti	b, c, d, f, …	B, C, D, F, …

PRONOMI

IO	TU	LUI	LEI

Generalmente il pronome non è necessario.
Io sono la signora Martini. | **Sono** la signora Martini.

AGGETTIVO SINGOLARE: NAZIONALITÀ

Al singolare gli aggettivi finiscono in -o/-a, o in -e.

GRUPPO 1		GRUPPO 2	
maschile	**femminile**	**maschile**	**femminile**
italiano	italiana	cinese	cinese
spagnolo	spagnola	canadese	canadese

Stefano è italiano. | Rosa è italiana.
Simon è inglese. | Jennifer è inglese.

VERBI: PRESENTE

	CHIAMARSI	ESSERE	AVERE
io	mi chiamo	sono	ho
tu	ti chiami	sei	hai
lui / lei / Lei	si chiama	è	ha

Io mi chiamo Giovanni. | **Lei è** la signora Grillo. **È** di Palermo.
Hai un dizionario?

Con non la frase diventa negativa. Non va davanti al verbo.
Non sono inglese, sono tedesco.
Laura Pausini **non** è spagnola, è italiana.

NOME SINGOLARE

I nomi possono essere maschili o femminili.
Generalmente i nomi in -o sono maschili, i nomi in -a
femminili. I nomi in -e possono essere maschili o femminili.

nome in -o	maschile	zaino
nome in -a	femminile	matita
nome in -e	maschile	studente
	femminile	chiave

Un nome in -zione è sempre femminile: lezione,
informazione.

ARTICOLO INDETERMINATIVO

		casi particolari
maschile	**un** quaderno	davanti a s + consonante: **uno s**tudente
		davanti a z: **uno z**aino
		davanti a y: **uno y**ogurt
		davanti a ps: **uno ps**icologo
femminile	**una** lezione	davanti a vocale: **un'**agenda

FORMALE / INFORMALE

In una situazione formale usiamo il verbo alla terza
persona singolare (e il pronome Lei).

● *Buongiorno, come **si chiama**?*
▶ *Enrico Perugini, e **Lei**?*
● *Caterina Tosi. **È** di Napoli?*
▶ *No, di Bari, e **Lei è** di Siena?*
● *Sì.*

ALFABETO

1 Come si scrive? Completa come nell'esempio.

1. ▶ Come si scrive Sylvie?
   ● Si scrive *esse ipsilon elle vu i
     e* .
2. ▶ Come si scrive Qiang?
   ● Si scrive _____ _____ _____ _____ _____ _____.
3. ▶ Come si scrive Absbert?
   ● Si scrive _____ _____ _____ _____ _____
     _____ _____.
4. ▶ Come si scrive Heikichi?
   ● Si scrive _____ _____ _____ _____ _____
     _____ _____ _____.

PRONOMI

2 *Completa con il pronome giusto.*

1. _____ sono austriaca, e _____ di dove sei?
2. ▸ _____ è americano? ● No, è inglese.
3. _____ ti chiami Anne?
4. _____ è italiana, di Genova.
5. ▸ _____ sei di Venezia? ● No, _____ sono di Trieste.
6. Ciao, io mi chiamo Romeo, e _____?

AGGETTIVO SINGOLARE: NAZIONALITÀ

3 *Scrivi gli aggettivi nel gruppo giusto, come nell'esempio.*

✓ **irlandese | giapponese | turco | peruviano | cinese
portoghese | australiano | ungherese | tunisino | greco**

GRUPPO 1	GRUPPO 2
	irlandese

4 *Completa con la vocale giusta.*

1. Said è tunisin_.
2. Eva è svedes_.
3. María è peruvian_.
4. Motohiro è giappones_.

5 *Completa come nell'esempio.*

MASCHILE	FEMMINILE
australiano	*australiana*
_____	canadese
_____	austriaca
francese	_____
spagnolo	_____

VERBI: PRESENTE

6 <u>Sottolinea</u> *il verbo corretto, come nell'esempio.*

1. Ciao, come **ti chiami** / mi chiamo?
2. Aiko **sono** / è giapponese.
3. **Hai** / **Ho** una penna, Nick?
4. Lui **ti chiami** / si chiama Michael.
5. Il signor Partini **è** / **sei** di Siena.
6. Raul, tu **sei** / è argentino?
7. **Sei** / **Sono** francese, di Lilla. E tu?
8. Io non **ha** / **ho** un'agenda.

7 *Completa con il verbo giusto, come nell'esempio.*

1. (*Tu – avere*) _____Hai_____ una matita?
2. Io (*essere*) _____ di Varsavia. E tu?
3. Tu (*essere*) _____ di Madrid?
4. (*Io – chiamarsi*) _____ Paolo, piacere.
5. Buongiorno, Lei come (*chiamarsi*) _____?
6. Samuele non (*avere*) _____ una penna.
7. Lei (*chiamarsi*) _____ Flavia.
8. Venezia (*essere*) _____ una città bellissima.

8 *Scrivi la frase negativa, come nell'esempio.*

1. Miriam è di Milano. ➡ *Miriam non è di Milano.*
2. Lei si chiama Stella. ➡ _____
3. Ho un quaderno. ➡ _____
4. Alice è americana. ➡ _____
5. Lui è il signor Rigoni. ➡ _____

NOME SINGOLARE

9 *Maschile (M) o femminile (F)?*

	M	F			M	F
1. penna	○	○		6. camera	○	○
2. evidenziatore	○	○		7. regalo	○	○
3. agenda	○	○		8. studente	○	○
4. quaderno	○	○		9. soluzione	○	○
5. stazione	○	○		10. signora	○	○

ARTICOLO INDETERMINATIVO

10 *Completa con l'articolo indeterminativo, come nell'esempio.*

1. __*un*__ documento
2. _____ studente
3. _____ lezione
4. _____ dizionario
5. _____ agenda
6. _____ quaderno
7. _____ stazione
8. _____ penna
9. _____ zaino
10. _____ chiave

FORMALE / INFORMALE

11 *Seleziona (✓) le frasi formali.*

1. Ha un documento, per favore? ○
2. Sei spagnola? ○
3. Cosimo, piacere. Tu come ti chiami? ○
4. Io sono brasiliano, e Lei? ○
5. Signora Lenzi, è di Firenze? ○
6. Paola, di dove sei? ○

12 *Trasforma le domande da informali a formali, come nell'esempio.*

1. Tu sei messicano? ➡ *Lei è messicano?*
2. Hai un evidenziatore? ➡ _____
3. Tu ti chiami Luisa? ➡ _____
4. Di dove sei? ➡ _____
5. Io sono canadese, e tu? ➡ _____

2 GRAMMATICA

LA GRAMMATICA DEL BARBIERE
Vai su almaedizioni.it/dieciA1 e guarda
il secondo episodio della videogrammatica

MAIUSCOLA E MINUSCOLA

La maiuscola è necessaria:
- con il nome e cognome: *Sofia Fantini*
- con il Paese: *Italia*
- con la città: *Bologna*
- a inizio frase e dopo ".", "!" e "?"
- con il pronome *Lei*: *Io mi chiamo Ugo, e Lei?*

ARTICOLO DETERMINATIVO SINGOLARE

		casi particolari
maschile	**il** cameriere	davanti a *s* + consonante: **lo** <u>st</u>udente davanti a *z*: **lo** <u>z</u>aino davanti a *y*: **lo** <u>y</u>ogurt davanti a *ps*: **lo** <u>ps</u>icologo davanti a vocale: **l'**<u>i</u>mpiegato
femminile	**la** dottoressa	davanti a vocale: **l'**operaia

Usi particolari
- con i Paesi: *Amo l'Italia.* | *La Russia è grande.*
- con le lingue: *Parlo inglese.* | *Parlo l'inglese.*

AGGETTIVO SINGOLARE

GRUPPO 1		GRUPPO 2	
maschile	**femminile**	**maschile**	**femminile**
piccol**o**	piccol**a**	grand**e**	grand**e**

L'aggettivo è maschile se va con un nome maschile,
è femminile se va con un nome femminile:
Un ufficio piccolo. | *Un'azienda famosa.*
Un negozio grande. | *Un'idea interessante.*

Bravo funziona come un aggettivo normale:
Bravo, Roberto! | *Brava, Laura!*

Attenzione: le città sono femminili.
Roma è antica. | ● *Com'è Milano?* ▶ *Bella e moderna.*

Generalmente l'aggettivo va dopo il nome.

VERBI: PRESENTE

Verbi regolari:
prima coniugazione (-*are*)

ABITARE	
io	<u>a</u>bito
tu	<u>a</u>biti
lui / lei / Lei	<u>a</u>bita
noi	abit<u>i</u>amo
voi	abit<u>a</u>te
loro	<u>a</u>bitano

*Noi **amiamo** Londra!*

*Linda e Luca **lavorano** a Torino.*

Prima coniugazione: casi particolari

	CERCARE	PAGARE	STUDIARE
io	cerco	pago	studio
tu	cerchi	paghi	studi
lui / lei / Lei	cerca	paga	studia
noi	cerch<u>i</u>amo	pagh<u>i</u>amo	stud<u>i</u>amo
voi	cerc<u>a</u>te	pag<u>a</u>te	studi<u>a</u>te
loro	c<u>e</u>rcano	p<u>a</u>gano	st<u>u</u>diano

Verbi irregolari: *avere, essere, fare*

	AVERE	ESSERE	FARE
io	ho	sono	faccio
tu	hai	sei	fai
lui / lei / Lei	ha	è	fa
noi	abb<u>i</u>amo	s<u>i</u>amo	facc<u>i</u>amo
voi	av<u>e</u>te	si<u>e</u>te	fate
loro	hanno	sono	fanno

Per domandare e dire l'età usiamo *avere*:
● *Quanti anni **hai**?* ▶ **Ho** *diciotto anni.* | ▶ *Diciotto.*

Per domandare e dire la professione è possibile usare *fare*:
● *Che cosa **fai**?* | ● *Che lavoro **fai**?*
▶ **Faccio** *l'insegnante.* | ▶ *L'insegnante.*

INTERROGATIVI

Che lavoro fai?
Come si chiama?
Di dove siete tu e Gianna?
Qual è il tuo numero di telefono?

Che cosa fai?
Dove lavori?
Perché studi italiano?
Quanti anni hai?

PREPOSIZIONI

di + città — *Sono **di** Barcellona.*
a + città — *Abito **a** Monaco.*
in + Paese — *Abito **in** Brasile.*
in + via / piazza — *Abito **in** via Foscolo.*
Attenzione: *Abito **negli** <u>Stati Uniti</u>.*

FORMALE E INFORMALE

informale
soggetto: *tu*
verbo: 2ª persona singolare
***Tu** lavori a Palermo?*

possessivo: *tuo, tua*
*Qual è il **tuo** indirizzo?*
*Qual è la **tua** mail?*

formale
soggetto: *Lei*
verbo: 3ª persona singolare
***Lei** lavora a Palermo?*

possessivo: *Suo, Sua*
*Qual è il **Suo** indirizzo?*
*Qual è la **Sua** mail?*

MAIUSCOLA E MINUSCOLA

1 _Sottolinea le parole che devono avere la maiuscola, come nell'esempio._

1. <u>piacere</u>, sono <u>charles</u>, e tu?
2. lei è linda jackson. è americana.
3. amo il messico!
4. signora, lei è di roma? o di napoli?
5. sono tedesco, di berlino.

ARTICOLO DETERMINATIVO SINGOLARE

2 _Completa con l'articolo giusto, come nell'esempio._

1. __il__ cane | negozio | cuoco | modello
2. _____ scuola | signora | direttrice | gelataia
3. _____ architetto | infermiera | indirizzo | ospedale
4. _____ studente | zaino | yogurt | spagnolo

AGGETTIVO SINGOLARE

3 _Completa con la vocale giusta, come nell'esempio._

AGGETTIVO MASCHILE	AGGETTIVO FEMMINILE
un architetto famoso	una cuoca famos**a**__
un ragazzo romano	un'azienda roman__
un lavoro interessant__	una città interessante
un ristorante cinese	una ragazza cines__
uno studente brav__	una professoressa brava

VERBI: PRESENTE

4 _Completa le frasi con i verbi della lista._

parlate | lavori | ascoltano
amiamo | domanda | insegno

1. Claudia _____ un'informazione.
2. Kim e Lola _____ l'insegnante.
3. (_Io_) _____ il francese in una scuola di lingue.
4. (_Voi_) _____ tedesco?
5. (_Tu_) _____ in un ristorante?
6. Io e Francesca _____ Parigi.

5 _Completa il cruciverba con i verbi al presente._

ORIZZONTALI →

2. voi – mangiare
3. noi – studiare
5. lei – cercare
6. io – pagare
7. noi – pagare

VERTICALI ↓

1. voi – pagare
3. tu – studiare
4. io – mangiare
5. tu – cercare

6

6 ~~Cancella~~ _il verbo sbagliato, come nell'esempio._

1. **io**: ho, ~~siamo~~, faccio, mangio
2. **loro**: ascoltano, fanno, sono, abbiamo
3. **lui**: fa, è, avete, lavora
4. **avere**: avete, abbiamo, fanno, hai
5. **essere**: sono, siete, avete, è

INTERROGATIVI

7 _Forma domande, come nell'esempio._

Dove ·········· ti chiami?
Come   studi l'italiano?
Di dove   è il tuo numero di telefono?
Perché   anni hai?
Qual ··········· lavori?
Quanti   sei?

PREPOSIZIONI

8 _Abbina il monumento e la città / il Paese e completa le frasi con la preposizione a o in, come nell'esempio._

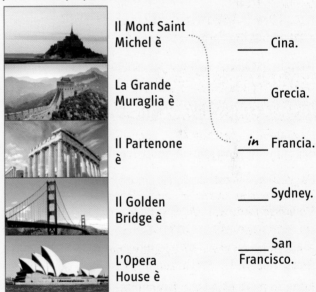

Il Mont Saint Michel è ·········· _____ Cina.

La Grande Muraglia è _____ Grecia.

Il Partenone è __in__ Francia.

Il Golden Bridge è _____ Sydney.

L'Opera House è _____ San Francisco.

9 _Sottolinea la preposizione corretta._

1. Tu sei **di** / **in** Dublino?
2. Jonas studia inglese **in** / **negli** Stati Uniti.
3. Fabrizio lavora **in** / **a** Spagna, **in** / **a** Barcellona.
4. Nora abita **in** / **di** Piazza Ferrucci.

FORMALE E INFORMALE

10 _Formale_ (**F**) _o informale_ (**I**)?

	F	I
1. Qual è il Suo indirizzo?	○	○
2. Qual è la tua mail?	○	○
3. Lei è sposato?	○	○
4. Che lavoro fai?	○	○
5. Signora Ferri, perché studia il russo?	○	○

LA GRAMMATICA DEL BARBIERE
Vai su *almaedizioni.it/dieciA1* e guarda
il terzo episodio della videogrammatica

NOMI PLURALI

	singolare	plurale
maschile	cornetto bicchiere	cornetti bicchieri
femminile	pizza lezione	pizze lezioni

Alcuni casi particolari

	singolare	plurale
parole straniere	bar, toast	bar, toast
parole con l'accento	caffè, città	caffè, città
parole in -co alcune finiscono in -ci, alcune in -chi	amico gioco	amici giochi
parole in -ca	amica bistecca	amiche bistecche
parole in -go	albergo fungo	alberghi funghi
parole in -ga	bottega	botteghe

Uovo (maschile) ha un plurale irregolare: *uova* (femminile).

AGGETTIVO SINGOLARE

L'aggettivo è maschile se va con un nome maschile,
è femminile se va con un nome femminile.

	maschile	femminile
aggettivo in -o / -a	vino bianco latte fresco	carne bianca insalata fresca
aggettivo in -e	cibo naturale	acqua naturale

VERBI: PRESENTE

Verbi regolari:
seconda coniugazione (-ere)

PRENDERE	
io	prendo
tu	prendi
lui / lei / Lei	prende
noi	prendiamo
voi	prendete
loro	prendono

● Che cosa **prendete**?
▶ Io un caffè. Marta **prende** un cappuccino.

Verbi irregolari: *bere, stare, potere, volere*

	BERE	STARE	VOLERE	POTERE
io	bevo	sto	voglio	posso
tu	bevi	stai	vuoi	puoi
lui / lei / Lei	beve	sta	vuole	può
noi	beviamo	stiamo	vogliamo	possiamo
voi	bevete	state	volete	potete
loro	bevono	stanno	vogliono	possono

*Non **bevo** alcol.*
*Come **sta**, signor Boni?*

volere +	nome verbo all'infinito	*Lei **vuole** un caffè.* ***Volete** ordinare da bere?*
potere +	verbo all'infinito	*Non **posso** bere vino.*

ARTICOLI DETERMINATIVI PLURALI

	singolare	plurale
maschile	il pomodoro l'affettato lo yogurt	i pomodori gli affettati gli yogurt
femminile	la patata l'insalata	le patate le insalate

'ALMA.tv ▶
Guarda
il Linguaquiz
L'articolo.

NOMI PLURALI

1 Indica se le parole sono singolari (**S**) o plurali (**P**), come nell'esempio. Attenzione: alcune parole possono essere singolari e plurali!

	S	P			S	P
panini	○	✓		latte	○	○
caffè	○	○		hamburger	○	○
carne	○	○		uova	○	○
cornetto	○	○		tè	○	○
prenotazioni	○	○		dolce	○	○

2 Completa le parole con il plurale.

1. In Italia adoro tre citt____: Napoli, Bari e Catania.
2. Abito con Marco e Claudio, due amic____ di Roma.
3. Due bicchier____ d'acqua, per favore!
4. Martina, tu e Sofia siete amic____?
5. Mangio una pizza ai fung____.

AGGETTIVO SINGOLARE

3 ~~Cancella~~ *l'opzione sbagliata tra quelle **evidenziate**, come nell'esempio.*

1. Una cena **tradizionale** / ~~vegetariano~~.
2. La carne **rosso** / **bianca**.
3. **Il pesce** / **L'insalata** fresco.
4. Il pane **bianca** / **fresco**.
5. **Il riso** / **La frutta** biologico.
6. La pasta **integrale** / **fresco**.
7. Il cibo **cinese** / **spagnola**.
8. **La cucina** / **Il ristorante** italiano.

VERBI: PRESENTE

4 *Sottolinea il verbo corretto, come nell'esempio.*

1. Filippo e Tina **leggi** / **leggono** il menù.
2. Signora, **prendi** / **prende** un contorno?
3. Voi **leggete** / **leggiamo** i commenti online sui ristoranti?
4. Loro **prendete** / **prendono** le lasagne.
5. Il cameriere **scrive** / **scriviamo** un'ordinazione.
6. Io **prende** / **prendo** un caffè, e tu?
7. Noi **scrive** / **scriviamo** un commento sul ristorante.
8. Tu **prendi** / **prendete** un'insalata mista?

5 *Completa le frasi con le forme di* bere e stare *al presente.*

BERE
1. Tu _____ il vino rosso?
2. Noi a colazione _____ un caffè.
3. Voi che cosa _____ a colazione?
4. Io non _____ la birra.

STARE
1. Noi _____ bene, e voi come _____?
2. ● Ciao, Lucia! Come _____? ▸ _____ benissimo, grazie. E tu?
3. Signora Franchi, buongiorno. Come _____?
4. Claudio e Miriam non _____ bene.

6 *Sottolinea il pronome che corrisponde al verbo **evidenziato**, come nell'esempio.*

1. **Vuoi** una spremuta d'arancia?
   tu / voi / loro
2. **Possiamo** ordinare?
   noi / voi / loro
3. **Vuole** ordinare?
   tu / Lei / voi
4. Non **posso** bere latte.
   io / voi / loro

5. **Puoi** ripetere, per favore?
   tu / Lei / voi
6. **Volete** anche un contorno?
   io / Lei / voi
7. I bambini non **vogliono** il dolce.
   loro / lui / noi
8. **Può** ripetere, per favore?
   tu / Lei / voi

ARTICOLI DETERMINATIVI PLURALI

7 *Abbina i nomi e gli articoli, come nell'esempio.*

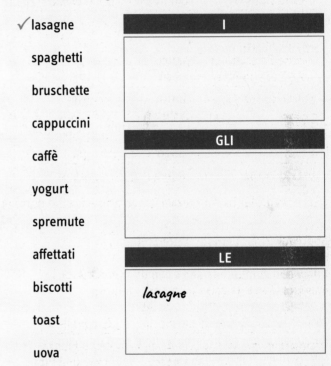

✓ lasagne
spaghetti
bruschette
cappuccini
caffè
yogurt
spremute
affettati
biscotti
toast
uova

I

GLI

LE
lasagne

8 *Completa con gli articoli determinativi singolari o plurali.*

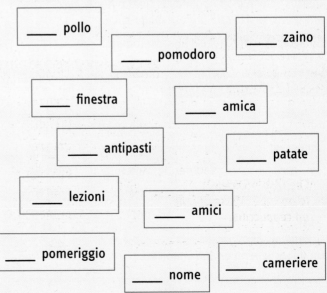

____ pollo
____ zaino
____ pomodoro
____ finestra
____ amica
____ antipasti
____ patate
____ lezioni
____ amici
____ pomeriggio
____ nome
____ cameriere

LA GRAMMATICA DEL BARBIERE
Vai su almaedizioni.it/dieciA1 e guarda
il quarto episodio della videogrammatica

VERBI: PRESENTE

Verbi regolari: terza coniugazione (-*ire*)
I verbi regolari della terza coniugazione sono di due tipi:
i verbi come *dormire* e i verbi come *finire*.

	DORMIRE	FINIRE
io	dorm-o	fin-isc-o
tu	dorm-i	fin-isc-i
lui / lei / Lei	dorm-e	fin-isc-e
noi	dorm-iamo	fin-iamo
voi	dorm-ite	fin-ite
loro	dorm-ono	fin-isc-ono

Verbi come *dormire*: *aprire*, *partire*, *sentire*.

Verbi come *finire*: *capire*, *preferire*.

Verbi irregolari: *andare*, *venire*, *dovere*

	ANDARE	VENIRE	DOVERE
io	vado	vengo	devo
tu	vai	vieni	devi
lui / lei / Lei	va	viene	deve
noi	andiamo	veniamo	dobbiamo
voi	andate	venite	dovete
loro	vanno	vengono	devono

Dopo *dovere* è possibile usare l'infinito:
Devo telefonare in ufficio.
Dobbiamo dormire in hotel economici.

MOLTO E POCO

Possiamo usare gli avverbi *molto* e *poco* dopo un verbo:
Dormo **molto** il weekend. | Luisa mangia **poco** a cena.

In generale con altre parole *molto* e *poco* vanno prima:
Questo hotel è **molto** buono. | Questo film è **poco** interessante. | Parlo inglese **molto** male.

Gli avverbi *molto* e *poco* non cambiano.

AGGETTIVI PLURALI

		singolare	plurale
aggettivi in -*o*/-*a*	maschile	piccolo	piccoli
	femminile	piccola	piccole
aggettivi in -*e*	maschile e femminile	grande	grandi

Le camere sono **piccole**.
Gli appartamenti **grandi** sono **cari**.

Casi particolari

		singolare	plurale
aggettivi in -*co* / -*ca*	maschile	sporco economico	sporchi economici
	femminile	sporca economica	sporche economiche

Aggettivi come *sporco*: *antico, fresco, tedesco*.
Aggettivi come *economico*: *austriaco, greco, turistico*.

Guarda il Linguaquiz
Concordanza tra sostantivo e aggettivo.

AGGETTIVO DIMOSTRATIVO QUESTO

Usiamo *questo* prima di un nome.
Questo funziona come un aggettivo in -*o*.

	singolare	plurale
maschile	questo	questi
femminile	questa	queste

Preferisco **questo** albergo. | **Queste** villette sono nuove.

QUALCUNO, QUALCOSA, NESSUNO, NIENTE

	si riferisce a:
nessuno	una persona
niente	una cosa
qualcuno	una persona
qualcosa	una cosa

Quando *nessuno* o *niente* sono dopo il verbo, usiamo *non* prima del verbo:

Non mangio **niente** a colazione.

VERBI: PRESENTE

1 *Completa i verbi con le lettere mancanti.*

1. Voi prefer_____ andare a Londra o Parigi?
2. Tu dorm_____ bene in questo letto?
3. Janine non cap_____ bene l'italiano.
4. Paolo e Lisa non dorm_____ bene in campagna.
5. Il film fin_____ bene o male?
6. Il cameriere apr_____ la porta.
7. Io e Livia part_____ domani, e voi?

2 *Completa le frasi con i verbi della lista.*

vai | viene | deve | vado | venite | vanno | dobbiamo

1. Domani Raffaello _____ a casa mia.
2. Loro _____ a Venezia.
3. Io _____ in un hotel con la spa.
4. Voi _____ in centro sabato?
5. Noi _____ prenotare una camera.
6. Tu _____ in un appartamento o in un hotel?
7. Daniele _____ cambiare casa.

3 *Completa con il presente del verbo* **evidenziato***.*

1. **preferire**
   - (*Tu*)_____ il mare o la montagna?
   - ▶ _____ la montagna.
2. **partire**
   - Quando (*voi*) _____?
   - ▶ Io _____ domani, Frida _____ oggi.
3. **venire**
   - Claudio, tu e Mara _____ al cinema?
   - ▶ Io _____, Mara no.
4. **dovere**
   - Internet non funziona. Che cosa (*io*) _____ fare?
   - ▶ _____ inserire questa password, signore.
5. **andare**
   - (*Voi*) _____ in un ostello o in un albergo?
   - ▶ (*Noi*) _____ in albergo, e voi?

MOLTO E POCO

4 *Ordina le parole e forma frasi corrette, come nell'esempio. Sono possibili soluzioni diverse.*

1. bene sta Alessio poco
   Alessio sta poco bene.
2. bene molto italiano parli
   _____
3. colazione poco Benedetta a mangia
   _____
4. casa la silenziosa di poco è Marco
   _____
5. è questo molto caro hotel
   _____
6. molto mattina la dormo
   _____

AGGETTIVI PLURALI

5 *Sottolinea l'opzione corretta tra quelle* **evidenziate***.*

1. Le camere sono **grandi / comodi**.
2. **Gli ostelli / Le pensioni** sono economici.
3. Le città sono **rumorose / antica**.
4. Gli studenti sono **tedeschi / grechi**.
5. **Questi divani / Queste camere** sono belle.
6. I bagni sono **puliti / grande**.

6 *Scrivi gli aggettivi al posto giusto. Attenzione: un aggettivo va bene con camere e alberghi, come nell'esempio.*

✓**eleganti | moderne | economiche | grandi | piccoli brutte | silenziosi | rumorosi | pulite | sporche**

CAMERE	ALBERGHI
eleganti	*eleganti*

AGGETTIVO DIMOSTRATIVO QUESTO

7 *Completa i dialoghi con le forme corrette di* questo *e con le parole della lista, come nell'esempio.*

**trattorie | camping | istituto
spa | ✓pensione | dottoresse**

1. ● Consigli quest*o* albergo?
   ▶ No, preferisco quest *a pensione* _____.
2. ● Consigli quest___ ristoranti?
   ▶ No, preferisco quest___ _____.
3. ● Consigli quest___ centro fitness?
   ▶ No, preferisco quest___ _____.
4. ● Consigli quest___ medici?
   ▶ No, preferisco quest___ _____.
5. ● Consigli quest___ ostello?
   ▶ No, preferisco quest___ _____.
6. ● Consigli quest___ scuola?
   ▶ No, preferisco quest___ _____.

QUALCUNO, QUALCOSA, NESSUNO, NIENTE

8 *Completa i dialoghi con le parole della lista.*

qualcuno | qualcosa | nessuno | niente

1. ● Vuoi _____ da mangiare?
   Un panino, una pizzetta?
   ▶ No, grazie, non prendo _____.
   Non ho fame.
2. ● Conosci _____ a Roma?
   ▶ No, non conosco _____. E tu?
   ● Io sì, ho due amici romani.

LA GRAMMATICA DEL BARBIERE
Vai su *almaedizioni.it/dieciA1* e guarda
il quinto episodio della videogrammatica

C'È / CI SONO

Per indicare la presenza di qualcosa o di qualcuno, usiamo il verbo *esserci*.

c'è + nome singolare — A Milano **c'è** <u>un teatro</u> famoso.
ci sono + nome plurale — A Venezia non **ci sono** <u>macchine</u>.

AGGETTIVI: MOLTO E POCO

Gli aggettivi *molto* e *poco* concordano in genere e numero con il nome a cui si riferiscono:

A Roma ci sono **molti** motorini.
A Ferrara ci sono **poche** macchine.

	singolare	plurale
maschile	molto / poco	molti / pochi
femminile	molta / poca	molte / poche

ESPRESSIONI DI LUOGO

dietro (a)   sotto   dentro   vicino (a) / accanto (a)

davanti (a) / di fronte (a)   sopra   lontano (da)   su

CI VUOLE / CI VOGLIONO

Per indicare il tempo necessario per un percorso possiamo usare il verbo *volerci*.

ci vuole + nome singolare   • Con il tram quanto <u>tempo</u> **ci vuole**?
     ▶ **Ci vuole** <u>un'ora</u>.

ci vogliono + nome plurale   Per andare in centro **ci vogliono** <u>10 minuti</u>.

L'INTERROGATIVO QUANTO

Usiamo *quanto* per avere informazioni sulla quantità.

	singolare	plurale
maschile	quanto	quanti
femminile	quanta	quante

• **Quanti** <u>anni</u> hai?
▶ 43.

• **Quante** <u>macchine</u> hai?
▶ Due.

'ALMA.tv ▶

Guarda
il Linguaquiz
Che ora è?

VERBI: PRESENTE

Verbi irregolari: *dire, sapere*

	DIRE	SAPERE
io	dico	so
tu	dici	sai
lui / lei / Lei	dice	sa
noi	diciamo	sappiamo
voi	dite	sapete
loro	dicono	sanno

I NUMERI ORDINALI

1° **primo**   2° **secondo**   3° **terzo**   4° **quarto**   5° **quinto**
6° **sesto**   7° **settimo**   8° **ottavo**   9° **nono**   10° **decimo**

I numeri ordinali funzionano come aggettivi normali:
La prima via a destra è Corso Vittorio Emanuele.

PREPOSIZIONI

Preposizioni semplici
Con i mesi dell'anno usiamo *a* o *in*:
A maggio c'è la Biennale. | **In** febbraio c'è il carnevale.

Con i mezzi di trasporto usiamo *con* + articolo o *in*:
Vado **con** l'autobus. | Vieni **in** tram?

Attenzione: *a piedi*.

Preposizioni articolate

	IL	LO	L'	LA	I	GLI	LE
DI	del	dello	dell'	della	dei	degli	delle
A	al	allo	all'	alla	ai	agli	alle
DA	dal	dallo	dall'	dalla	dai	dagli	dalle
IN	nel	nello	nell'	nella	nei	negli	nelle
SU	sul	sullo	sull'	sulla	sui	sugli	sulle

Sul treno ci sono molti turisti.
La biglietteria **della** stazione è accanto **al** bar.

L'ORA

Che ora è? | Che ore sono?

00:00	È mezzanotte.
01:00	È l'una.
12:00	È mezzogiorno. / Sono le dodici.
06:00	Sono le sei.
06:05	Sono le sei e cinque.
06:15	Sono le sei e un quarto. / Sono le sei e quindici.
06:30	Sono le sei e mezza. / Sono le sei e trenta.
06:40	Sono le sei e quaranta. / Sono le sette meno venti.
06:45	Sono le sei e quarantacinque. / Sono le sette meno un quarto.

C'È / CI SONO

1 *Completa le frasi con c'è o ci sono.*

1. A Firenze _____ il Ponte Vecchio.
2. A Napoli non _____ le gondole.
3. A Roma _____ i Musei Capitolini.
4. A Milano _____ la metropolitana.
5. A Venezia non _____ macchine.

AGGETTIVI: MOLTO E POCO

2 *Completa con la forma corretta dell'aggettivo molto o poco. Devi usare poco <u>due</u> volte.*

> **L'Italia: geografia e alimentazione**
>
> **In Italia ci sono:** _____ siti archeologici antichi (circa 100), _____ isole piccole o grandi (800), _____ chilometri di coste (7800), _____ città con minimo un milione di abitanti (solo due: Roma e Milano).
>
> **Gli italiani:** usano _____ burro per cucinare (preferiscono l'olio), mangiano _____ pane, bevono _____ acqua frizzante.

ESPRESSIONI DI LUOGO

3 *Guarda l'immagine e <u>sottolinea</u> l'opzione corretta tra quelle **evidenziate**.*

1. La penna è **sul / lontano dal** quaderno.
2. Il cellulare è **sotto il / vicino al** computer.
3. Il computer è **dietro al / sul** tavolo.
4. Il caffè è **dentro la / di fronte alla** tazza.

CI VUOLE / CI VOGLIONO

4 *Completa le frasi con il verbo volere o volerci al presente.*

1. Martina _____ andare in centro in autobus.
2. Per andare in stazione _____ poco tempo.
3. Quante ore _____ in macchina da Napoli a Bologna?
4. Patrizia e Carlo _____ visitare Venezia con il vaporetto.
5. (Io) _____ una macchina nuova.

L'INTERROGATIVO QUANTO

5 *Completa gli interrogativi e seleziona la risposta giusta.*

1. Quant___ tempo ci vuole per andare da Milano a Palermo in aereo?
   ○ Un'ora e mezza. | ○ Quindici ore.
2. Quant___ tipi di pasta ci sono in Italia?
   ○ 3 | ○ ≈120
3. Quant___ persone vivono in Italia?
   ○ ≈60 milioni | ○ 2 milioni
4. Quant___ regioni ha l'Italia ?
   ○ 20 | ○ 3

VERBI: PRESENTE

6 *Scrivi il soggetto, come nell'esempio.*

1. *Io* dico | 2. _____ sa | 3. _____ so
4. _____ dite | 5. _____ dici | 6. _____ sanno
7. _____ dicono | 8. _____ sappiamo | 9. _____ sai
10. _____ diciamo

I NUMERI ORDINALI

7 *Guarda l'immagine a destra e completa le frasi sotto con i numeri ordinali.*

VIA DEL FABBRO

VIA DELL'ASINO

CORSO ITALIA

VIALE GARIBALDI

TU

1. Via del fabbro è la _____ via a sinistra.
2. Viale Garibaldi è la _____ a destra.
3. Corso Italia è la _____ strada a destra.
4. Via dell'asino è la _____ a sinistra.

PREPOSIZIONI

8 *Completa con le preposizioni della lista.*

al | con | in | dei | all' | del | alla

1. Io preferisco andare _____ la metropolitana, e tu?
2. La stazione _____ treni è di fronte _____ bar.
3. La biglietteria _____ teatro è chiusa.
4. _____ agosto in città ci sono poche macchine.
5. Per andare _____ ospedale, gira _____ prima a destra.

L'ORA

9 *Scrivi l'ora. Attenzione: in diversi casi sono possibili due soluzioni.*

07:45	_____
13:00	_____
00:00	_____
09:20	_____
12:10	_____

LA GRAMMATICA DEL BARBIERE
Vai su *almaedizioni.it/dieciA1* e guarda
il sesto episodio della videogrammatica

VERBI: PRESENTE

Verbi riflessivi
Alcuni verbi riflessivi: *svegliarsi, alzarsi, vestirsi,
farsi (la doccia), lavarsi (i denti), arrabbiarsi, chiamarsi.*

Con i verbi riflessivi c'è un pronome prima del verbo.

SVEGLIARSI		
io	mi	sveglio
tu	ti	svegli
lui / lei / Lei	si	sveglia
noi	ci	svegliamo
voi	vi	svegliate
loro	si	svegliano

Io **mi sveglio** presto.

Noi **ci svegliamo** alle 9.

Verbo irregolare:

USCIRE	
io	esco
tu	esci
lui / lei / Lei	esce
noi	usciamo
voi	uscite
loro	escono

Io **esco** solo il weekend.
Esci con Emiliano oggi?

AVVERBI DI FREQUENZA

100%	sempre
	spesso
	ogni tanto / qualche volta
	raramente
0%	mai

Faccio **sempre** colazione con tè e biscotti.
Guardiamo la TV **raramente**.

Con *mai*, mettiamo *non* prima del verbo:
<u>Non</u> faccio **mai** sport.
Enrico <u>non</u> si arrabbia **mai**.

IL VERBO PIACERE E I PRONOMI INDIRETTI

Al presente con il verbo *piacere* usiamo le forme *piace* o
piacciono:

Mi	**piace**	+	la pasta.	(nome singolare)
	piacciono		i gatti.	(nome plurale)
	piace		leggere.	(verbo all'infinito)

Prima del verbo *piacere* usiamo i pronomi indiretti.

ATONI	TONICI
Mi piace il jazz.	**A me** piace il jazz.
Ti piace ballare?	**A te** piace ballare?
Gli piace Roma.	**A lui** piace Roma.
Le piace la vela.	**A lei** piace la vela.

Usiamo i pronomi tonici per mettere in evidenza
la persona o per rilanciare una domanda:
A lui piace viaggiare.
A me non piace il pesce. E a te?

ANCHE / NEANCHE

- Mi piacciono gli animali. ☺
▸ **Anche** a me. ☺ / ▸ A me no. ☹

- Non mi piace fare sport. ☹
▸ **Neanche** a me. ☹ / ▸ A me sì. ☺

PREPOSIZIONI

A che ora?
▸ **A che ora** ti svegli? ● **Alle** otto e mezza.

Attenzione: **a** mezzanotte, **a** mezzogiorno, **all'**una.

Da... a...
Il museo è aperto **dal** lunedì **alla** domenica.
Studio **dalle** 6 **alle** 7.
Pranzo **da** mezzogiorno **all'**una.
Faccio la cameriera **da** maggio **a** settembre.

ARTICOLO E GIORNI DELLA SETTIMANA

Con l'articolo:
Il giovedì ho lezione di italiano. = tutti i giovedì

Senza l'articolo:
Giovedì esco con Dora. = solo questo giovedì

VERBI: PRESENTE

1 <u>Sottolinea</u> l'opzione corretta tra quelle **evidenziate**.

1. Faccio colazione e **mi vesto / vesto**.
2. Tu **alzi / ti alzi** molto presto?
3. Damiano **dorme / si dorme** molto.
4. Claudia e Flavio **si fanno / fanno** ginnastica.
5. **Laviamo / Ci laviamo** i denti dopo pranzo.
6. Perché **arrabbi / ti arrabbi**?

2 Completa con il pronome riflessivo corretto.

1. Elena e Marta _____ fanno la doccia.
2. Tu a che ora _____ svegli?
3. _____ vestiamo e poi usciamo.
4. _____ alzate presto domani?
5. Laura _____ lava i denti dopo colazione.

3 Forma frasi corrette, come nell'esempio.

1. Tu e Paola ········ escono insieme.
2. Silvana non esco il lunedì sera.
3. Camilla e Sebastiano uscite domani?
4. Io vi svegliate tardi.
5. Voi oggi non usciamo.
6. Io e Giacomo non si arrabbia mai.

4 Completa le frasi con il presente dei verbi della lista. I verbi non sono in ordine.

vestirsi | fare | uscire | lavarsi | chiamarsi

1. Sono stanco! _____ i denti e poi vado a letto.
2. Michele _____ benissimo, è sempre elegante!
3. La mattina non ha fame e non _____ colazione.
4. Anna, _____ con noi domani? Vieni al cinema?
5. Lei _____ Ludovica Gatti. È italiana, di Trieste.

AVVERBI DI FREQUENZA

5 Completa gli avverbi di frequenza con le lettere mancanti.

1. S□MP□□
2. □PES□□
3. QU□□□HE V□LT□
4. R□R□ME□□E
5. M□□

IL VERBO PIACERE E I PRONOMI INDIRETTI

6 Completa con piace o piacciono, poi abbina domande e risposte, come nell'esempio.

1. Ti _____ i gatti?
2. Ti _____ il caffè?
3. Ti _____ i film francesi?
4. Ti *piace* Venezia?
5. Ti _____ fare ginnastica?
6. Ti _____ gli affettati?
7. Ti _____ leggere?

a. No, preferisco il tè.
b. Sì, e anche i cani.
c. Sì! Leggo due libri al mese.
d. No, sono vegetariana.
e. Sì, e mi piace molto anche il cinema americano.
f. Sì! Piazza San Marco, le gondole... Bellissima!
g. No, non sono molto sportivo.

7 Leggi le descrizioni e completa le frasi con le o gli.

> Chiara gioca a tennis il martedì e il giovedì. Va spesso a concerti jazz. Ha un cane e tre gatti.

> Luigi non fa mai ginnastica. Va a letto presto e si sveglia tardi. La sera di solito resta a casa.

1. _____ piace la musica.
2. Non _____ piace uscire la sera.
3. Non _____ piace fare sport.
4. _____ piace dormire molto.
5. _____ piace fare sport.
6. _____ piacciono gli animali.

ANCHE / NEANCHE

8 Leggi le frasi, guarda il simbolo (☺ / ☹) e rispondi con anche a me, neanche a me, a me sì o a me no, come negli esempi.

1. ▶ Mi piace il corso di teatro!
   ● *Anche a me* _____ . ☺

2. ▶ Mi piacciono molto gli animali.
   ● *A me no* _____ . ☹

3. ▶ Non mi piace lo yoga.
   ● _____ . ☹

4. ▶ Non mi piace la cucina messicana.
   ● _____ . ☺

5. ▶ Mi piacciono le case grandi.
   ● _____ . ☺

6. ▶ Non mi piace il cappuccino.
   ● _____ . ☹

7. ▶ Mi piace andare al ristorante.
   ● _____ . ☺

8. ▶ Mi piace Milano.
   ● _____ . ☹

PREPOSIZIONI

9 Completa con la preposizione a o da. Attenzione: in alcuni casi devi inserire anche l'articolo.

1. ● _____ che ora hai il corso di teatro?
   ▶ _____ 8:00.

2. Il negozio è aperto _____ 10:00 _____ 19:00.

3. Il museo è aperto _____ martedì _____ sabato.

4. La domenica mi sveglio sempre _____ mezzogiorno!

5. La lezione comincia _____ 9:30.

6. Il cinema è chiuso _____ luglio _____ settembre.

LA GRAMMATICA DEL BARBIERE
Vai su *almaedizioni.it/dieciA1* e guarda
il settimo episodio della videogrammatica

IL CI LOCATIVO

Usiamo *ci* per non ripetere un luogo nominato prima:

● *Ti piace <u>Roma</u>?* ▶ *Sì, ci vado tutti gli anni.*
ci = a Roma

Conosco bene <u>Torino</u>, ci abito!
ci = a Torino

ESPRESSIONI DI TEMPO

ogni + nome singolare	**tutti / tutte + articolo + nome**
Va allo stadio **ogni** <u>domenica</u>.	*Va allo stadio* **tutte le** <u>domeniche</u>.
Passo le vacanze in Sicilia **ogni** <u>anno</u>.	*Passo le vacanze in Sicilia* **tutti gli** <u>anni</u>.

'ALMA.tv ▶
Guarda il Linguaquiz
Espressioni di tempo.

VERBI: PASSATO PROSSIMO

Per descrivere le azioni del passato usiamo il passato prossimo:

ausiliare *essere* o *avere* al presente + participio passato

***Sono andata** a Barcellona in primavera.*
*Che cosa **hai mangiato** a colazione?*

Il participio passato

verbi in -*are*	-ato	and**ato**
verbi in -*ere*	-uto	av**uto**
verbi in -*ire*	-ito	dorm**ito**

Per formare la frase negativa mettiamo *non* prima dell'ausiliare: ***Non** ho fatto colazione.*

Verbi con ausiliare *avere*
La maggioranza dei verbi italiani vuole l'ausiliare *avere*. Con questi verbi il participio passato è sempre in -*o*:
Ilenia ha mangiato il tiramisù.
Fabrizio ha avuto problemi con il camper.
Carolina e Bianca hanno preparato la cena.

Tutti i verbi che possono rispondere alla domanda "Chi? / Che cosa?" prendono l'ausiliare *avere*.
Il gatto mangia (che cosa?) il pesce.
➔ *Il gatto **ha** mangiato il pesce.*
Gli studenti ascoltano (chi?) l'insegnante.
➔ *Gli studenti **hanno** ascoltato l'insegnante.*

Verbi con ausiliare *essere*
Con questi verbi il participio passato concorda in genere e numero con il soggetto:
<u>Il treno</u> è arrivato tardi.
<u>Anita</u> è uscita con le amiche.
<u>Alfredo</u> e <u>Silvio</u> sono andati al mare.
<u>Ada</u> e <u>Giulia</u> sono arrivate a Roma.

Se il plurale include soggetti maschili e femminili, il participio passato è al maschile plurale:
<u>Amedeo</u> e <u>Veronica</u> sono partiti con il camper.

Verbi molto comuni che vogliono l'ausiliare *essere*: *andare, arrivare, entrare, essere, nascere, partire, rimanere, stare, tornare, uscire, venire.*

PARTICIPI PASSATI IRREGOLARI

aprire	aperto	mettere	messo
bere	bevuto	nascere	nato
chiedere	chiesto	perdere	perso
chiudere	chiuso	prendere	preso
dire	detto	rimanere	rimasto
essere	stato	scrivere	scritto
fare	fatto	vedere	visto
leggere	letto	venire	venuto

'ALMA.tv ▶
Guarda il Linguaquiz
Uno strano participio passato.

LA DATA

articolo / giorno della settimana ➔ numero ➔ mese

*È nata **il 19 luglio**.* | *Vado in vacanza **mercoledì 19 luglio**.*

Attenzione: 1 marzo = ***primo** marzo* ✓ (*uno marzo* ✗)

IL CI LOCATIVO

1 Abbina le frasi e forma dialoghi. Poi <u>sottolinea</u> quale espressione sostituisce ci, come nell'esempio.

1. Vai in bici <u>in centro</u>?
2. Che cosa fai a Napoli?
3. Vieni anche tu in discoteca sabato?
4. Ti piace Milano?
5. Vai al mare con Lorena?
6. Come vai a scuola?

a. Sì, ci vivo molto bene.
b. No, ci vado con Cristina.
c. No, ci vado a piedi.
d. Ci vado in autobus.
e. Ci lavoro.
f. Sì, ci vengo verso mezzanotte.

ESPRESSIONI DI TEMPO

2 Trasforma come nell'esempio.

1. Ogni sabato vedo Giorgio.
   ➥ _Tutti i sabati vedo Giorgio._ .

2. Ogni mattina fa ginnastica.
   ➥ _____ .

3. Tutte le estati vanno a Cagliari.
   ➥ _____ .

4. Studio tedesco ogni giorno.
   ➥ _____ .

5. Usciamo con gli amici ogni venerdì.
   ➥ _____ .

VERBI: PASSATO PROSSIMO

3 A chi si riferiscono le frasi? A Rosa, a Mario o a tutti e due (Rosa e Mario)? Completa come nell'esempio.

1. _Rosa e Mario_ sono andati a Dublino.
2. _____ è partita da Bari.
3. _____ è arrivato a mezzogiorno.
4. _____ hanno dormito in un albergo.
5. _____ è uscito tutte le sere.
6. _____ hanno visitato il museo della birra.
7. _____ una sera è andata in discoteca.
8. _____ giovedì hanno mangiato al ristorante.
9. _____ sono tornati a casa lunedì.

4 Completa i participi passati con la vocale giusta.

1. La cameriera ha portat__ i menù.
2. Avete pagat__ voi la cena?
3. La signora Mari non è andat__ a Firenze.
4. L'aereo è partit__ per Madrid alle 11:45.
5. Le commesse hanno lavorat__ tutto il giorno.
6. I gatti hanno dormit__ sul divano.
7. Le studentesse cinesi sono arrivat__ giovedì.
8. I ragazzi sono tornat__ a casa tardi.

PARTICIPI PASSATI IRREGOLARI

5 Cerca nello schema in alto a destra i participi passati di questi verbi.

bere _____   essere _____
aprire _____   vedere _____
leggere _____   prendere _____
venire _____   fare _____
dire _____   rimanere _____
abitare _____   partire

letto stato venuto rimasto detto bevuto abitato fatto aperto preso partito visto

6 Ausiliare essere (**E**) o avere (**A**)?

	E	A			E	A
1. parlare	○	○	6.	fare	○	○
2. venire	○	○	7.	aprire	○	○
3. uscire	○	○	8.	rimanere	○	○
4. avere	○	○	9.	dormire	○	○
5. tornare	○	○	10.	vedere	○	○

7 Completa le frasi con il passato prossimo dei verbi tra parentesi.

1. Dopo la lezione gli studenti (*tornare*) _____ _____ a casa.

2. I bambini (*fare*) _____ colazione con i cereali.

3. I clienti (*bere*) _____ _____ due tè e un caffè.

4. Il signor Romei (*nascere*) _____ _____ a Lucca.

5. Anna (*comprare*) _____ _____ un cappello elegante.

6. (*Tu – vedere*) _____ _____ questo film inglese?

7. La signora Freddi (*scrivere*) _____ _____ una recensione su questo albergo.

8. Io e Mara (*prendere*) _____ _____ il tram per venire qui.

9. Le impiegate (*entrare*) _____ _____ in ufficio alle 8:00 ieri.

10. Patrizio e Gianna (*uscire*) _____ _____ insieme.

LA DATA

8 Seleziona le date corrette.

1. l'uno aprile ○
2. il tre ottobre ○
3. lunedì 4 maggio ○
4. il dicembre venti ○
5. il primo novembre ○

LA GRAMMATICA DEL BARBIERE
Vai su almaedizioni.it/dieciA1 e guarda
l'ottavo episodio della videogrammatica

PREPOSIZIONI

● *Quando sei andato in Russia?* ▸ **Nel** *2003.*
● *In che anno sei nato?* ▸ **Nel** *1998.*

PRIMA E DOPO

prima di	+ nome *Vado a Palermo* **prima di** <u>*ferragosto*</u>.
dopo	+ nome **Dopo** *la gita a Siena che cosa fai?*

Usiamo *prima* e *dopo* anche senza nome:
Prima *andiamo a Firenze e* **dopo** *a Pisa.*

UNA VOLTA A

Mangio al ristorante **una volta al mese**.
(= in un mese, vado al ristorante una volta)
Vedo Mariangela **una volta all'anno**.
Faccio sport **due volte alla settimana**.

GLI AGGETTIVI POSSESSIVI

SINGOLARE		PLURALE	
maschile	femminile	maschile	femminile
il mio	la mia	i miei	le mie
il tuo	la tua	i tuoi	le tue
il suo	la sua	i suoi	le sue
il nostro	la nostra	i nostri	le nostre
il vostro	la vostra	i vostri	le vostre
il loro	la loro	i loro	le loro

Gli aggettivi possessivi *mio, tuo, suo, nostro* e *vostro*
hanno quattro forme (come gli aggettivi in -o).
Concordano in genere e numero con il nome che c'è dopo:
Il mio <u>divano</u> *non è comodo.*
Andiamo a Milano con **la mia** <u>macchina</u>?
Hai letto **i miei** <u>libri</u>?
Le mie <u>vacanze</u> *sono finite.*

Attenzione! Il genere e il numero <u>non</u> dipendono dalla
persona che ha la cosa:
La signora Dini ha un gatto.
→ **Il suo** *gatto è piccolo.* ✓ *(la sua gatto* ✗ *)*
Il signor Redi ha una casa.
→ **La sua** *casa è grande.* ✓ *(il suo casa* ✗ *)*

L'aggettivo *loro* non cambia mai:
Il loro <u>telefono</u> *non funziona.*
Molte persone vanno alla **loro** <u>festa</u>.
I loro <u>biglietti</u> *sono ridotti.*
Le loro <u>camere</u> *sono matrimoniali.*

GLI AGGETTIVI POSSESSIVI CON I NOMI DI FAMIGLIA

Con i nomi di famiglia <u>singolari</u> non mettiamo l'articolo
prima dei possessivi:
Mia *sorella si chiama Maria.*
Quanti anni ha **tuo** *zio?*
Come sta **vostra** *nonna?*
Suo *marito ha 44 anni.*

Attenzione! Con il possessivo *loro* usiamo l'articolo anche
con i nomi di famiglia singolari:
La loro *cugina studia a New York.*
Il loro *nonno domani festeggia 90 anni.*

Con i nomi di famiglia <u>plurali</u> usiamo sempre l'articolo
prima dei possessivi:
I miei *nonni vivono in campagna.*
Come si chiamano **le tue** *sorelle?*
I suoi *zii abitano in Sardegna.*

Mettiamo l'articolo anche prima di *ragazzo/a* e *fidanzato/a*:
Il mio *ragazzo lavora in banca.*
La sua *fidanzata studia economia.*

PRIMA E DOPO

1 *Completa con prima o dopo.*

1. Devo finire il lavoro _____ di venerdì.
2. Ho visto Amanda _____ pranzo, nel pomeriggio.
3. _____ siamo andati a fare la spesa e _____ abbiamo preparato la cena per amici e parenti.
4. _____ il cinema, siamo andati al ristorante.
5. _____ della lezione di italiano devo telefonare a mio fratello.
6. _____ l'antipasto, prendo il pollo.

UNA VOLTA A

2 *Completa con la preposizione articolata corretta.*
Poi ordina le azioni, da quella che Claudia fa più spesso
(1) a quella che Claudia fa più raramente (6).
Segui l'esempio.

Claudia:

☐	va al ristorante due volte _____ mese.
1	si lava i denti tre volte __*al*__ giorno.
☐	va in discoteca una volta _____ mese.
☐	va in vacanza al mare una volta _____ anno.
☐	fa sport due volte _____ settimana.
☐	va in viaggio per lavoro tre volte _____ anno.

GLI AGGETTIVI POSSESSIVI

3 Completa con la lettera o con le lettere mancanti, come nell'esempio.

1. La su_a___ bicicletta è nuova?
2. I mi_____ amici spagnoli sono di Malaga.
3. I su_____ gatti dormono tutto il giorno.
4. Le nostr_____ vacanze sono andate benissimo!
5. Le lor_____ macchine sono vecchie.
6. Le tu_____ penne sono nello zaino?
7. La vostr_____ insegnante di italiano è brava?
8. La lor_____ casa in campagna è molto grande.
9. Le tu_____ lasagne sono vegetariane?

4 Leggi le informazioni su Simone e Adelaide. Poi completa la presentazione di Simone con gli articoli e gli aggettivi possessivi, come negli esempi.

SIMONE

compleanno:	7 settembre
figlia:	Adelaide
moglie:	Valeria
sport preferiti:	nuoto, calcio
genere musicale preferito:	jazz
animali preferiti:	cane e cavallo
stagione preferita:	estate
città preferite:	Napoli e Barcellona
macchina:	FIAT Panda

ADELAIDE

compleanno:	1 marzo
padre:	Simone
fidanzato:	Manuel
sport preferiti:	nuoto, calcio
genere musicale preferito:	jazz
animale preferito:	gatto
stagione preferita:	estate
città preferite:	Bologna e Atene
macchina:	FIAT 500

Ciao, sono Simone! Alcune informazioni su di me:

_____ compleanno è il 7 settembre,

_____ animali preferiti sono il cane e il cavallo,

_____ città preferite sono Napoli e Barcellona,

_____ macchina è una FIAT Panda.

Ho una figlia, si chiama Adelaide. ___*Il suo*___ compleanno è il primo marzo, _____ fidanzato si chiama Manuel, _____ città preferite sono Bologna e Atene, _____ macchina è una 500.

Io e Adelaide abbiamo molte cose in comune:

___*il nostro*___ genere musicale preferito è il jazz,

_____ stagione preferita è l'estate e

_____ sport preferiti sono il nuoto e il calcio.

GLI AGGETTIVI POSSESSIVI CON I NOMI DI FAMIGLIA

5 Trasforma le frasi con l'aggettivo possessivo (e l'articolo, se necessario), come nell'esempio.

1. La cugina di Fabrizio è alta.
   ➡ ___*Sua cugina è alta*___.

2. La nonna di Mauro e Patrizia si chiama Lidia.
   ➡ _____.

3. Gli zii di Clarissa sono austriaci.
   ➡ _____.

4. Le figlie di Ottaviano e Elena sono bionde.
   ➡ _____.

5. La ragazza di Salvatore si chiama Sara.
   ➡ _____.

6. Il padre di Carlo è di Firenze.
   ➡ _____.

'ALMA.tv ▶

Guarda il Linguaquiz *I possessivi.*

LA GRAMMATICA DEL BARBIERE
*Vai su almaedizioni.it/dieciA1 e guarda
il nono episodio della videogrammatica*

I PRONOMI DIRETTI

Usiamo i pronomi diretti per non ripetere un oggetto diretto:
Mi piace questo vestito, lo compro per la festa.
lo compro = <u>questo vestito</u> (oggetto diretto)

I pronomi diretti vanno prima del verbo:
Compriamo due pizze? Le <u>mangiamo</u> stasera davanti al film.
● *Conosci Paolo?* ▶ *Sì, lo <u>conosco</u> molto bene.*

FORME SINGOLARI	FORME PLURALI
mi	ci
ti	vi
lo / la	li / le

Lo, la, li e *le* possono sostituire una cosa o una persona. Concordano in genere e numero con il nome che sostituiscono:
Bella, <u>questa gonna</u>, la posso provare?
Non abbiamo <u>il latte</u>, domani lo compro.
<u>I miei zii</u> sono americani. Non li vedo spesso.

Mi, ti, ci e *vi* sostituiscono sempre una persona.

Mi senti?

Sì, sì, **ti** sento molto bene!

Pronomi diretti e verbi modali
Quando c'è un verbo modale + infinito, il pronome diretto va <u>prima</u> del verbo modale, o <u>dopo</u> l'infinito.
Se va dopo l'infinito, la *-e* dell'infinito cade, e infinito e pronome formano una sola parola:
Se queste scarpe non vanno bene, le <u>può</u> cambiare. =
Se queste scarpe non vanno bene, <u>può</u> cambiarle.

I COLORI

Alcuni colori sono aggettivi in *-o* (4 forme), alcuni sono aggettivi in *-e* (2 forme) e alcuni sono invariabili (una forma).

AGGETTIVI IN *-O*	bianco, giallo, rosso, grigio, nero	il vestito ne**r**o la borsa ne**r**a le gonne ne**r**e i pantaloni ne**r**i
AGGETTIVI IN *-E*	arancione, verde, marrone	il vestito verd**e** la borsa verd**e** le gonne verd**i** i pantaloni verd**i**
INVARIABILI	rosa, viola, blu	il vestito blu la borsa blu le gonne blu i pantaloni blu

VOLEVO

Per chiedere qualcosa in modo gentile, usiamo *volevo* o *vorrei*:
***Vorrei** un etto di prosciutto. = **Volevo** un etto di prosciutto.*

IL DIMOSTRATIVO QUELLO

Quello funziona come l'articolo determinativo.

	singolare	plurale
maschile	quel formaggio quell'olio quello yogurt	quei dolci quegli affettati quegli spaghetti
femminile	quella pizza quell'acqua	quelle bistecche quelle olive

Usiamo *quello* per parlare di persone o oggetti lontani, usiamo *questo* per parlare di persone o oggetti vicini.

L'INTERROGATIVO QUALE

quale + nome singolare (maschile o femminile)
quali + nome plurale (maschile o femminile)

*In **quale** negozio posso comprare un cappello?*
*In **quale** macelleria compri la carne?*
***Quali** formaggi sono in offerta?*
***Quali** scarpe sono in saldo?*

I PRONOMI DIRETTI

1 Abbina domande e risposte. Poi nella domanda <u>sottolinea</u> la parola che il pronome sostituisce nella risposta, come nell'esempio.

1. Parli <u>il tedesco</u>?
2. Leggi il giornale tutti i giorni?
3. Dove fai la spesa?
4. Nora e Steven sono amici tuoi?
5. Guardi spesso la TV?
6. Ti piacciono queste scarpe?
7. Ti piace la carne?

a. Sì, la guardo tutte le sere con i miei figli.
b. Lo capisco, ma lo parlo poco.
c. Non la mangio. Sono vegetariano.
d. La faccio al supermercato dietro casa.
e. Sì, ma lo leggo solo online.
f. No, li conosco molto poco.
g. Sì, ma non le prendo. Sono troppo care.

2 Trasforma le frasi come nell'esempio.

PRONOME PRIMA DEL VERBO	PRONOME DOPO L'INFINITO
1. Questo film è molto bello, lo devi vedere.	Questo film è molto bello, _devi vederlo_ .
2. Volete i biglietti per il museo? _____ qui.	Volete i biglietti per il museo? Potete comprarli qui.
3. Bello, questo cappello! _____?	Bello, questo cappello! Posso provarlo?
4. La tua macchina è troppo vecchia, la devi cambiare.	La tua macchina è troppo vecchia, _____.
5. Non abbiamo olive, le puoi comprare?	Non abbiamo olive, _____?
6. Questo formaggio è molto buono. _____?	Questo formaggio è molto buono. Vuole assaggiarlo?
7. Questi pantaloni sono larghi. Li posso cambiare?	Questi pantaloni sono larghi. _____?
8. Mi puoi telefonare domani?	_____ domani?

3 Completa le frasi con i pronomi della lista.

la | lo | mi | li | le | ti

1. ▶ Ti piace questa gonna?
   ● Sì, ma _____ preferisco in rosa.
2. ▶ Avete questi pantaloni in grigio?
   ● No, mi dispiace. _____ abbiamo solo in nero e blu.
3. ▶ A che ora _____ chiami?
   ● _____ chiamo alle sette, va bene?
4. ▶ Vedi spesso Gregorio?
   ● Sì, _____ vedo il martedì al corso di teatro.
5. ▶ Quelle olive sono biologiche?
   ● Sì, vuole assaggiar_____?

I COLORI

4 Scrivi i colori della lista nel riquadro giusto. Attenzione: alcuni colori vanno bene in riquadri diversi, come nell'esempio.

✓verde | blu | gialli | bianche | arancioni
rosa | rosso | grigia | viola | nero

GONNA	CAPPELLO
verde	verde
SCARPE	**PANTALONI**

IL DIMOSTRATIVO QUELLO

5 Completa con la forma corretta di quello, come nell'esempio.

1. _quella_ casa
2. _____ zaini
3. _____ cappello
4. _____ amica
5. _____ gatti
6. _____ pizzerie
7. _____ aglio
8. _____ stazione
9. _____ studente
10. _____ arance

L'INTERROGATIVO QUALE

6 Completa con la lettera mancante.

1. Qual ☐ formaggio preferisci: la caciotta romana o il pecorino toscano?
2. Qual ☐ autobus vanno in centro?
3. Qual ☐ borsa va bene con questo vestito?
4. In qual ☐ supermercato fai la spesa?
5. Qual ☐ verdure prendo per la cena di domani?
6. Qual ☐ antipasto hai ordinato?

LA GRAMMATICA DEL BARBIERE
Vai su almaedizioni.it/dieciA1 e guarda
il decimo episodio della videogrammatica

PROFESSIONI

Nomi in -o: *commesso, impiegato, operaio, segretario, gelataio, artigiano, cuoco.*

	singolare	plurale
maschile	commesso	commessi
femminile	commessa	commesse

Nomi in -ista: *musicista, tassista, barista, giornalista, farmacista, dentista.*

	singolare	plurale
maschile	farmacista	farmacisti
femminile	farmacista	farmaciste

Nomi in -tore: *traduttore, scrittore, attore, imprenditore, programmatore.*

	singolare	plurale
maschile	programmatore	programmatori
femminile	programmatrice	programmatrici

Nomi in -iere: *cameriere, giardiniere, infermiere.*

	singolare	plurale
maschile	giardiniere	giardinieri
femminile	giardiniera	giardiniere

Nomi in -ante: *cantante, insegnante.*

	singolare	plurale
maschile	insegnante	insegnanti
femminile	insegnante	insegnanti

Nomi irregolari
Il femminile di *studente* è *studentessa.*
Il femminile di *dottore* è *dottoressa*;
usiamo il sinonimo *medico*
sempre al maschile,
anche con una donna:
Il mio **medico** *di famiglia*
è Lorella Rialti.

'ALMA.tv
Guarda
il Linguaquiz
Le professioni.

L'IMPERFETTO DEL VERBO ESSERE

io	ero
tu	eri
lui / lei / Lei	era
noi	eravamo
voi	eravate
loro	erano

Usiamo l'imperfetto per fare descrizioni al passato:

Mio nonno **era** *sempre stanco dopo il lavoro.*

Anni fa **ero** *molto timida con i colleghi.*

PLURALI IRREGOLARI

Alcune parti del corpo hanno il plurale irregolare.
Il nome al plurale a volte cambia anche genere.

singolare	plurale
la mano (f.)	le mani (f.)
il ginocchio (m.)	le ginocchia (f.)
l'orecchio (m.)	le orecchie (f.)
il braccio (m.)	le braccia (f.)

L'IMPERATIVO INFORMALE (TU)

Usiamo l'imperativo per dare ordini, istruzioni o consigli:
Per stare bene, **dormi** *sette o otto ore a notte.*
Torna *a casa presto!*

guardare	rimanere	aprire	finire
guarda	rimani	apri	finisci

Verbi irregolari

essere	avere	dire
sii	abbi	di'

Alcuni verbi hanno due forme:

andare	dare	stare	fare
va' / vai	da' / dai	sta' / stai	fa' / fai

L'imperativo negativo *(tu)*
Formiamo l'imperativo negativo (*tu*) con *non* + infinito:
Non guardare *sempre il cellulare.*
Non essere *timido!*
Non aprire *la finestra, per favore.*

PREPOSIZIONI

cominciare + a, continuare + a, finire + di
Lucilla <u>ha cominciato</u> *a lavorare molto giovane.*
Ho preso un farmaco, ma <u>continuo</u> *a avere mal di stomaco.*
<u>Finisci</u> *di lavorare tardi?*

da
• per esprimere la durata:
  Ho mal di stomaco **da** *lunedì.* (= lunedì ho cominciato
  a avere mal di stomaco e sto ancora male)
  Conosco Laurent **da** *tre anni.* (= ho incontrato Laurent
  tre anni fa e siamo ancora amici)
• per indicare dove vado, se è una persona:
  Devi andare **dal** *medico.*
  Ceni **da** *Matteo stasera?*

PROFESSIONI

1 Forma le professioni e poi indica se sono nomi maschili (M) o femminili (F), come nell'esempio. Attenzione: in alcuni casi possono essere maschili e femminili.

✓commess | camer | music | bar | imprendi
dottor | impiegat | segretari | cant | tradut
gelatai | tass | operai | programma | dent
insegn | giornal | student | inferm | cuoc

		M F
commess	**-O**	✓○
	-ISTA	○ ○
	-TRICE	○ ○
	-ESSA	○ ○
	-IERE	○ ○
	-ANTE	○ ○

L'IMPERFETTO DEL VERBO ESSERE

2 Completa con la forma corretta del verbo essere all'imperfetto.

1. Mia nonna _____ francese.
2. Questi pantaloni sono molto vecchi. Adesso sono grigi, ma prima _____ neri.
3. Tu _____ timido anni fa, invece adesso sei molto socievole!
4. Noi _____ sempre molto stanchi il venerdì.
5. Prima _____ magro, adesso sono robusto.
6. Voi _____ bravi a scuola?

PLURALI IRREGOLARI

3 Scrivi il plurale dei nomi. Attenzione: alcuni hanno il plurale regolare e altri hanno il plurale irregolare.

1. la mano _____
2. l'occhio _____
3. il braccio _____
4. il piede _____
5. l'orecchio _____
6. il dente _____
7. il ginocchio _____
8. la gamba _____

L'IMPERATIVO INFORMALE (TU)

4 Abbina le frasi per formare dialoghi. Poi completa i consigli con il verbo tra parentesi all'imperativo con tu, come nell'esempio.

1. Devo andare in centro, ma ho fretta e c'è molto traffico.
2. L'aria condizionata non funziona!
3. Come mi vesto per la festa di domani?
4. Non posso mangiare carne.
5. Non ho contanti.
6. Ho fame!

a. Allora (*prendere*) _____ un primo vegetariano, o il pesce.
b. (*Pagare*) _____ con la carta di credito.
c. (*Andare*) _Va'_ _____ in bicicletta! Ci vogliono solo 10 minuti!
d. (*Mangiare*) _____ un panino, in frigo c'è il prosciutto crudo.
e. (*Mettere*) _____ la gonna nera, è molto bella!
f. (*Chiamare*) _____ la reception. Forse puoi cambiare stanza.

5 Completa la tabella come nell'esempio.

	IMPERATIVO	IMPERATIVO NEGATIVO
1.	Mangia molta verdura.	*Non mangiare* solo dolci!
2.	Dormi minimo 7 ore.	_____ in classe.
3.	_____ di fare i compiti.	Non finire il latte, lo voglio anch'io!
4.	Guarda questo film, è molto interessante.	_____ troppa televisione.
5.	_____ sport 2 o 3 volte alla settimana.	Non fare la spesa, non è necessario.
6.	Va' in farmacia, hai la febbre!	_____ a letto tardi.
7.	Apri la porta, per favore.	_____ il regalo, aspetta!
8.	_____ calma, sei sempre così nervosa!	Non stare seduta tutto il giorno, fa male alla schiena.
9.	Sii paziente!	_____ antipatico!
10.	_____ il cellulare, siamo al cinema!	Non spegnere il computer, devo aprire un documento.

PREPOSIZIONI

6 Completa con la preposizione corretta: da, a o di. Attenzione: in un caso devi usare una preposizione articolata.

1. A che ora finisci _____ lavorare?
2. Andiamo _____ Paola domani?
3. Lidia comincia _____ lavorare alle 8:30.
4. Continua _____ venire al corso di inglese, per favore!
5. Devo andare _____ dottore.
6. Abbiamo cominciato _____ studiare cinese.

I NUMERI DA 0 A 20

0	zero	3	tre	6	sei	9	nove	12	dodici	15	quindici
1	uno	4	quattro	7	sette	10	dieci	13	tredici	16	sedici
2	due	5	cinque	8	otto	11	undici	14	quattordici	17	diciassette

18	diciotto		
19	diciannove		
20	venti		

Per memorizzare:
1. *Chiudi gli occhi e conta da 0 a 20.*
2. *Adesso conta al contrario: 20, 19...*

SALUTI

FORMALE		INFORMALE	
ARRIVO	**VADO VIA**	**ARRIVO**	**VADO VIA**
buongiorno	arrivederci	ciao	ciao
buonasera		salve	
salve			

ESPRESSIONE	QUANDO?
buongiorno	mattina
buonasera	pomeriggio e sera
buonanotte	notte

MONDO: CONTINENTI

NORD AMERICA
EUROPA
ASIA
SUD AMERICA
AFRICA
OCEANIA

MONDO: PAESI, NAZIONALITÀ E CAPITALI

ARGENTINA
- argentino
- Buenos Aires

AUSTRIA
- austriaco
- Vienna

AUSTRALIA
- australiano
- Canberra

BRASILE
- brasiliano
- Brasilia

CANADA
- canadese
- Ottawa

CINA
- cinese
- Pechino

EGITTO
- egiziano
- Il Cairo

FRANCIA
- francese
- Parigi

GERMANIA
- tedesco
- Berlino

GIAPPONE
- giapponese
- Tokyo

GRECIA
- greco
- Atene

INDIA
- indiano
- Nuova Delhi

INGHILTERRA
- inglese
- Londra

IRLANDA
- irlandese
- Dublino

ITALIA
- italiano
- Roma

MAROCCO
- marocchino
- Rabat

MESSICO
- messicano
- Città del Messico

PERÙ
- peruviano
- Lima

POLONIA
- polacco
- Varsavia

PORTOGALLO
- portoghese
- Lisbona

RUSSIA
- russo
- Mosca

SPAGNA
- spagnolo
- Madrid

STATI UNITI
- americano / statunitense
- Washington

SVEZIA
- svedese
- Stoccolma

SVIZZERA
- svizzero
- Berna

TUNISIA
- tunisino
- Tunisi

TURCHIA
- turco
- Ankara

IN CLASSE

LAVAGNA
PORTA
FINESTRA
TAVOLO
LIBRO
PENNA
QUADERNO
FOGLIO
ZAINO
SEDIA

I NUMERI DA 0 A 20

1 Completa i numeri con le lettere mancanti.

a. 17 → D ☐ ☐ I A ☐ ☐ E ☐ T ☐

b. 13 → T ☐ E D ☐ C ☐

c. 4 → Q ☐ ☐ T ☐ R ☐

d. 18 → D ☐ C I ☐ T ☐ O

e. 5 → C ☐ ☐ Q ☐ E

f. 12 → D O ☐ I ☐ I

g. 16 → S E ☐ ☐ ☐ I

h. 2 → ☐ U ☐

SALUTI

2 Cancella il saluto sbagliato, come nell'esempio.

1. quando arrivo   ~~arrivederci~~ | buonasera | ciao
2. quando vado via   arrivederci | buongiorno | ciao
3. informale   salve | buonasera | ciao
4. formale   arrivederci | buonasera | ciao
5. mattina   ciao | arrivederci | buonanotte
6. pomeriggio   buongiorno | ciao | buonasera

3 Abbina immagini e saluti.

18:30    **00:30**

a   b

19:00    **09:00**

c   d

1. Buonasera, signora Feltri. ☐
2. Buongiorno, signor Franchi. ☐
3. Buonanotte, amore! ☐
4. Ciao, Paola! ☐

MONDO: PAESI, NAZIONALITÀ E CAPITALI

4 Forma aggettivi di nazionalità, come nell'esempio.

✓ indi | peruvi | tunis | australi | franc
messic | argent | ingl | canad | egizi
marocch | sved | brasili | cin | giappon
itali | americ | portogh | irland

indi	-ano
	-ese
	-ino

IN CLASSE

5 Ordina le lettere e forma parole. Poi scrivi le lettere **evidenziate** e completa la parola, come nell'esempio.

1. N|A|P|E|N   P E N N A

2. D|E|S|A|I   ☐ ☐ ☐ ☐ ☐

3. T|O|R|P|A   ☐ ☐ ☐ ☐ ☐

4. O|R|I|I|L|B   ☐ ☐ ☐ ☐ ☐ ☐

5. N|O|I|I|Z|A   ☐ ☐ ☐ ☐ ☐ ☐

→ A ☐ ☐ U C C ☐ ☐

DOMANDE UTILI

6 Collega le frasi, come nell'esempio.

1. Io sono Paola.   a. Si dice ciao.
2. Come ti chiami?   b. No, messicano.
3. Grazie!   c. BI – A – GI – I.
4. Di dove sei?   d. Emma, e tu?
5. Sei spagnolo?   e. Di Napoli.
6. Come si dice hi?   f. Piacere, Matteo.
7. Come si scrive il tuo cognome?   g. Prego!

I NUMERI DA 21 A 100

21	ventuno	30	trenta
22	ventidue	40	quaranta
23	ventitré	50	cinquanta
24	ventiquattro	60	sessanta
25	venticinque	70	settanta
26	ventisei	80	ottanta
27	ventisette	90	novanta
28	vent**otto**	100	cento
29	ventinove		

Per memorizzare:
1. Continua la serie fino a 91: 11, 21, 31...
2. Continua la serie fino a 16: 96, 86, 76...

PROFESSIONI E LUOGHI DI LAVORO

 operaio / operaia / fabbrica

 impiegato / impiegata / ufficio

 cameriere / cameriera / ristorante

 insegnante / insegnante / scuola

 infermiere / infermiera / ospedale

 modello / modella

commesso / commessa / negozio

dottore / dottoressa / ospedale

architetto / architetto* / ufficio
* è corretto anche architetta

cuoco / cuoca / ristorante

segretario / segretaria / ufficio

 cantante / cantante

VERBI IN -ARE

 amare  ascoltare aspettare cercare

 comprare domandare guardare lavorare

 mangiare parlare pensare studiare

INFORMAZIONI PERSONALI

Carta d'identità

REPUBBLICA ITALIANA
CARTA D'IDENTITÀ · COMUNE DI MILANO
Nome: ROSA
Cognome: GRILLO
professione: fotografa
indirizzo: via Ugo Bassi 40, 20159 Milano

Questo numero si chiama CAP. È necessario per la posta.

Biglietto da visita

Rosa Grillo — FOTOGRAFA
📞 telefono fisso +39 02 837192
📱 cellulare +39 347 9872344
✉ e-mail grillo.rosa@libero.it
🌐 sito web www.phrosagrillo.it

@ chiocciola
. punto

✓ vu – vu – vu ✗ doppia vu – doppia vu – doppia vu

I NUMERI DA 21 A 100

1 Seleziona la risposta corretta.

1. Quanti anni ha Bianca?
   ○ sedici
   ○ sessanta

3. Quanti anni ha Adriano?
   ○ trenta
   ○ tredici

2. Quanti anni ha Gregorio?
   ○ novanta
   ○ diciannove

4. Quanti anni ha Matilde?
   ○ diciassette
   ○ settanta

2 Completa le operazioni con le lettere mancanti.

1. quarantuno + trentatré = s☐t☐☐nt☐☐uat☐☐o
2. cinquantaquattro - sei = q☐☐ran☐☐tto
3. novantotto - nove = o☐☐☐ntan☐☐e
4. settantasei - quindici = ☐☐ssa☐☐no
5. ventisette + ventisei = c☐☐quan☐☐t☐é

PROFESSIONI E LUOGHI DI LAVORO

3 Completa come nell'esempio.

1.

Livia fa *la cameriera*.
Lavora in *un ristorante*.

4.

Tina fa _____.
Lavora in _____.

2.

Andrea fa _____.
Lavora in _____.

5.

Adele fa _____.
Lavora in _____.

3.

Omar fa _____.
Lavora in _____.

6.
Raffaele fa _____.
Lavora in _____.

4 Ordina i gruppi di lettere e forma le professioni. Poi abbina professioni e immagini.

1. CO | CU | O ➝ _____ ☐
2. CHI | TET | AR | TO ➝ _____ ☐
3. TAN | TE | CAN ➝ _____ ☐
4. SA | TO | RES | DOT ➝ _____ ☐

a [microfono] b [metro] c [pentola] d [stetoscopio]

VERBI IN -ARE

5 _Sottolinea_ il verbo logico.

1. Che lingue **parla** / **mangia**?
2. **Domando** / **Lavoro** in un ufficio, faccio l'impiegata.
3. **Aspetto** / **Lavoro** l'insegnante di inglese.
4. Pina e Claudio **cercano** / **parlano** il cane.
5. La signora Dini **cerca** / **compra** il commesso.

6 Abbina verbi e parole delle lista, come nell'esempio.

Valentina | **una pizza** | ✓**il russo** | **in America**

1. amo / studiamo / parlate ➝ *il russo*
2. abito / lavorano / studiate ➝ _____
3. compriamo / mangiano / aspetti ➝ _____
4. aspetto / ascoltiamo / cercate ➝ _____

INFORMAZIONI PERSONALI

7 Completa con le parole della lista, come nell'esempio.

Paese | **cognome** | **e-mail** | **professione** | **sito internet**
✓**CAP** | **nome** | **indirizzo** | **città** | **numero di telefono**

_____ Giuseppe	_____ Caruso

_____ ARCHITETTO

_____ : Piazza Marina, 18
_____ : Palermo
CAP : 90133   _____ : Italia
_____ : 340 8745674
_____ : gc@studiocaruso.it
_____ : www.studiocaruso.it

DOMANDE UTILI

8 Abbina domanda e risposta, come nell'esempio.

1. Qual è la tua mail? ·········
2. Quanti anni hai?
3. Che lingue parli?
4. Dove abiti?
5. Che lavoro fai?
6. Qual è il tuo numero di telefono?

a. 18.
b. Inglese e spagnolo.
c. La commessa.
d. l.cioni@gmail.com.
e. 349 0855096.
f. In via Cristofori 1.

I SOLDI

0,50 € / cinquanta centesimi | 1 € / un euro
3 € / tre euro | 4,60 € / quattro euro e sessanta (centesimi)

pagare: in contanti   con la carta di credito

COME STAI?

Come stai? = Come va?

Benissimo. | Bene. | Così così. | Male.

I PASTI

 (± 8:00) colazione   (± 13:00) pranzo   (± 16:00) merenda   (± 20:00) cena

IL CIBO

biscotti	cereali	burro
pane	panino	formaggio
frutta	verdura	insalata
pomodoro	patata	funghi
uovo	pasta	riso
pesce	carne	pollo

prosciutto   salame

LE BEVANDE

caffè	cappuccino	tè
latte	acqua	spremuta d'arancia
succo di frutta	vino	birra

Attenzione! Al bar:
✓ *Un caffè, per favore!* ✗ *Un espresso, per favore!*

AGGETTIVI PER IL CIBO

acqua **naturale**
acqua **frizzante**

vino **rosso**
vino **bianco**

tè **caldo/a**
tè **freddo**

buono/a
cattivo/a

IL MENÙ

antipasti

primi

secondi

contorni

dolci

I SOLDI

1 Quant'è? Completa come nell'esempio.

1. 2,50 € ➡ _due euro e cinquanta_
2. 1 € ➡ _____
3. 4,20 € ➡ _____
4. 60 € ➡ _____
5. 0,60 € ➡ _____

I PASTI

2 Completa il nome dei pasti. Poi abbina parole e orologi.

1. ☐ R A ☐ Z O   a. `20:30`
2. C ☐☐ A Z ☐☐ N ☐   b. `16:30`
3. M E ☐☐ N ☐ A   c. `13:30`
4. C ☐ N ☐   d. `08:30`

IL CIBO E LE BEVANDE

3 Guarda le immagini e cerca i prodotti nel crucipuzzle in **ORIZZONTALE** → o in **VERTICALE** ↓.

```
A  B  I  S  C  O  T  T  I  T
V  I  B  R  E  V  U  N  N  I
A  R  A  C  O  C  C  E  S  E
G  R  O  P  A  N  E  M  A  F
F  A  D  O  Q  U  R  I  L  L
U  P  A  L  B  B  E  T  A  G
O  S  S  L  E  L  A  T  T  E
V  I  N  O  P  M  L  R  A  E
O  F  O  R  R  E  I  S  S  U
```

AGGETTIVI PER IL CIBO

4 Guarda le immagini e <u>sottolinea</u> l'aggettivo corretto.

1.
il vino **rosso / bianco**

4.
l'acqua **naturale / frizzante**

2.
il dolce **cattivo / buono**

5.
la carne **rossa / bianca**

3.
il tè **caldo / freddo**

6.
il cappuccino **cattivo / buono**

IL MENÙ

5 Abbina le parole della lista e i piatti, come nell'esempio.

✓**dolci** | **primi** | **contorni** | **secondi** | **antipasti**

1. _dolci_ : tiramisù, gelato
2. _____ : prosciutto e melone, bruschetta, affettati
3. _____ : lasagne, riso ai funghi, spaghetti al pomodoro
4. _____ : bistecca, pollo arrosto, parmigiana
5. _____ : patate fritte, insalata mista

FRASI UTILI

6 Indica con una ✓ se usi queste frasi quando ordini da bere o da mangiare (O), quando paghi (P) o quando chiedi o prenoti un tavolo (T), come nell'esempio.

	O	P	T
1. Un caffè, per favore.	✓	○	○
2. Quant'è?	○	○	○
3. Pronto? Vorrei prenotare un tavolo per quattro persone.	○	○	○
4. Posso pagare con la carta?	○	○	○
5. Per me, spaghetti alla carbonara.	○	○	○
6. Il conto, per favore.	○	○	○
7. Io prendo un tiramisù.	○	○	○
8. Avete un tavolo per due?	○	○	○

SISTEMAZIONI PER LE VACANZE

appartamento

villetta

hotel / albergo

agriturismo

AGGETTIVI PER DESCRIVERE UN LUOGO

economico

caro

silenzioso

rumoroso

nuovo

vecchio

grande

piccolo

bello

brutto

pulito

sporco

comodo

scomodo

LA CASA

IL FRIGORIFERO

IL LAVANDINO

la cucina

LA DOCCIA

LO SPECCHIO

il bagno

LA LIBRERIA

IL DIVANO

il soggiorno

L'ARMADIO

IL LETTO

la camera da letto

L'ALBERGO

aria condizionata

wi-fi gratuito

colazione inclusa

camera doppia

camera singola

camera matrimoniale

I GIORNI

OGGI

IERI

DOMANI

lunedì
martedì
mercoledì
giovedì
venerdì
sabato
domenica

il fine settimana / il weekend

SISTEMAZIONI PER LE VACANZE

1 Completa le parole con i gruppi di lettere della lista, come nell'esempio.

par | erg | rit | ✓ ote | let

1. Un h_ote_l in centro.
2. Un ap_____tamento in città.
3. Un ag_____urismo nella natura.
4. Una vil_____ta in campagna.
5. Un alb_____o sul mare.

LA CASA

2 Guarda le immagini e completa il cruciverba con i nomi degli oggetti.

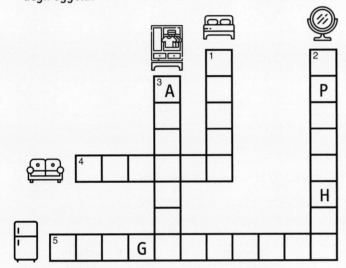

3 ~~Cancella~~ l'intruso.

1. soggiorno   **divano | libreria | lavandino**
2. camera da letto   **armadio | frigorifero | letto**
3. cucina   **frigorifero | doccia | lavandino**
4. bagno   **specchio | doccia | letto**

L'ALBERGO

4 Forma gruppi di parole logici, come nell'esempio.

1. aria   vegetariana
2. cucina   gratuito
3. colazione   moderno
4. wi-fi   doppia
5. stile   condizionata
6. camera   inclusa

AGGETTIVI PER DESCRIVERE UN LUOGO

5 Scrivi il contrario, come nell'esempio.

1. bello   ><   _brutto_
2. comodo   ><   _____
3. nuovo   ><   _____
4. caro   ><   _____
5. pulito   ><   _____
6. grande   ><   _____

I GIORNI

6 Completa con i giorni della settimana, come nell'esempio.

1. Oggi è martedì. Domani è ___ _mercoledì_ ___.
2. Oggi è giovedì. Domani è _____.
3. Oggi è domenica. Domani è _____.
4. Oggi è lunedì. Domani è _____.
5. Oggi è venerdì. Domani è _____.

FRASI UTILI

7 Abbina le frasi del cliente di un albergo e le reazioni del receptionist, come nell'esempio.

1. Il letto è scomodo e la camera è rumorosa.

2. Il wi-fi non funziona.

3. Il cellulare non prende.

4. Non sono soddisfatto. Voglio cambiare stanza.

5. La televisione è rotta.

a. Deve mettere la password. È "Majestic1".

b. Può usare il telefono fisso. È gratuito.

c. Non c'è problema. Abbiamo ancora camere libere.

d. Chiamo subito un tecnico.

e. Vuole cambiare camera?

I MESI

1	gennaio	5	maggio	9	settembre
2	febbraio	6	giugno	10	ottobre
3	marzo	7	luglio	11	novembre
4	aprile	8	agosto	12	dicembre

I MEZZI DI TRASPORTO

macchina

nave

metropolitana

tram

autobus

aereo

treno

bicicletta

motorino

LA CITTÀ

chiesa

museo

negozio

parcheggio

ospedale

aeroporto

palazzo

banca

cinema

stazione

stadio

supermercato

grattacielo

incrocio

semaforo

ponte

piazza

IN GIRO PER LA CITTÀ

prendere	l'autobus	girare	a destra
	il treno		a sinistra
	l'aereo	arrivare	all'incrocio
andare	dritto		al semaforo
	a destra		al ponte
	a sinistra	continuare	dritto

I MESI

1 *Completa con le lettere mancanti.*

1. G ☐ ☐ NA ☐ O
2. ☐ ☐ BB ☐ AIO
3. M ☐ R ☐ O
4. AP ☐ ☐ LE
5. M ☐ GG ☐ O
6. G ☐ ☐ GNO
7. L ☐ G ☐ IO
8. A ☐ OS ☐ O
9. S ☐ TTE ☐ B ☐ E
10. O ☐ ☐ O ☐ RE
11. ☐ O ☐ EM ☐ R ☐
12. D ☐ ☐ E ☐ BRE

I MEZZI DI TRASPORTO

2 *Completa con le parole della lista, come nell'esempio.*

✓ **macchina** | **nave** | **metropolitana** | **tram**
autobus | **aereo** | **treno** | **bicicletta** | **motorino**

_____

_____

macchina

_____

_____

_____

_____

LA CITTÀ

3 *Forma le parole, come nell'esempio.*

1. aero ——— cio
2. sta ——— eggio
3. sema ——— dale
4. parch ——— porto
5. ospe ——— zio
6. nego ——— azzo
7. pal ——— foro
8. incro ——— zione

4 *Dove trovi questi elementi? Abbina oggetti e persone e luoghi del punto 3, come negli esempi.*

1. treno _____
2. aereo _____
3. macchina _parcheggio_
4. dottore _____
5. commesso _____
6. appartamento _palazzo_

5 *Dove siamo? Completa con le parole appropriate.*

1. a una fermata della _____ di Torino

2. in un _____

3. all'entrata di un _____

6 *Completa l'immagine con le parole appropriate, come nell'esempio.*

incrocio

IN GIRO PER LA CITTÀ

7 <u>Sottolinea</u> *l'opzione corretta tra quelle* **evidenziate.**

1. Per andare alla stazione **prendi / vai** la metropolitana o il motorino?

2. L'autobus **gira / va** dritto fino alla piazza.

3. Per andare all'ospedale, Lei **arriva / prende** all'incrocio e poi gira **dritto / a destra.**

4. Questo tram arriva **alla stazione / dritto?**

8 *Completa con le parole della lista.*

a sinistra | arrivare | dritto | il tram | andare | prendere

1. girare _____ a destra

2. _____ a sinistra a destra

3. _____ l'aereo la macchina _____

4. _____ all'incrocio al ponte

FRASI UTILI

9 *Completa i dialoghi con la parola appropriata, come nell'esempio.*

1. ● _____Mi_____ sa dire dov'è via Verdi?
   ▶ Sì, è la prima a destra.

2. ● _____ costa la visita guidata?
   ▶ Quindici euro a persona.

3. ● Vorrei due _____.
   ▶ Interi o ridotti?

4. ● Quanto _____ ci vuole?
   ▶ In macchina ci vogliono 20 minuti.

5. ● Che _____ sono?
   ▶ Le tre e mezza.

6. ● Senta, scusi, il museo è aperto?
   ▶ Non lo _____, mi dispiace.

AZIONI QUOTIDIANE

svegliarsi

alzarsi

fare colazione

farsi la doccia

lavarsi i denti

vestirsi

uscire di casa

cucinare

andare a letto

ORDINARE LE AZIONI NEL TEMPO

Prima / Dopo / Poi + verbo | *Dopo / Durante* + nome

Prima faccio ginnastica, **poi / dopo** mi faccio la doccia.
Dopo colazione Arturo esce di casa.
Durante la settimana non esci mai?

AZIONI DEL TEMPO LIBERO

guardare la TV

leggere

fare sport / ginnastica

ascoltare musica

andare al cinema

SPORT

calcio

tennis

nuoto

corsa

AZIONI QUOTIDIANE

1 Guarda le immagini e completa le azioni.

1. F☐R☐
   C☐☐A☐☐O☐E

2. ☐VE☐☐IA☐SI

3. C☐C☐N☐RE

4. L☐☐A☐☐I
   I D☐N☐I

5. V☐☐TI☐S☐

ORDINARE LE AZIONI NEL TEMPO

2 Guarda le immagini e completa le frasi con le parole della lista, come nell'esempio.

prima | dopo | ✓poi | durante | poi

1. _____ si fa la doccia e ____*poi*____ si veste.

2. Mangiano con gli amici _____ la pausa pranzo.

3. _____ il cinema, vanno in discoteca.

4. Mi alzo e _____ faccio ginnastica.

AZIONI DEL TEMPO LIBERO

3 Abbina i verbi e i gruppi di parole a destra, come nell'esempio.

1. fare   la TV
2. ascoltare   al cinema
3. guardare   un libro
4. andare   musica
5. leggere   sport

FRASI UTILI

4 Indica la funzione delle frasi: fare una proposta (P), accettare (✓), rifiutare (✗).

	P	✓	✗
1. Usciamo?	○	○	○
2. Mi dispiace, non posso.	○	○	○
3. Facciamo venerdì?	○	○	○
4. Per me va bene.	○	○	○
5. Andiamo al ristorante domani?	○	○	○
6. No, scusa, ho il corso di yoga.	○	○	○
7. D'accordo.	○	○	○
8. Va bene.	○	○	○

LE STAGIONI

primavera

estate

autunno

inverno

NEL BAGAGLIO

maglione

cappello

scarpe da trekking

ombrello

macchina fotografica

crema solare

guida

cappello

occhiali da sole

costume

IL VERBO ANDARE

andare

| a casa | a scuola | a dormire | a Parigi |

| a piedi | a destra | a sinistra |

| in montagna | in spiaggia | in palestra |

| in centro | in vacanza | in treno | in Messico |

| al mare | al cinema | al ristorante |

| al bar | al lavoro |

IL TEMPO

Che tempo fa? | Com'è il tempo?

Fa caldo. Fa freddo. Fa bel tempo. C'è il sole.

Fa brutto tempo. Nevica. C'è vento.

Piove. È nuvoloso.

ESPRESSIONI DI TEMPO

due anni fa → l'anno scorso → un mese fa
→ tre settimane fa → la settimana scorsa
→ due giorni fa → ieri mattina → ieri sera
→ stamattina → oggi pomeriggio → stasera

LE STAGIONI

1 Che stagione è in Italia? Guarda le parole e scrivi la stagione.

occhiali da sole · gelato · bel tempo · campeggio · luglio · vacanza · costume · mare · sole · caldo · spiaggia · aria condizionata

In Italia è _____.

freddo · maglione · nevica · cappello · brutto tempo · piove · ombrello · febbraio

In Italia è _____.

NEL BAGAGLIO

2 È inverno e vai in vacanza a Milano. Devi preparare i bagagli. Collega le tre colonne e metti gli oggetti nello zaino alla pagina successiva, come nell'esempio. Attenzione: un oggetto non va bene in inverno! Quale?

OM	TU	NE
COS	BREL	DA
CAP	GLIO	ME
MA	I	LO
GU	PEL	LO

ombrello _____

_____

_____

_____

Quale oggetto non va bene in inverno?

_____

IL VERBO ANDARE

3 Guarda le immagini e scrivi dove vai, come nell'esempio.
In alcuni casi sono possibili più soluzioni.

1. _Vado a Parigi._

2. _____

3. _____

4. _____

5. _____

6. _____

7. _____

8. _____

IL TEMPO

4 Guarda le foto. Che tempo fa in queste città? Seleziona
l'opzione giusta.

1. A Milano:
   ○ fa caldo.
   ○ fa freddo.
   ○ fa bel tempo.

2. A Firenze:
   ○ fa freddo.
   ○ nevica.
   ○ fa caldo.

3. A Bologna:
   ○ fa bel tempo.
   ○ fa brutto tempo.
   ○ piove.

AZIONI IN VACANZA

5 Abbina i verbi a sinistra e le parole a destra in modo logico.

1. preparare   a casa
2. domandare   per Firenze in treno
3. comprare   i bagagli
4. visitare   informazioni in stazione
5. partire   un biglietto del treno
6. tornare   un museo

6 Adesso ordina le azioni del punto **5** cronologicamente,
come nell'esempio. Sono possibili soluzioni diverse.

1. _preparare i bagagli_
2. _____
3. _____
4. _____
5. _____
6. _____

ESPRESSIONI DI TEMPO

7 Oggi è il **23 marzo**. Completa con le espressioni della lista,
come nell'esempio.

✓ ieri | oggi pomeriggio | tre settimane fa | stamattina
giovedì scorso | il mese scorso | 10 giorni fa

a. il 17 febbraio   ➡ _____
b. il 2 marzo   ➡ _____
c. il 13 marzo   ➡ _____
d. il 16 marzo   ➡ _____
e. il 22 marzo   ➡ _ieri_
f. le 7:30 del 23 marzo ➡ _____
g. le 14:30 del 23 marzo ➡ _____

I VERBI DEL COMPLEANNO

preparare / fare una torta

portare / fare un regalo

ricevere un regalo

spegnere le candeline

fare un brindisi

festeggiare il compleanno

AGGETTIVI PER DESCRIVERE UNA PERSONA

timido >< socievole
simpatico >< antipatico
giovane >< anziano

biondo, basso

castano, magro

moro, alto, robusto

FESTE

1 gennaio: capodanno

6 gennaio: Epifania

tra marzo e aprile: Pasqua

15 agosto: Ferragosto

25 dicembre: Natale

GLI AUGURI

a Natale: **Buon Natale!**

a capodanno: **Buon anno!**

per un compleanno: **Buon compleanno!**

a Pasqua: **Buona Pasqua!**

Per tutte le feste: **Auguri!, Tanti auguri!**

Per un brindisi: **Cin cin!, Salute!**

- Buon compleanno! ▶ Grazie!
- Buon Natale! ▶ Anche a te!

I NUMERI DA 101 A 10000

101	centouno	1280	milleduecent**o**ttanta
142	centoquarantadue	1300	milletrecento
190	centonovanta	2000	due**mila**
500	cinquecento	2600	duemilaseicento
800	ottocento	9000	novemila
1000	mille	10000	diecimila

ESPRESSIONI CON FARE

fare

shopping	tardi	una foto	la spesa

una domanda	colazione	ginnastica

LA FAMIGLIA

TINA ♥ PIETRO   PATRIZIO ♥ KATIA

ALBERTO E VALENTINA

ELISABETTA ♥ GIORGIO

ALLEGRA E AMBRA

Valentina è la **sorella** di Alberto.
Alberto è il **fratello** di Valentina.
Patrizio e Katia sono i **genitori** di Valentina e Alberto:
Patrizio è il **padre** (o il **papà**) e Katia è la **madre** (o la **mamma**).
Giorgio e Elisabetta sono gli **zii** di Valentina e Alberto.
Giorgio ed Elisabetta sono **marito** e **moglie**.
Allegra e Ambra sono le **figlie** di Giorgio e Elisabetta e sono
  le **nipoti** di Patrizio e Katia.
Tina e Pietro sono i **nonni** di Valentina e Alberto.
Valentina e Alberto sono i **nipoti** di Tina e Pietro.
Ambra e Allegra sono le **cugine** di Valentina e Alberto.

Attenzione!
Nipote ha due significati: il nipote dello zio e il nipote del nonno.
I genitori sono solo il padre e la madre.
I parenti sono tutti: zii, genitori, nipoti, fratelli, sorelle, cugini...

I VERBI DEL COMPLEANNO

1 *Completa le frasi con i verbi della lista: due verbi al presente e tre al passato prossimo. I verbi non sono in ordine.*

ricevere | fare | festeggiare | fare | spegnere

1. Per il compleanno di Aurora ieri (*io*) _____ _____ un tiramisù.
2. Stasera mio padre _____ 70 candeline!
3. Venerdì scorso (*noi*) _____ _____ un brindisi per i 50 anni di Dario.
4. Il prossimo weekend Dafne _____ i suoi 18 anni in discoteca.
5. Per il mio compleanno (*io*) _____ _____ una mountain bike, ma io odio fare sport!

I NUMERI DA 101 A 10000

2 *Ordina i numeri dal più piccolo al più grande. Scrivi i numeri in cifre, come nell'esempio.*

millecentocinquanta | ✓centoventitré | cinquecentosei
cinquemilatrecento | tremiladuecento | ottocentonovanta
trecentosettantadue | centonovantotto

123 ⟩ ⟩ ⟩
⟩ ⟩ ⟩

LA FAMIGLIA

3 *Guarda la famiglia a pagina 174 e completa come nell'esempio.*

1. Patrizio è il *marito* di Katia.
2. Allegra è la _____ di Ambra.
3. Katia è la _____ di Allegra.
4. Tina è la _____ di Ambra.
5. Ambra è la _____ di Patrizio.
6. Allegra è la _____ di Pietro.
7. Valentina è la _____ di Ambra.

AGGETTIVI PER DESCRIVERE UNA PERSONA

4 *Guarda le immagini e indica se le frasi sono vere o false.*

            V F
1. Agata:
   a. è castana. ○ ○
   b. è giovane. ○ ○
   c. è anziana. ○ ○

            V F
2. Sabrina:
   a. è anziana. ○ ○
   b. è robusta. ○ ○
   c. è mora. ○ ○

3. Tim:
   a. è biondo. ○ ○
   b. è robusto. ○ ○
   c. è moro. ○ ○

GLI AUGURI

5 *Completa i biglietti con le lettere mancanti.*

1

B☐☐N
N☐T☐☐☐!

2

B☐O☐
COM☐L☐AN☐☐!

3

T☐NT☐
☐UG☐☐☐!

4

B☐☐N☐
P☐S☐☐A

ESPRESSIONI CON FARE

6 *Completa con le parole della lista.*

tardi | shopping | la spesa | una foto

1. fare _____

2. fare _____

3. fare _____

4. fare _____

ABBIGLIAMENTO

vestito · maglietta · giacca · gonna

(un paio di) pantaloni · (un paio di) scarpe · borsa

I COLORI

bianco · rosa · marrone

giallo · viola · grigio

arancione · blu · nero

rosso · verde

AGGETTIVI PER L'ABBIGLIAMENTO

grande · piccolo · corto · lungo

largo · stretto

NEGOZI PER FARE LA SPESA

macelleria · forno / panetteria

fruttivendolo · supermercato

alimentari

UNITÀ DI MISURA

1 etto (1 hg)
= 100 grammi (100 g)
mezzo chilo
= 500 grammi (500 g)
1 chilo (1 kg)
= 1000 grammi (1000 g)
1 litro (1 l)

IL CIBO

VERDURA	FRUTTA	CONDIMENTI
carota	mela	olio
zucchina	arancia	sale
cipolla	banana	zucchero
aglio	pera	pepe

POSATE E STOVIGLIE

coltello · forchetta · cucchiaio · cucchiaino

piatto · pentola · padella

IL SUPERMERCATO

carrello · sacchetto · cassa

ABBIGLIAMENTO

1 *Osserva le immagini: vero o falso?*

	V	F
Lui ha:		
una giacca.	○	○
una maglietta.	○	○
un paio di pantaloni.	○	○

	V	F
Lei ha:		
una borsa.	○	○
una gonna.	○	○
un vestito.	○	○

I COLORI

2 *Osserva le immagini e completa le frasi con i colori.*

1. Lei ha un paio di pantaloni

e un paio di scarpe

_____ .

2. Lui ha una giacca

e una maglietta

_____ .

3. Lei ha una maglietta

e un cappello

_____ .

AGGETTIVI PER L'ABBIGLIAMENTO

3 *Ordina i gruppi di lettere e scrivi l'aggettivo. Poi abbina l'aggettivo e il suo contrario.*

1. TTO | RE | ST ➡ _____   lungo
2. TO | R | CO ➡ _____   grande
3. CO | PIC | LO ➡ _____   largo

UNITÀ DI MISURA

4 *Scrivi in lettere gli elementi evidenziati.*

1. ● Buongiorno, mi dica.
   ▶ Volevo **2 hg** _____ di prosciutto.
2. ● Quanto viene al **kg** _____ la bresaola?
   ▶ 35 euro.
3. ● Vuole altro?
   ▶ Sì, **1 l** _____ di latte, per favore.
4. ● Prendo queste banane. Quanto pesano?
   ▶ **½ kg** _____ .

IL CIBO

5 ~~Cancella~~ l'intruso.

VERDURA	FRUTTA	CONDIMENTI
• cipolla	• mela	• olio
• zucchina	• aglio	• zucchero
• pepe	• arancia	• sale
• carota	• pera	• banana

POSATE E STOVIGLIE

6 *Completa l'immagine con le parole della lista. Attenzione: ci sono due parole in più!*

piatto | cucchiaino | coltello
forchetta | cucchiaio | pentola

7 *Indica dove puoi sentire queste frasi: in un alimentari (A) o in un negozio di scarpe o abbigliamento (N)?*

	A	N
1. Che taglia porta?	○	○
2. C'è la large di questo modello?	○	○
3. Quanto viene al chilo?	○	○
4. Che numero ha?	○	○
5. Quanto pesa?	○	○
6. Questa gonna c'è in grigio?	○	○
7. Quanto costano quei pantaloni?	○	○
8. Il prosciutto è in offerta?	○	○

IL CORPO

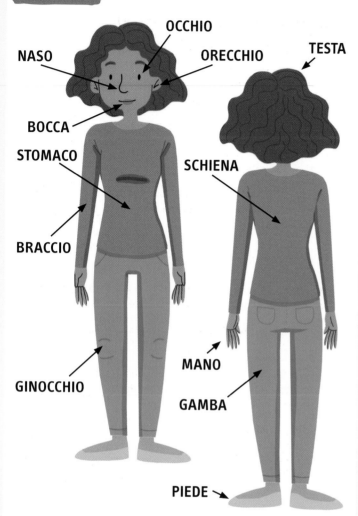

- OCCHIO
- NASO
- ORECCHIO
- TESTA
- BOCCA
- STOMACO
- SCHIENA
- BRACCIO
- GINOCCHIO
- MANO
- GAMBA
- PIEDE

ESPRESSIONI CON AVERE

avere sete

avere fame

avere caldo

avere freddo

2+2=4

avere ragione

2+2=3

avere torto

avere fretta

avere mal di gola

avere sonno

Ho bisogno
di una vacanza!

avere bisogno di: riposare,
dormire, un caffè, soldi,
un lavoro, tempo...

PICCOLI DISTURBI

Ho la febbre.   Ho il raffreddore.   Ho la tosse.

ho mal di   + testa / gola / denti / schiena / stomaco

mi fa male   + la testa / la gola / la schiena / lo stomaco

mi fanno male + le orecchie / i denti / le gambe / i piedi

IL CORPO

1 Cerca le parti del corpo nello schema (in **ORIZZONTALE** →
o in **VERTICALE** ↓) e poi scrivi le parole nelle foto sotto,
come nell'esempio.

G	I	N	O	C	C	H	I	O	R	B	S
A	N	A	S	O	P	N	T	C	T	R	T
M	M	A	N	O	I	V	E	C	U	A	O
B	O	C	C	A	E	B	S	H	I	C	M
A	L	I	A	R	D	O	T	I	S	C	A
I	S	C	H	I	E	N	A	O	A	I	C
R	A	T	O	R	E	C	C	H	I	O	O

testa

2 Abbina gli oggetti e le parti del corpo, come nell'esempio.

1. 2. 3.

4. 5.

piedi: ☐   mani: ☐   occhi: ☐   gambe: ☐   testa: **2**

PICCOLI DISTURBI

3 Completa le frasi con le parole mancanti.

1. No, grazie, non prendo il caffè oggi.
   Ho _____ di stomaco.

2. Devo andare in farmacia. Mi _____
   male i denti da due giorni.

3. Dopo la palestra, mi _____ male
   le gambe.

4. Hai sempre mal _____ schiena?
   Non devi stare seduta tutto il giorno!

5. Dottore, mio figlio _____ la febbre.

6. Ieri ho dormito poco e oggi mi _____
   male la testa.

ESPRESSIONI CON AVERE

4 Leggi le frasi e scrivi l'espressione con il verbo avere con
un significato simile, come negli esempi.

1. Dico una cosa giusta.
   → Ho _____.

2. Non ho tempo, sono
   in ritardo.
   → Ho _____.

3. Mi fa male la testa.
   → Ho ___*mal*___
   di testa.

4. Ho bisogno di bere.
   → Ho _____.

5. Dico una cosa sbagliata.
   → Ho ___*torto*___.

6. Ho bisogno di dormire.
   → Ho _____.

7. Devo mangiare qualcosa.
   → Ho _____.

FRASI UTILI

5 In farmacia. Ordina le parole e forma le frasi, come
nell'esempio. Attenzione: la prima parola è sempre al
posto giusto.

1. **Volevo** | di | contro | il | testa | qualcosa | mal
   → ___*Volevo qualcosa contro il mal di testa*___.

2. **Ho** | di | di | qualcosa | forte | bisogno
   → _____.

3. **Da** | questo | ha | dolore | quando
   → _____?

4. **Forse** | riposare | bisogno | ha | di
   → _____.

5. **È** | dolore | forte | un
   → _____?

FONETICA

LEZIONE 1

1 La "musica" della domanda

La domanda in italiano ha una "musica" (intonazione) diversa.

		INTONAZIONE
frase normale	Lei è Marta	→
domanda	Lei è Marta?	↗

50 *Ascolta le frasi: scrivi ? (punto interrogativo) se è una domanda, o . (punto) se non è una domanda.*

1. Tu sei Valerio ___
2. Lei si chiama Paola ___
3. Lei è italiana ___
4. Lui si chiama Alfredo ___
5. Si scrive così ___
6. Non è inglese ___
7. È di Milano ___
8. Ha un libro ___

2 Come si pronuncia la lettera *c*?

51 **2a** *Ascolta e completa lo schema con le parole della lista. In queste parole la lettera c si pronuncia come in* dieci, *o come in* Carlo?

1. <u>Ch</u>iara | 2. <u>C</u>ina | 3. arriveder<u>c</u>i
4. <u>ch</u>iamarsi | 5. pia<u>c</u>ere | 6. <u>ch</u>e | 7. <u>c</u>ome
8. <u>c</u>urioso | 9. ameri<u>c</u>ano | 10. fran<u>c</u>ese

si pronuncia come in dieci	*si pronuncia come in* Carlo

2b *Adesso ripeti le parole.*

c + a, o, u, c / c + h	*c + i, e*
americano, come, curioso, Chiara, che, chiamarsi	Cina, arrivederci, piacere, francese

2c *Come si pronunciano queste frasi?*

1. Mi chiamo Concetta, piacere.
2. Sono di Pechino.
3. Arrivederci, Rachele!
4. Ciao, io mi chiamo Alice, e tu come ti chiami?

LEZIONE 2

1 La lettera *h*

52 **1a** *Ascolta le parole e rispondi alla domanda.*

ho | **hobby** | **hamburger** | **hotel** | **hai** | **hostess**

In italiano la lettera *h* a inizio parola si pronuncia?
sì ○ no ○

1b *Ascolta ancora e ripeti le parole.*

53 **1c** *Ascolta e ripeti.*

1. Fa la hostess.
2. Hai un hobby interessante.
3. È un hotel piccolo.
4. Ho venticinque anni.
5. Mangio un hamburger.

2 L'apostrofo

54 **2a** *Ascolta i gruppi di parole e rispondi alla domanda.*

un'insegnante | **l'operaio** | **l'azienda** | **l'ufficio**
un'amica | **l'Italia** | **l'impiegato**

Tra l'articolo *l'* / *un'* e il nome c'è una pausa?
sì ○ no ○

2b *Ascolta ancora e ripeti i gruppi di parole.*

55 **2c** *Ascolta e ripeti.*

1. Lei è un'amica di Marta.
2. Pino fa l'impiegato.
3. Ugo fa l'operaio.
4. Sara è un'insegnante.
5. Dov'è l'ufficio?

2d *Con la lettera h a inizio parola in generale usiamo l'apostrofo. Ripeti i gruppi di parole.*

l'hamburger | **l'hotel** | **l'hobby** | **l'hostess**

LEZIONE 3

1 La lettera *g*

56 **1a** *Ascolta e seleziona la pronuncia corretta.*

1. fun<u>gh</u>i	dʒi	gi	6. biolo<u>g</u>ico	dʒi	gi
2. man<u>g</u>i	dʒi	gi	7. pre<u>g</u>o	dʒo	go
3. ra<u>g</u>ù	dʒu	gu	8. spa<u>gh</u>etti	dʒe	ge
4. pa<u>g</u>are	dʒa	ga	9. ve<u>g</u>etariano	dʒe	ge
5. <u>g</u>elato	dʒe	ge	10. pa<u>gh</u>i	dʒi	gi

1b *Adesso ripeti le parole.*

g + a, o, u / g + h	*g + i, e*
funghi, ragù, pagare, prego, spaghetti, paghi	gelato, vegetariano, mangi, biologico

57 **1c** *Ascolta e ripeti.*

1. Vuole una pizza margherita o una pizza ai funghi?
2. Pago un gelato allo yogurt e due gelati alla fragola.
3. Per me, spaghetti alle vongole.
4. Tu sei vegano e mangi solo cibo biologico?

LEZIONE 4

1 Ancora la c: cia, cio, ciu

1a *Ascolta le parole e rispondi alla domanda.* **58**

Francia | **faccio** | **acciuga**

> La lettera *i* si pronuncia?
> sì ○ no ○

1b *Ripeti le parole, poi ascolta e verifica.* **59**

diciotto | **doccia** | **riccio** | **ciuco** | **pancia**
comincio

2 Ancora la g: gia, gio, giu

2a *Neanche in questi gruppi di lettere si pronuncia la lettera i. Ripeti queste parole. Poi ascolta e verifica.* **60**

mangiare | **viaggio** | **giusto**
artigiana | **giocare** | **Giulia**

2b *In gruppi di tre o quattro studenti. In cerchio. Uno studente pronuncia la parola 1, un altro studente pronuncia la parola 2, eccetera. Se uno studente fa un errore, ricomincia dalla parola 1.*

1. pomeriggio → 2. cominciare → 3. Cina → 4. Giacomo
8. ghiaccio ← 7. ciao ← 6. fango ← 5. giorno
9. Giuseppe → 10. parmigiano → 11. mancia → 12. calcio
16. chiocciola ← 15. bacio ← 14. giungla ← 13. manca
17. diciassette → 18. frangia → 19. formaggio → 20. chiuso

LEZIONE 5

1 Gruppi di vocali "difficili"

1a *Ascolta e ripeti le parole.* **61**

uomo | **video** | **Europa** | **vuoi** | **aereo**

1b *Prova a ripetere queste parole con un compagno. Poi ascoltate e ripetete.* **62**

uovo | **meteo** | **euro** | **puoi** | **maestro**

1c *Adesso provate a ripetere queste coppie di parole: attenzione alla differenza!*

vuoi – voi | **puoi – poi**

1d *Giocate in coppia. Ripetete queste frasi varie volte. Quando siete pronti, dite le frasi (due per studente): l'insegnante verifica. Vince la coppia che ripete tutto senza errori per prima.*

1. Il maestro di musica usa video in classe.
2. L'aereo non parte perché il meteo è brutto.
3. In Europa molti Paesi usano l'euro.
4. Poi puoi venire con me. O non vuoi?

LEZIONE 6

1 La pronuncia di sc

1a *Ascolta e seleziona la pronuncia corretta. Segui l'esempio.* **63**

	ʃ	sk			ʃ	sk
1. fresche	○	✓				
2. piscina	○	○	5. scala	○	○
3. scuro	○	○	6. esco	○	○
4. scendere	○	○	7. boschi	○	○

1b *Completa lo schema sulla pronuncia di sc.*

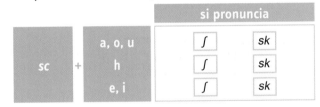

sc +		si pronuncia	
	a, o, u	ʃ	sk
	h	ʃ	sk
	e, i	ʃ	sk

1c *Ascolta le parole: la lettera i si pronuncia nelle parti evidenziate?* **64**

	sì	no			sì	no
1. fi**schi**o	○	○	4. mi**schi**are	○	○
2. co**sci**a	○	○	5. la**sci**o	○	○
3. **schi**uma	○	○	6. pro**sci**utto	○	○

1d *In coppia (studente A e studente B). A ripete la frase 1, B ascolta e verifica. B ripete la frase 2, A ascolta e verifica, ecc. Poi ricominciate e invertite i ruoli: B ripete la frase 1, A la frase 2, ecc.*

1. Preferisci il pesce o il prosciutto?
2. Francesco Boschi ha molto fascino.
3. Scusi, capisce il tedesco?
4. Che scherzo sciocco!
5. Preferisco uscire senza sciarpa.
6. Quando finisce lo sciopero?

FONETICA

LEZIONE 7

1 I suoni della lettera s

65 ▶ **1a** Ascolta e ripeti le parole che includono la lettera s (prima colonna). Poi leggi la regola (seconda e terza colonna).

		la s si pronuncia
1. **ca**sa 2. vi**s**itare 3. meraviglio**s**o	tra due vocali	z
4. agrituri**s**mo 5. **s**bagliato	prima di b, d, g, m, n, v	
6. **s**olo 7. **s**icuro	a inizio parola, prima di una vocale	s
8. fal**s**o 9. pen**s**ione	dopo una consonante	

1b In coppia (studente A e studente B). A legge le frasi 1, 3 e 5 a voce alta. B le frasi 2, 4 e 6 a voce alta. Fate attenzione alla pronuncia della s. Poi invertite i ruoli. Dopo lavorate con un compagno diverso (A con un altro studente B, B con un altro studente A) come nella fase precedente.

1. È una casa meravigliosa.
2. Non sono sicuro.
3. Sabrina è una snob!
4. Ho visitato la Sicilia.
5. Che cosa pensi di Sandro?
6. Si sveglia sempre alle 7.

LEZIONE 8

1 La pronuncia di gl e gn

66 ▶ **1a** Ascolta le frasi e ripeti. Fai attenzione alla pronuncia dei gruppi di lettere **evidenziati**.

1. Mio fi**gl**io abita a Ca**gl**iari.
2. Mia mo**gl**ie è nata in Pu**gl**ia.
3. Sono inse**gn**ante di spa**gn**olo.
4. A giu**gn**o passo una settimana in campa**gn**a.

67 ▶ **1b** Ascolta le parole: che suono senti?

	1	2	3	4	5	6
gl	○	○	○	○	○	○
gn	○	○	○	○	○	○

68 ▶ **1c** Ascolta le frasi e completa con le lettere mancanti.

1. Vado a Bolo☐☐☐ nel fine settimana.
2. Che cosa fai a lu☐☐☐☐?
3. Può scriverlo alla lava☐☐☐?
4. Non mi piace l'a☐☐☐!
5. Mi hai dato un consi☐☐☐☐ sba☐☐☐☐to!

LEZIONE 9

1 La lettera v e altre consonanti

69 ▶ **1a** Ascolta le parole e scrivi la lettera che senti. Poi verifica con tutta la classe.

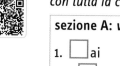

sezione A: v o f?	sezione B: v o b?
1. ☐ai 2. ☐ai 3. a☐a 4. A☐a 5. ☐oto 6. ☐oto 7. ☐ermi 8. ☐ermi	1. ☐asta 2. ☐asta 3. ☐ello 4. ☐ello 5. ☐ene 6. ☐ene 7. ☐ado 8. ☐ado

1b Ascolta ancora e ripeti le parole del punto a.

1c In coppia. Completa le tue parole. Poi lavora con un compagno. A turno uno studente legge una parola e l'altro studente scrive. Alla fine verificate insieme.

LE MIE PAROLE		LE PAROLE DEL MIO COMPAGNO	
scrivi v o f	scrivi v o b	scrivi v o f	scrivi v o b
1. ☐ino	4. ☐olo	1. ☐ino	4. ☐olo
2. ☐olata	5. ☐ara	2. ☐olata	5. ☐ara
3. ☐oglio	6. ☐acca	3. ☐oglio	6. ☐acca

LEZIONE 10

1 Le lettere con l'accento

70 ▶ **1a** L'accento sulla vocale finale ha molta enfasi. Ascolta e ripeti le parole.

1. pubblicità → 2. caffè → 3. perché ↘
6. menù ← 5. Niccolò ← 4. così

1b Le due lettere **evidenziate** hanno una pronuncia diversa. In un caso devi aprire di più la bocca: quale?

○ caffè   ○ perché

1c Come si pronunciano queste parole? Leggi e ripeti con un compagno.

università   città   Perù
però   purè
lunedì   papà   bebè
ventitré   felicità

ESERCIZI

E EPISODI A FUMETTI DI

VIVERE E PENSARE ALL'ITALIANA

1 Alfabeto
Completa l'alfabeto.

A – B (bi) – C (_____) – D (di) – E – F (effe)
G (_____) – H (_____) – I – L (elle) – M (emme)
N (enne) – O – P (_____) – Q (qu) – R (_____)
S (_____) – T (_____) – U – V (vu) – Z (_____)

Lettere straniere:
J (_____) – K (kappa) – W (doppia vu)
X (_____) – Y (ipsilon)

2 Spelling
Scrivi i nomi, come nell'esempio.

1. A – U – GI – U – ESSE – TI – O
   AUGUSTO
   _____

2. ESSE – O – PI – ACCA – I – E
   _____

3. CAPPA – A – TI – I – A
   _____

4. DOPPIA VU – I – ELLE – ELLE – I – A – EMME
   _____

5. DI – A – VU – I – DI – E
   _____

3 Numeri
Risolvi le operazioni e completa il cruciverba, come nell'esempio.

¹D	O	²D	I	C	I

VERTICALI ↓

1. 20 - 3 =
   _____

2. 12 + 6 =
   _____

3. 12 + 8 =
   _____

5. 7 + 3 =
   _____

7. 4 + 1 =
   _____

ORIZZONTALI →

1. 16 - 4 =   *dodici*
4. 7 + 4 = _____
6. 1 + 6 = _____
8. 3 - 3 = _____
9. 2 + 2 = _____

4 Saluti
Completa con le espressioni della lista, come nell'esempio.

1. **buongiorno** | **ciao** | **arrivederci** | **buonasera**

FORMALE	INFORMALE

2. **buongiorno** | **ciao** | **arrivederci** | **buonasera**

ARRIVO	VADO VIA	ARRIVO + VADO VIA

3. **buongiorno** | ✓**ciao** | **arrivederci** | **buonasera**

		ciao

5 Formale o informale?

71 ▷ Ascolta e completa. Poi seleziona: formale o informale?

1.
● _____, mi chiamo Claudia.
  E _____ Ivano, no?
▶ No, mi chiamo Manuel, _____!
● Ah, sì, scusa! _____.

DIALOGO: formale ○ informale ○

2.
● _____, sono Martino Filippi.
▶ Chiara Orlandi, _____.
● Piacere _____.

DIALOGO: formale ○ informale ○

3.
● Ciao, _____
  Carlo, e tu?
▶ Sophie, _____.
● Come, _____?
▶ Sophie. Si _____ ESSE – O – PI –
  ACCA – I – E.

DIALOGO: formale ○ informale ○

6 Risposta logica
Seleziona la reazione logica.

1. ▶ Come si scrive?
   ● CI – A – ERRE – ELLE – O. | ● Scusa.

2. ▶ Mi chiamo Fausto.
   ● Piacere, e tu? | ● Piacere, Paloma.

3. ▶ Ciao, mamma.
   ● Ciao, amore. | ● Arrivederci.

4. ▶ Tu ti chiami Maddalena?
   ● No, sono Barbara. | ● No, sono Maddalena.

SEZIONE B Di dove sei?

7 Città e Paesi
Abbina Paese e città, come nell'esempio.

PAESE	CITTÀ
1. Brasile	a. Stoccolma
2. Svezia	b. Pechino
3. Spagna	c. Mosca
4. Francia	d. Brasilia
5. Cina	e. Madrid
6. Russia	f. Parigi

8 Paesi e nazionalità
Guarda le immagini e scrivi il Paese e la nazionalità, come negli esempi. Attenzione al maschile e al femminile!

1. *Germania*
    tedesca

2. _____

3. *Inghilterra*
   _____

4. _____

5. _____

6. _____

9 Maschile o femminile?
Maschile o femminile? Attenzione: alcuni aggettivi sono maschili e femminili.

1. spagnola ○ ○
2. russo ○ ○
3. inglese ○ ○
4. svedese ○ ○
5. tunisina ○ ○
6. argentino ○ ○

10 Domandare la provenienza
Completa i dialoghi con le parole della lista, come nell'esempio.

è | scusa | ✓no | elle | dove | chiami | svizzera
come | italiana | tuo | non | sono

1.
▶ Ti _____ Serena?
● _____ *No* _____, Paola.
▶ Come, _____?
● Paola.

2.
▶ _____ si scrive il _____ nome?
● Si scrive ACCA – E – _____ – E – ENNE – A.

3.
▶ Di _____ sei?
● _____ francese, di Parigi.

4.
▶ Sei di Brasilia?
● No, _____ sono brasiliana. Sono di Lisbona.

5.
▶ Sei _____?
● No, sono _____, di Roma.

6.
▶ Dimitri _____ russo?
● Sì, di Mosca.

11 Piacere mio.
Ordina il dialogo, come nell'esempio.

☐ No, di Oxford.
☐ Piacere mio. Sei spagnolo?
☐ Sono inglese.
☐ Pedro, piacere.
☐ Di Londra?
[1] Ciao, mi chiamo Chris, e tu?
☐ No, sono argentino. Tu di dove sei?

Che cos'hai nella borsa?

12 Parole della classe

a *Separa le parole come negli esempi.*

F O G L I O/L I B R O L A V A G N A A S T U C C I O M A T I T A Z A I N O
P E N N A A G E N D A/F I N E S T R A/S E D I A Q U A D E R N O
P O R T A D I Z I O N A R I O T A V O L O E V I D E N Z I A T O R E

b *Completa la pagina web con 5 parole del punto 12a, come nell'esempio.*

13 Essere e avere

Completa con la forma corretta di essere o avere.

1. Pedro _____ spagnolo.

2. Io _____ di Buenos Aires e tu di dove
   _____?

3. Scusa, _____ un evidenziatore?

4. Il signor Ricci non _____ un tablet.

5. Lei _____ di Toronto.

6. Nello zaino io _____ un tablet.

14 Maschile e femminile

Segui le parole femminili per uscire dal labirinto, come nell'esempio. Vai in orizzontale → o in verticale ↓.

ENTRATA	quaderno	nome
penna	astuccio	studentessa
lezione	agenda	dizionario
zaino	sedia	evidenziatore
foglio	signora	chiave
libro	studente	matita
gomma	porta	USCITA

15 Articolo indeterminativo

Completa lo schema e scrivi l'articolo indeterminativo, come nell'esempio.

✓porta | agenda | studente | evidenziatore | chiave
dizionario | matita | lezione | zaino | quaderno

MASCHILE	FEMMINILE
	una porta

ITALIANO IN PRATICA

SEZIONE D Può ripetere?

16 Parole in disordine

Ordina le parole e forma una frase.

1. si | il | come | nome | scrive | tuo
➡ _____?

2. chiamo | e | Stefania | tu | mi
➡ _____?

3. la | d'identità | carta | ha
➡ _____?

4. si | pronuncia | "chiave" | come
➡ _____?

5. dove | di | sei
➡ _____?

17 In albergo **8 ▶**

Completa il dialogo tra il turista (**T**) e il receptionist (**R**) con le frasi della lista, come nell'esempio. Poi ascolta e verifica.

Bene! Come si chiama? | Come si scrive il cognome? | ✓ Buonasera. | Prego. Buonanotte! | Certo... Ah, Lei è di Trieste! Una città bellissima! Allora... Camera 18. | Ok... Signor Aldo... Stankovic. Ha un documento, per favore? | Come, scusi? Può ripetere?

T ▶ Salve.
R ● *Buonasera.* _____
T ▶ Ho una prenotazione.
R ● _____
T ▶ Aldo Stankovic.
R ● _____
T ▶ Aldo Stankovic.
R ● _____
T ▶ ESSE – TI – A – ENNE – KAPPA – O – VU – I – CI.
R ● _____
T ▶ Sì, va bene la carta d'identità?
R ● _____
T ▶ Grazie.
R ● _____

18 Formale e informale

Trasforma da formale a informale o viceversa, come nell'esempio.

FORMALE	INFORMALE
1. Ha un penna, per favore?	*Hai una penna, per favore?*
2. Scusi, può ripetere?	
3.	Sei tedesco?
4. Come si chiama?	
5.	Di dove sei?
6.	Mi chiamo Linda, e tu?

19 Frasi utili

Abbina le frasi, come nell'esempio.

1. Lui è Yukio.
2. Come ti chiami?
3. Grazie.
4. Sei cinese?
5. Di dove sei?
6. Hai una penna?
7. Come si scrive?
8. Come si dice *boy*?

a. Di Roma.
b. TI – A – VU – O – ELLE – O
c. Piacere!
d. No, va bene una matita?
e. No, sono di Tokyo.
f. Si dice *ragazzo*.
g. Prego.
h. Laura.

20 Giusto o sbagliato?

Seleziona la frase corretta.

1.
○ Ciao, signor Flamini.
○ Buongiorno, signor Flamini.

2.
○ Sono di Cina.
○ Sono di Pechino.

3.
○ Come si chiami?
○ Come ti chiami?

4.
○ Non è spagnolo, è italiano.
○ No è spagnolo, è italiano.

5.
○ Di come sei?
○ Di dove sei?

6.
○ Che significa *gatto*?
○ Come significa *gatto*?

'ALMA.tv ▶

Guarda il Linguaquiz *Presentarsi.*

PARLO IO!

TESTI: CHIARA PEGORARO
DISEGNI: VALERIO PACCAGNELLA

Per Val è impossibile rispondere alle domande di Gianni, Michela, Emanuele, Elisabetta e Andrea.
Immagina le risposte di Val. Seleziona una risposta possibile e logica.

1. Di dove sei?   a. ○ Sono studente.   b. ○ Olandese.

2. Sei straniero?   a. ○ Sì, sono olandese.   b. ○ No, sono studente.

3. Come ti chiami?   a. ○ Vu – a – elle.   b. ○ Val.

4. Anche tu sei uno studente?   a. ○ Sì.   b. ○ Italiano.

5. Che cosa studi?   a. ○ A Napoli.   b. ○ Italiano.

6. Domani hai un test?   a. ○ No.   b. ○ Prego.

7. Il tuo nome come si scrive?   a. ○ Vu – a – elle.   b. ○ Olandese.

SEZIONE A Studio italiano.

1 Nome e aggettivo
Completa con gli aggettivi della lista.

francese | americana | giapponese
italiano | argentino | italiana

1. _____ è uno sport

2. _____ è un ballo

3. _____ è una macchina

4. _____ è una città

5. _____ è una strada

6. _____ è un piatto

2 Presentazioni
Ordina le frasi, come nell'esempio.

- [ ] ama l'
- [ ] ragazza francese. Ha 25
- [1] Questa è Céline, una
- [ ] Parigi. Studia
- [ ] italiano perché
- [ ] arte italiana.
- [ ] anni e abita a

3 Città, paesi e preposizioni
Completa con a o in e sottolinea l'opzione corretta.

1. La Torre Eiffel è _____ **Londra / Parigi.**
2. Buenos Aires è _____ **Argentina / Messico.**
3. Il Taj Mahal è _____ **Giappone / India.**
4. La Fontana di Trevi è _____ **Lisbona / Roma.**
5. L'Empire State Building è _____ **New York / Rio de Janeiro.**
6. La Sagrada Familia è _____ **Russia / Spagna.**

4 Domande personali
Completa i dialoghi con le parole mancanti.

1. ▶ Che _____ parli? ● Italiano, francese e inglese.
2. ▶ Quanti _____ hai? ● 28, e tu?
3. ▶ _____ ti chiami? ● Sofia, piacere.
4. ▶ _____ studi italiano? ● Perché lavoro in Italia.
5. ▶ _____ dove sei? ● Di Vienna.
6. ▶ _____ abiti? ● A Torino.

5 Verbi in -are
Completa i verbi con le lettere mancanti.

1. Tu parl__ tedesco?
2. Lei mangi__ la pizza?
3. Io am__ Barcellona.
4. Lei dove studi__ inglese?
5. Io cerc__ un'insegnante di spagnolo.
6. Tu abit__ in Francia?

6 Numeri
Forma i numeri, come nell'esempio.

1. RAN – TU – QUA – NO ___*quarantuno*___
2. TA – NO – VAN – TRÉ _____
3. DU – VEN – TI – E _____
4. TAN – TE – TA – SET – SET _____
5. NO – CIN – TA – VE – QUAN _____
6. EN – SE – TR –TA – I _____

7 Contare
Completa le serie.

1. ventuno – ventidue – _____ – ventiquattro
2. settanta – ottanta – novanta – _____
3. _____ – quarantaquattro – quarantasei – quarantotto
4. novantotto – ottantotto – _____ – sessantotto
5. trenta – _____ – quaranta – quarantacinque
6. sessantadue – _____ – sessanta – cinquantanove

SEZIONE B Che lavoro fai?

8 Professioni

Trova nello schema gli 8 nomi di professione, come nell'esempio. Le parole sono in orizzontale → o in verticale ↓.

U	L	A	D	I	O	C	A	S	S	T	A
I	M	P	I	E	G	A	T	O	M	I	R
N	A	T	R	E	S	N	O	I	C	E	C
S	E	G	E	L	A	T	A	I	A	V	H
E	V	A	T	O	L	A	M	U	M	M	I
G	E	I	T	C	A	N	O	L	E	I	T
N	U	R	R	I	S	T	E	D	R	A	E
A	L	L	I	M	M	E	S	U	I	A	T
N	E	R	C	E	S	T	A	G	E	N	T
T	I	S	E	G	R	E	T	A	R	I	O
E	F	E	B	E	N	A	N	D	E	Q	U

9 Professioni e luoghi di lavoro

Vero o falso?

V F

1.
a. È un'infermiera. ○ ○
b. Lavora in un ristorante. ○ ○
c. Fa la cuoca. ○ ○

2.
a. È un cameriere. ○ ○
b. Lavora in un ospedale. ○ ○
c. Fa il commesso. ○ ○

3.
a. È un segretario. ○ ○
b. Lavora in una fabbrica. ○ ○
c. Fa l'operaio. ○ ○

4.
a. È una cantante. ○ ○
b. Lavora in una scuola. ○ ○
c. Fa la gelataia. ○ ○

10 Domandare la professione

Ordina i dialoghi, come negli esempi.

1.
☐ Faccio l'insegnante in una scuola di lingue.
☐ Ah, interessante! Che lingue insegna?
☐ 1 Lei che lavoro fa?
☐ Spagnolo e italiano.

2.
☐ Fa il cameriere?
☐ 1 Lei che lavoro fa?
☐ Lavoro in un ristorante.
☐ No, il cuoco.

11 Fare

Completa con la forma corretta di fare.

1. Io _____ l'insegnante in una scuola di lingue.
2. Tu che lavoro _____?
3. Lavoro in un ospedale. _____ l'infermiera.
4. Paola _____ la commessa.
5. Studia e lavora. _____ il gelataio.
6. Tu _____ l'impiegata?

12 Articolo determinativo

Sottolinea l'articolo giusto.

1. **il / la** penna   2. **il / l'** ragazzo   3. **il / lo** zaino
4. **il / lo** studente   5. **l' / lo** ufficio   6. **il / la** chiave
7. **il / lo** cellulare   8. **la / lo** stazione   9. **l' / la** scuola

13 Dove lavora?

Forma frasi logiche, come nell'esempio.

Il
La
L'

dottore lavora in
impiegato lavora in
commesso lavora in
cuoca lavora in
insegnante lavora in
infermiera lavora in
cameriere lavora in
operaia lavora in

una fabbrica.
un ristorante.
un negozio.
una scuola.
un ospedale.
un ufficio.

SEZIONE C Tre ragazzi di talento

14 Nome e aggettivo

~~Cancella~~ l'aggettivo intruso, come nell'esempio.
Attenzione: in un caso ci sono _due_ intrusi!

1. Un professore **universitario** / ~~italiana~~ / **bravo**.
2. Una città **piccola** / **grande** / **famoso**.
3. Un ristorante **piccola** / **cinese** / **straordinaria**.
4. Un'azienda **grande** / **tedesco** / **interessante**.
5. Un ufficio **moderna** / **nuovo** / **piccolo**.
6. Un ragazzo **giovane** / **famosa** / **russo**.

15 Pronomi

Scrivi il pronome personale, come nell'esempio.

1. _____loro_____ ascoltano
2. _____ studia
3. _____ lavorate
4. _____ domandano
5. _____ parliamo
6. _____ fai
7. _____ hanno
8. _____ parla
9. _____ studiate
10. _____ guardo
11. _____ fate
12. _____ siamo

16 Verbi in -are

Completa con il presente del verbo tra parentesi.

1. Tu e Laura che lingue (_parlare_) _____?
2. Michela (_avere_) _____ 65 anni.
3. Io e Sergio (_lavorare_) _____ in un negozio.
4. Tu (_abitare_) _____ in Svizzera?
5. Noi (_studiare_) _____ l'arabo.
6. Tu e Teresa (_abitare_) _____ a Roma?

17 Abbinamenti con i verbi

Abbina in modo logico, come nell'esempio. Sono possibili più soluzioni.

1. essere
2. parlare
3. abitare
4. lavorare
5. fare
6. avere
7. studiare

a. l'inglese e lo spagnolo
b. in via Rossini
c. di Milano
d. 47 anni
e. in una fabbrica
f. matematica
g. l'infermiere

18 Italiani di talento

Leggi i profili e rispondi alle domande.

Nome: Guglielmo
Cognome: Castelli
Anno di nascita: 1987
Città di provenienza: Torino
Città di residenza: Torino
Professione: artista
Collabora con: _Vogue Italia_, musei a Roma, Ginevra e Amsterdam

Nome: Chiara
Cognome: Ferragni
Anno di nascita: 1987
Città di provenienza: Cremona
Città di residenza: Milano e Los Angeles
Professione: stilista di scarpe, _fashion blogger_ per il sito _The blonde salad_
Collabora con: Max Mara e Christian Dior

1. Dove abita Gugliemo?
   _____

2. Di dov'è Chiara?
   _____

3. Dove abita Chiara?
   _____

4. Quanti anni hanno Chiara e Guglielmo?
   _____

5. Che lavoro fa Guglielmo?
   _____

6. Che lavoro fa Chiara?
   _____

7. Dove lavora Guglielmo?
   _____

ITALIANO IN PRATICA

SEZIONE D Qual è il tuo numero di telefono?

19 Un biglietto da visita

Sei Serena Altieri. Guarda il tuo biglietto da visita e rispondi alle domande, come nell'esempio.

Serena Altieri

FOTOGRAFA

⊙ via della Rocca 13, 10123 Torino

☎ 333 8154871

✉ serena@studioimmagine.com

🌐 www.studioimmagine.com

1. Come ti chiami? *Serena Altieri* .
2. Come si chiama il tuo sito web? _____ .
3. Che lavoro fai? _____ .
4. Qual è la tua e-mail? _____ .
5. Qual è il tuo numero di telefono? _____ .

20 Preposizioni

Completa con di, in o a.

1. Abito ____ via Ricasoli.
2. Lavori ____ una scuola?
3. Il mio numero ____ telefono è 349 0754633.
4. Insegno in una scuola ____ lingue.
5. Lavorano ____ Milano.
6. Sono tedesco, ____ Berlino.
7. Insegno ____ Piazza Tasso.
8. ____ dove sei?
9. Faccio un corso ____ francese.
10. Studiano ____ Roma.

21 Domande formali

Completa le domande formali con le lettere mancanti.

1. C☐e lingue parl☐?
2. Qu☐l è il ☐uo in☐irizzo?
3. Dove abit☐?
4. L☐i che lavor☐ fa?
5. Come ☐i chiam☐?
6. Qual ☐ la Su☐ mail?
7. Scus☐, pu☐ ripetere?

22 In segreteria

14 ▶ *Ascolta e completa il dialogo.*

▶ Bene, allora adesso _____ l'iscrizione. Lei si chiama...?
● Sofia Fantini.
▶ Ok... Sofia... Fantini... Abita a _____?
● Sì.
▶ E qual è il Suo indirizzo?
● Piazza Giuseppe Verdi 9.
▶ Perfetto. E qual è la _____ mail?
● s.fantini@gmail.com
▶ Ok... Il Suo numero di telefono?
● Il _____ va bene?
▶ Sì, certo.
● Ok. 0 - 6 - _____ - 1 - 7 - 1 - 3 - 2 - 1 - 0.
▶ Bene... 06 - _____ - 71 - 32 - 10. Quanti anni ha?
● 35.
▶ Che lavoro fa?
● Sono insegnante.
▶ Ah, _____! Che cosa insegna?
● Tedesco.
▶ Ah, quindi parla italiano, tedesco e studia spagnolo? _____!
● Grazie.
▶ E perché _____ questo corso?
● Perché sono sposata con un ragazzo argentino.

23 Risposta logica

Seleziona la risposta logica.

1. Parlo italiano, inglese, francese e tedesco.
   ○ Bravo! | ○ Certo!

2. Che lavoro fa?
   ○ In una scuola. | ○ La direttrice.

3. Qual è il Suo numero di telefono?
   ○ Va bene il fisso? | ○ dariapassigli@yahoo.com

4. Dove lavori?
   ○ Di Venezia. | ○ In Piazza Vittorio Veneto.

5. Brava!
   ○ Grazie. | ○ Piacere.

6. Lei è sposato?
   ○ No. | ○ Prego.

24 Domande personali

Sottolinea l'interrogativo corretto.

1. **Qual / Che** è il tuo numero di telefono?
2. **Come / Dove** abiti?
3. **Quanti / Perché** studi l'italiano?
4. **Dove / Che** lingue parli?
5. **Che / Perché** lavoro fai?
6. **Come / Che** ti chiami?

SEZIONE A Al bar

1 La colazione
Scrivi i prodotti nel riquadro giusto, come nell'esempio.

✓ **un caffè** | **un uovo** | **un cornetto** | **una spremuta**
pane e burro | **una tazza di latte** | **cereali**
un bicchiere d'acqua | **biscotti** | **un tè**

MANGIO

BEVO
un caffè

2 Al bar

a Quali frasi sono del barista (B) e quali del cliente (C)?
Attenzione: una frase è del barista e anche del cliente.

	B	C
1. E da bere che cosa prende?	○	○
2. Una pasta alla crema, per favore.	○	○
3. Sono 2,60 €.	○	○
4. Ecco il Suo caffè.	○	○
5. Quant'è?	○	○
6. Buongiorno.	○	○
7. Un caffè macchiato.	○	○

b Ordina le frasi e forma un dialogo, come nell'esempio.

▶ 6 ● ☐ ▶ ☐ ● ☐ ▶ ☐ ● ☐ ▶ ☐ ● ☐

3 Verbi regolari in -ere
Completa i verbi, come nell'esempio.

1. io prend_o___
2. lei scriv_____
3. noi legg_____
4. loro legg_____
5. tu scriv_____
6. voi prend_____
7. io legg_____
8. lui prend_____
9. noi scriv_____

'ALMA.tv ▶

Guarda il video
Che caffè vuoi? nella rubrica
Vai a quel paese.

4 Nomi plurali
Completa con il plurale o il singolare dei nomi.

SINGOLARE	PLURALE
panino	
	paste
	caffè
cappuccino	
bar	
spremuta	

5 I soldi
Abbina prezzi della lista e immagini.

un euro e venti | **cinque euro e trenta**
ottanta centesimi | **ottanta euro**

1

2

3

4

6 Tipi di caffè
Abbina definizioni e immagini.

caffè doppio | **caffè americano**
caffè macchiato | **caffè ristretto**

1. ....

espresso
piccolo e forte

2. ....

3. ....

4. ....

SEZIONE B Che cosa mangi?

7 Il cibo
Separa le parole, come negli esempi.

P O M O D O R O / B U R R O I N S A L A T A P E S C E
F O R M A G G I O V I N O P A N E Y O G U R T R I S O
L A T T E / B I S T E C C A F U N G H I S A L A M E

8 Aggettivi singolari
Completa con la lettera mancante.

1. il pane fresc☐

2. la cucina portoghes☐

3. la carne bianc☐

4. il caffè fredd☐

5. il vino frances☐

6. il latte cald☐

7. la birra fresc☐

8. il pollo biologic☐

9 Abbinamenti

a *Completa con le parole della lista.*

acqua | **succo** | **cornetto** | **vino**

1. _____ { rosso
                      bianco

2. _____ { di frutta
                      d'arancia
                      di pomodoro

3. _____ { integrale
                      alla crema
                      al cioccolato

4. _____ { naturale
                      fresca

b *Scrivi il nome dei prodotti, come nell'esempio.*
Usa i nomi del punto 9a*.*

1. ....

2. ....

3. ....

4. *vino rosso*

10 Anche / Invece
Forma frasi logiche, come nell'esempio.

1. Io non mangio la carne, invece

2. Carlo a pranzo mangia solo un panino, invece

3. Tamara adora i ristoranti asiatici. Anche

4. Agata è vegetariana e anche

5. Piero ama il vino bianco,

a. Linda ama la cucina giapponese e indiana.

b. Marcello ama la bistecca.

c. Brunella non mangia la carne.

d. invece Rossella ama la birra.

e. Paolo mangia sempre un primo e un'insalata.

11 La parola corretta
Sottolinea la parola corretta tra quelle evidenziate.

1. Il mio cibo preferito è la **verdura** / **carne**: sono vegetariano.

2. Matteo prende un panino, **anche** / **invece** io non mangio.

3. Di contorno prendo **un'insalata** / **un'arancia**.

4. Amo la cucina **turca** / **spagnolo**.

5. Con il pesce bevo un bicchiere di vino **bianco** / **integrale**.

SEZIONE C Al ristorante

12 Piatti italiani
Abbina le parole e forma nomi di piatti.

1. bruschetta al
2. risotto ai
3. spaghetti
4. pollo
5. patate

a. arrosto
b. alla carbonara
c. fritte
d. pomodoro
e. funghi

13 Il menù
Indica se il piatto è un antipasto (A), un primo (P), un secondo (S), un contorno (C) o un dolce (D), come nell'esempio.

	A	P	S	C	D
1. bistecca	○	○	⊘	○	○
2. gelato	○	○	○	○	○
3. insalata di pomodori	○	○	○	○	○
4. bruschetta al pomodoro	○	○	○	○	○
5. spaghetti alla carbonara	○	○	○	○	○
6. pollo arrosto	○	○	○	○	○
7. tiramisù	○	○	○	○	○
8. patate fritte	○	○	○	○	○

14 Al ristorante
Seleziona la risposta logica.

1. Volete ordinare da bere?
   ○ Sì, grazie, una bottiglia di vino bianco.
   ○ Io prendo gli affettati.

2. Vuole anche un contorno?
   ○ Sì, grazie, il risotto ai funghi.
   ○ No, grazie, va bene così.

3. Anche Lei prende la bruschetta al pomodoro?
   ○ No, grazie, io sono vegetariano.
   ○ No, grazie, non prendo l'antipasto.

4. Che cosa vuole per secondo?
   ○ Avete un piatto del giorno?
   ○ Avete il tiramisù?

15 Un'ordinazione
18 ▶

Ascolta e <u>sottolinea</u> l'opzione corretta tra quelle evidenziate.

1. I signori **vogliono** / **non vogliono** vino.
2. I signori vogliono ordinare **adesso** / **dopo**.
3. Il signore **è** / **non è** vegetariano.
4. Il ristorante **ha** / **non ha** un piatto del giorno.
5. La signora non mangia **le verdure** / **il pesce**.
6. Il signore non prende il dolce perché **è a dieta** / **non ama i dolci**.

16 Verbi irregolari
Completa le frasi con i verbi della lista. Attenzione: c'è un verbo in più!

posso | **volete** | **stiamo** | **beve** | **sta** | **bevete** | **vuoi**

1. Come _____, signora?
2. _____ ordinare?
3. Tu _____ anche il secondo?
4. A colazione Claudia _____ sempre un caffè.
5. Voi _____ vino bianco?
6. Non _____ bere caffè la sera. Ho problemi a dormire.

17 Articoli determinativi plurali
Completa con l'articolo plurale giusto.

1. _____ ristoranti
2. _____ lezioni
3. _____ spaghetti
4. _____ studenti
5. _____ penne
6. _____ uffici
7. _____ bar
8. _____ caffè
9. _____ operaie

18 Commenti sui ristoranti
a *Leggi i commenti: positivo (☺) o negativo (☹)?*

1. La perla blu
Ristorante semplice ma buono. Cucinano specialità della tradizione siciliana. Usano solo prodotti biologici. Consiglio in particolare i formaggi.
Lisa C.
☺ ○   ☹ ○

2. Mare aperto
Volete mangiare in un ristorante tipico a Catania? Qui trovate una cucina tradizionale e ricette a base di pesce. Hanno anche un menù per vegetariani. Molto buono.
GioGio1
☺ ○   ☹ ○

3. Pepe
Vuoi un consiglio? Questo ristorante è terribile. Secondo me non usano cibo fresco. Anche il pane è cattivo. Da evitare.
FrancoTT
☺ ○   ☹ ○

b *Completa con gli articoli determinativi. Poi indica il numero del ristorante ideale per queste persone.*

Arturo:
Non mangio _____ carne, ma adoro _____ pesce! ☐

Benedetta:
Amo _____ animali, ma non sono vegana: la mia passione sono _____ formaggi. ☐

Riccardo:
Io non amo _____ prodotti industriali, mangio solo cibo bio. Viva _____ cucina naturale! ☐

SEZIONE D — Vorrei prenotare un tavolo.

19 Parole in disordine
Ordina le parole e forma frasi.

1. una | abbiamo | per | prenotazione | sei | persone

   ➥ _____.

2. con | carta | pagare | la | possiamo

   ➥ _____?

3. tavolo | vorrei | tre | un | prenotare | persone | per

   ➥ _____.

4. cosa | secondo | prendete | per | che

   ➥ _____?

20 Prenotare un tavolo
Leggi le note della cameriera e completa la telefonata con le parole mancanti.

Lisi
x 4
ore 13:00

▸ Ristorante "La Bettola", buonasera.

● Salve, vorrei prenotare un tavolo per _____ persone per domani.

▸ A pranzo o a cena?

● A _____.

▸ D'accordo. A che nome?

● _____.

▸ Bene signore, a domani allora!

21 Frasi utili
Abbina frasi e immagini.

1. Il conto, per favore!
2. Pronto?
3. Quant'è?
4. Prego.

22 Abbinamenti con i verbi
Seleziona gli abbinamenti logici.

1. prenotare in contanti ○
2. mangiare un tavolo ○
3. pagare con la carta ○
4. prenotare per due persone ○
5. bere la bruschetta ○
6. pagare una birra ○
7. ordinare da mangiare ○

23 Piccole parole
Completa con le parole della lista.

ma | di | e | al | non | a

1. Vorrei un tiramisù, _____ non posso mangiare dolci: sono a dieta.
2. Mangio carne e pesce, _____ sono vegetariano.
3. Per pranzo mangio un panino _____ prosciutto.
4. Prendo un cappuccino _____ un cornetto.
5. _____ che nome?
6. Prendo la parmigiana _____ melanzane.

'ALMA.tv ▶

Guarda il video *Al bar e al ristorante* nella rubrica Italiano in pratica.

VIVERE E PENSARE ALL'ITALIANA
LA COLAZIONE

TESTI: CHIARA PEGORARO
DISEGNI: VALERIO PACCAGNELLA

VAL E PIERO DOMANI MATTINA FANNO UN VIAGGIO IN TRENO.

QUINDI LA STAZIONE È VICINA?

SÌ, CINQUE MINUTI A PIEDI.

METTO LA SVEGLIA ALLE 6:30, COSÌ ABBIAMO TEMPO PER FARE COLAZIONE.

OH, CHE BELLO! FACCIO COLAZIONE A CASA DI UN ITALIANO!

BUONANOTTE!

BUONANOTTE!

LA MATTINA DOPO...

BUONGIORNO!

UHMMMMMM...

SEI STANCO, EH? DAI, FACCIAMO COLAZIONE!

È VERO, LA COLAZIONE!

1 In Italia che cos'è tipico a colazione?

○ mangiare molto   ○ bere un caffè   ○ stare seduto al bar   ○ mangiare uova

○ mangiare poco   ○ mangiare carne   ○ mangiare in piedi al bar   ○ mangiare verdure

2 Questo prodotto in Italia ha nomi differenti (dipende dalla regione). Quale usa Piero?

| croissant | | brioche |

1 La casa
Completa la pubblicità con le parole della lista.

bagno | **cucina** | **letto**
divano | **sedia**

CAMERA:
.... 310 €
ARMADIO 215 €

SOGGIORNO:
.... 420 €

...........................:
DOCCIA 150 €

LA FINE DEI MOBILI CARI!
Leggi il nostro catalogo su
www.casamoderna.it!

...........................:
TAVOLO 80 €
.... 25 €
FRIGORIFERO 330 €

2 A casa di Eleonora
<u>Sottolinea</u> *l'opzione corretta tra quelle* **evidenziate**.

Vivo con Sebastiano, il mio ragazzo. Purtroppo
abitiamo in un **appartamento** / **casa** piccolo e caro:
Venezia non è **economico** / **economica**, ma io lavoro
qui! Abbiamo una sola **televisione** / **stanza**: zero spazio.
Per fortuna il quartiere è **rumoroso** / **silenzioso**, non è
in una zona **turistica** / **città**: dormiamo molto bene!

3 Le case di Giuliano e Serena

72 ▶ *Ascolta, poi indica se le immagini si riferiscono
alla casa di Giuliano o di Serena.*

1

○ Giuliano ○ Serena

3
○ Giuliano ○ Serena

2

○ Giuliano ○ Serena

4

○ Giuliano ○ Serena

4 Dormire
Scrivi il pronome personale, come nell'esempio.

1. _____ dormite
2. _____ dorme
3. __*tu*__ dormi
4. _____ dormono
5. _____ dormo
6. _____ dormiamo

5 Le stanze della casa
Abbina i mobili / le azioni della lista e le stanze della casa.

divano | mangiare | doccia | fare il bagno
letto | cucinare | frigorifero | dormire

1. cucina: _____
2. soggiorno: _____
3. camera: _____
4. bagno: _____

SEZIONE B La casa in vacanza

6 Aggettivi plurali
Completa gli aggettivi con le lettere mancanti.

Albergo "Panorama" ★★★★

☂ spiaggia privata

☕ colazione internazionale ☐nclus☐

🍴 ristorante t☐pic☐, specialità di carne e pesce

🛜 wi-fi gr☐tuit☐

❄ aria co☐dizi☐nat☐

🛏 camera si☐gol☐
100 € a notte

🛏 camera matri☐onial☐
120 € a notte

---

7 Abbinamenti con gli aggettivi
~~Cancella~~ *l'intruso.*

1. colazione: **ottima | internazionale | condizionata**
2. stile: **tradizionale | gratuito | unico**
3. camera: **silenziosa | doppia | internazionale**
4. ristorante: **tipico | italiano | matrimoniale**

8 Verbi regolari e irregolari
Completa la tabella, come negli esempi.

	verbo	pronome	infinito
ni – ve – amo	*veniamo*	noi	*venire*
te – ven – i			venire
fe – pre – co – ris – no		loro	
go – ve – n		io	
va – no – n			andare
a – te – ve		voi	
te – ca – pi			capire
ni – fi – amo		noi	

9 Tutti i verbi
Coniuga i verbi al presente, come nell'esempio.

1. io / andare: _____
2. tu / fare: _____
3. Lei / capire: _____
4. voi / parlare: _____
5. io / essere: _____
6. lui / fare: _____
7. noi / preferire: _____
8. voi / andare: _____
9. tu / vedere: _____
10. voi / bere: *bevete*
11. io / amare: _____
12. tu / venire: _____
13. lui / potere: _____
14. loro / fare: _____

SEZIONE C Recensioni

10 Da *eccellente* a *pessimo*
Ordina le espressioni della lista dalla più positiva alla meno positiva, come nell'esempio.

✓eccellente | pessimo | buono
nella media | molto buono

☺ 1. _____*eccellente*_____
2. _____
3. _____
4. _____
5. _____ ☹

11 Dovere

Completa lo schema con il presente del verbo dovere.

DOVERE	
io	
tu	
lui / lei / Lei	deve
noi	
voi	
loro	devono

12 Agriturismo

Leggi e indica se le frasi sono vere (V) o false (F).

CHE COS'È L'AGRITURISMO?

Un agriturismo è molte cose: una fattoria con piante e animali, un albergo, un ristorante!

In un agriturismo puoi dormire nel silenzio della natura e mangiare prodotti biologici (come yogurt e frutta fresca a colazione, o formaggi locali e verdura di stagione a cena).

Gli agriturismi hanno camere in stile tradizionale, ma quasi tutti offrono servizi moderni, come il wi-fi, la televisione e l'aria condizionata in camera. Molti agriturismi hanno una piscina e qualcuno ha anche una spa.

Gli agriturismi sono il posto ideale per fare una vacanza rilassante, anche con i bambini.

agriturismovero.com

Gli agriturismi:

	V	F
1. sono in città.	○	○
2. vanno bene per le famiglie.	○	○
3. vanno bene per i vegetariani.	○	○
4. sono rumorosi.	○	○
5. hanno sempre la spa.	○	○

13 Aggettivi plurali

a *Segui gli aggettivi plurali per uscire dal labirinto, come nell'esempio. Vai in orizzontale → o in verticale ↓.*

ENTRATA↓	grande	piccola	freschi
rumorose↓	vegetariano	singole	doppia
economici	comodi	elegante	unico
informale	tipiche	tradizionale	vecchia
rosso	piccoli	grandi	biologica
gratuite	rotta	care	frizzante
nuovo	matrimoniale	eccellenti	informale
economica	rosso	sporche	USCITA

b *Adesso scrivi tutti gli aggettivi plurali del punto a e indica se sono maschili (M) e/o femminili (F), come nell'esempio.*

		M	F
1.	*rumorose*	○	☑
2.		○	○
3.		○	○
4.		○	○
5.		○	○
6.		○	○
7.		○	○
8.		○	○
9.		○	○
10.		○	○
11.		○	○
12.		○	○

14 Abbinamenti

Quali aggettivi vanno bene con questi nomi? Completa come nell'esempio. Se necessario, cambia il genere e/o il numero dell'aggettivo. Sono possibili soluzioni diverse.

nuovo | **biologico** | **scomodo** | ✓**rotto**
caro | **matrimoniale** | **sporco**

COLAZIONE	LETTI
	rotti

CAMERE	FRIGOBAR
	rotto

ITALIANO IN PRATICA

SEZIONE D Voglio cambiare camera!

15 I giorni della settimana
Completa la lista con i nomi mancanti.

1. _____
2. martedì
3. _____
4. _____
5. venerdì
6. _____
7. _____

16 Parole in disordine
Ordina le parole e forma frasi.

1. l'aria | non | condizionata | funziona
   ↳ _____.

2. la | deve | mettere | password
   ↳ _____.

3. problema | non | c'è
   ↳ _____.

4. abbiamo | camere | non | libere
   ↳ _____.

5. sono | soddisfatto | non | molto
   ↳ _____.

17 Problemi in albergo
Seleziona la reazione logica.

1. Mi dispiace, oggi il tecnico non può venire.
   ○ E domani?
   ○ Bene, grazie.

2. Il letto è scomodo e la televisione non funziona.
   ○ Vuole cambiare camera?
   ○ Non c'è problema.

3. Posso usare il telefono fisso?
   ○ Abbiamo ancora camere libere.
   ○ Certo, è gratuito.

4. Non sono soddisfatto.
   ○ Voglio cambiare camera.
   ○ Mi dispiace, che problema ha?

'ALMA.tv ▶

Guarda il video
In vacanza nella rubrica
Italiano in pratica.

18 Recensioni
Completa i commenti con le parole della lista. Poi indica se il commento è positivo (☺) o negativo (☹).

sono | rotta | simpatica | preferisco | vacanza
non | care | pulite | letto | dormo | funziona

Villa B&B Da Cristina

1. Marta
Consiglio questo B&B! Cristina è molto
_____ e le camere sono grandi e
_____.
☺ ○   ☹ ○

2. Lorenzo
Non _____ soddisfatto. Le camere
sono _____ e la notte non
_____ bene per il traffico.
☺ ○   ☹ ○

3. Elena
Esperienza orribile, voglio cambiare albergo!
Cristina _____ è molto gentile, il
_____ è scomodo e la finestra è
_____.
☺ ○   ☹ ○

4. Carolina
Ottimo posto per una _____
rilassante! La televisione in camera non
_____, ma non c'è problema: io
_____ leggere!
☺ ○   ☹ ○

SEZIONE A La città

1 Venezia
Ordina le frasi e forma il testo, come nell'esempio.

☐ Ponte di Rialto. Un altro luogo

☐ città ricca di storia e di cultura. Ci sono molti palazzi

☐ sono anche ponti storici, come il

1 Venezia è una

☐ bellissima chiesa.

☐ importante è Piazza San Marco, con la

☐ antichi, musei e chiese. Ci

2 Mezzi di trasporto
Scrivi il nome del mezzo di trasporto sotto l'immagine.

1

....

2

....

3

....

4

....

5

....

6

....

3 I mesi
Separa le parole, come nell'esempio. Poi scrivi i mesi in ordine.

S E T T E M B R E L U G L I O M A R Z O
F E B B R A I O N O V E M B R E
M A G G I O D I C E M B R E
G E N N A I O O T T O B R E
A G O S T O / A P R I L E / G I U G N O

1. _____
2. _____
3. _____
4. _____*aprile*_____
5. _____
6. _____
7. _____
8. _____
9. _____
10. _____
11. _____
12. _____

4 La città
Guarda la foto di Roma e indica se le affermazioni sono vere (V) o false (F).

IL FIUME DI ROMA, IL TEVERE.

Nella foto...

	V	F
1. ci sono due ponti.	○	○
2. c'è un tram.	○	○
3. c'è traffico.	○	○
4. ci sono molti palazzi.	○	○
5. ci sono molte biciclette.	○	○

5 C'è / Ci sono
Completa lo schema con le espressioni della lista.

un museo di arte contemporanea | la metro
le biciclette | due chiese | i ponti storici
molte piazze | un palazzo antico | molti turisti
un teatro | un ristorante giapponese

C'È	CI SONO

SEZIONE B Lo spazio

6 Luoghi
Completa il cruciverba con i nomi dei luoghi.

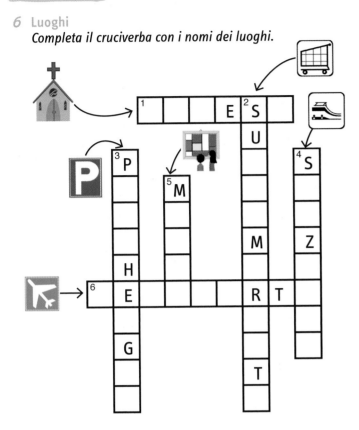

7 Espressioni di luogo
Abbina frasi e immagini corrispondenti.

1. Il cane è accanto al divano.
2. Il cane è sotto il divano.
3. Il cane è dietro al divano.
4. Il cane è sul divano.

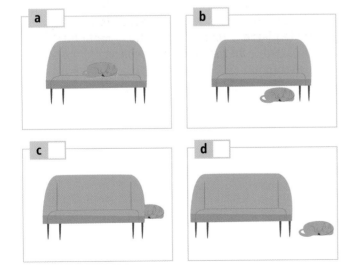

a [ ] b [ ]

c [ ] d [ ]

8 Chi c'è?
Guarda la foto e rispondi alle domande.

1. Chi c'è accanto a Monica? _____
2. Chi c'è davanti a Laura? _____
3. Chi c'è dietro a Laura? _____
4. Carlo è davanti a Luca? sì ○ no ○
5. Luca è dietro a Fulvio? sì ○ no ○

9 Domandare informazioni
Seleziona la risposta corretta.

1. Per andare in centro, che mezzi posso prendere?
   ○ Può prendere l'autobus o il taxi.
   ○ Ci vogliono 20 minuti.

2. Senta, scusi, con il treno quanto tempo ci vuole?
   ○ 10 euro.
   ○ 10 minuti.

3. Dov'è la fermata dell'autobus?
   ○ Davanti al bar Treviso c'è la banca.
   ○ Vede il supermercato? È lì davanti.

4. Dove posso fare il biglietto?
   ○ Sull'autobus o alla biglietteria automatica.
   ○ Con il treno.

10 Preposizioni
Sottolinea la preposizione giusta.

1. Il festival del cinema di Torino è **a / da** novembre.
2. Preferisco andare a scuola **di / a** piedi.
3. Mi sa dire **da / in** dove parte l'autobus?
4. La fermata **della / del** metro è dietro al parcheggio.
5. A Milano ci sono molti bar **da / per** mangiare, bere e incontrare gli amici.
6. Quanto ci vuole **di / con** l'autobus?

SEZIONE C La strada

11 Dare e domandare indicazioni
Ordina le parole e forma frasi.

1. sa | la fermata | senta, scusi | dov'è | della metro
   ➥ _____ ?

2. all'incrocio | arriva | a sinistra | e gira
   ➥ _____ .

3. lo | non | dispiace | so, mi
   ➥ _____ .

4. sinistra | a | gira alla | prima
   ➥ _____ .

12 Indicazioni stradali
Guarda la mappa e completa il dialogo con le parole della lista. Le due persone sono dove c'è il punto rosa. Attenzione, c'è una parola in più.

**alla piazza | seconda | sinistra | dritto
prima | destra | all'incrocio**

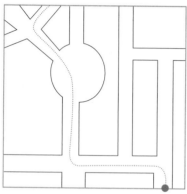

▶ Scusi, sa dov'è via Cavour?

● Sì, allora... Lei gira a _____, poi
prende la _____ a destra e va sempre
_____. Quando arriva _____,
gira a sinistra e _____ gira a
_____. Quella è via Cavour.

13 Preposizioni articolate
Forma la preposizione articolata, come nell'esempio.

1. da + lo = *dallo*
2. in + il = _____
3. di + la = _____
4. su + l' = _____
5. a + le = _____
6. da + la = _____
7. a + gli = _____
8. su + la = _____
9. in + lo = _____
10. a + i = _____
11. di + l' = _____
12. in + i = _____

Guarda il Linguaquiz
Le preposizioni articolate.

14 Dov'è il ristorante?
Nel dialogo al telefono tra due amici sottolinea la parola corretta tra quelle evidenziate.

▶ Stasera ceniamo al ristorante
"Il Torrino" con Michela, va bene?

● Sì, ma **quant'** / **dov'è**?

▶ Allora, da casa tua... Vai al **semaforo** / **incrocio** tra
via Maggio e corso Italia. Da lì puoi **prendere** / **andare**
l'autobus 14 e scendere **al** / **alla** fermata San Marco.
Poi **prendi** / **gira** via La Pira e vai dritto fino **al** / **allo**
supermercato. Dietro al supermercato **ci sono** / **c'è**
il ristorante. È facile!

● Ok, grazie! A dopo!

Guarda il video *È lontano
il museo?* nella rubrica
Italiano in pratica.

ITALIANO IN PRATICA
SEZIONE D Vorrei tre biglietti.

15 Le ore
Guarda l'ora e completa con le lettere mancanti.

1. `12:30`: È m☐zz☐gi☐rn☐ ☐ m☐z☐☐.
2. `07:50`: S☐n☐ le ☐e☐te e c☐☐q☐☐n☐☐.
3. `09:10`: ☐on☐ l☐ n☐v☐ e d☐☐c☐.
4. `11:55`: È ☐ez☐☐☐ior☐o ☐en☐ ci☐☐ue.
5. `01:20`: ☐ l'☐n☐ e v☐nt☐.

16 L'intruso
Guarda l'ora e seleziona l'ora sbagliata.

`01:40`
○ Sono le una e quaranta.
○ È l'una e quaranta.
○ Sono le due meno venti.

`06:45`
○ Sono le sei e un quarto.
○ Sono le sei e quarantacinque.
○ Sono le sette meno un quarto.

`12:00`
○ È mezzogiorno.
○ Sono le dodici.
○ È le dodici.

`03:30`
○ Sono le tre e mezza.
○ Sono le quattro meno trenta.
○ Sono le tre e trenta.

Guarda il video
Che ore sono? nella rubrica
Italiano in pratica.

17 In biglietteria

30 ▶

Ascolta e completa con le parole mancanti.

▶ Buongiorno, _____
tre biglietti per la Galleria Borghese.

● Per _____?

▶ Per domani.

● Domani è lunedì, la Galleria è _____.
Può comprare i biglietti per martedì.

▶ No, martedì non _____ a Roma.
Dobbiamo partire.

● Allora niente, mi dispiace.

▶ Certo che venire a Roma e non _____
la Galleria Borghese...

● Scusi, eh, ma perché non _____ oggi?

▶ Ah, la Galleria è _____ la
domenica?

● Sì, certo.

▶ Ci sono posti?

● Non lo so... Eh, vediamo... Sì, ci sono.

▶ Ah, benissimo!

● Costano 16 euro a _____.
Tre biglietti, giusto?

▶ Sì, due biglietti _____ e un
biglietto _____ per il bambino.

● Va bene, il biglietto ridotto _____
10 euro. È interessato anche alla visita guidata?

▶ _____ costa?

● 8 euro a persona, il bambino _____
paga.

▶ Ok, prendo _____ la visita.

● D'accordo, allora _____ i 3 biglietti.

▶ Grazie.

● Questi invece sono i biglietti per la visita guidata.
L'_____ con la guida è
_____ all'entrata della Galleria.
La visita comincia a _____, ma
_____ essere lì 15 minuti prima.

▶ Che ore sono adesso?

● Le undici e un _____.
Non è lontano. A _____
ci vogliono 10 minuti. Noi siamo qui, per andare alla
Galleria deve _____ via Rossini
e girare alla seconda a destra, in via Donizetti...

18 Il Museo Pecci

Leggi la brochure e completa.

1. Dov'è il Museo? _____

2. Sono le 21:30 di venerdì. Posso visitare il museo?
sì ○   no ○

3. Quanto pagano il biglietto queste persone?
   a. bambino di 4 anni: _____ €
   b. architetto di 45 anni: _____ €
   c. studente di 15 anni: _____ €
   d. giornalista di 63 anni: _____ €
   e. socio Touring Club di 34 anni: _____ €

4. Posso prenotare la visita guidata con una mail?
sì ○   no ○

5. Quanto ci vuole per visitare il museo con la visita
guidata? _____

6. Da Firenze in treno posso arrivare davanti al museo?
sì ○   no ○

Museo di Arte Contemporanea Luigi Pecci

ORARI DI APERTURA ▶

11 - 23
lunedì chiuso

TARIFFE BIGLIETTI ▶

Intero 10 €

Ridotto 7 €
• fino a 26 anni e dopo
  i 65 anni
• soci Touring Club

Ridotto 5 €
insegnanti e studenti
universitari di Storia
dell'Arte, Architettura e
Accademie di Belle Arti

Ingresso libero
• bambini fino a 6 anni
• amici del Museo Pecci
• giornalisti

VISITE GUIDATE ▶

Prenotazione al numero:
057 4531841 (lun - ven ore
9:00 - 12:00)
Durata: 60 minuti
Costo: 5 € + prezzo del
biglietto (gruppi max 25
persone)

COME ARRIVARE ▶

In macchina da Firenze
Da Autostrada A11 (Firenze-
Mare): uscire a Prato Est.

In autobus da Firenze
Autobus *CAP* per Prato.

In treno da Firenze
Scendere alla stazione di
Prato Centrale e prendere
l'autobus *LAM*.

Viale della Repubblica 277, 59100 Prato

LA STRADA

TESTI: CHIARA PEGORARO
DISEGNI: VALERIO PACCAGNELLA

VAL E PIERO SONO A PALERMO.

SEI IN PIAZZA INDIPENDENZA?

SÌ, È MOLTO FACILE ARRIVARE, CI VOGLIONO 5 MINUTI.

...GIRI A SINISTRA...

...PASSI IL SEMAFORO E GIRI DI NUOVO A SINISTRA...

...SUPERI LA FARMACIA...

...ATTRAVERSI...

1 *Che cosa vedi nelle immagini? Seleziona gli elementi, come nell'esempio.*

○ alberi   ○ macchine   ○ motorini   ○ palazzi   ○ chiese
○ semafori   ○ ponti   ☑ strisce pedonali   ○ tram

2 *Forma le espressioni che usa Piero.*
Poi abbina espressioni e significato.

ESPRESSIONI		SIGNIFICATO
all'ultimo	paura	tranquillo
niente	alternativa	o
in	momento	alla fine

3 *Quale espressione di significato uguale usa Piero quando incontra Val?*

Stai bene?   =   Tutto ok?   = ...   =   Tutto a posto?

   ALMA Edizioni | DIECI

SEZIONE A Le mie abitudini

1 La vita quotidiana
<u>Sottolinea</u> l'opzione corretta tra quelle **evidenziate**.

Io e Martina siamo una coppia e abitiamo insieme, ma le nostre **giornata / giornate** sono diverse!
La mattina io mi alzo presto perché lavoro in una scuola (faccio il **operaio / segretario**), Martina invece **sveglia / si sveglia** alle 10, la sera lavora in un **menù / ristorante** (fa la cuoca).
Io preferisco fare **cena / colazione** a casa (con latte e biscotti), invece Martina **preferisce / prefere** fare colazione al bar (con caffè e cornetto).
Io **ando / vado** al lavoro **in / per** macchina, invece Martina va al lavoro con la metropolitana o **a / con** piedi.
A pranzo io mangio un'insalata a casa, invece Martina mangia un primo o un **secondo / conto** nel ristorante dove lavora.
Durante la settimana io **non / -** esco mai, invece Martina **usce / esce** quasi sempre, dopo il lavoro.
La sera io vado a letto **presto / dormire**, invece Martina va a letto sempre molto tardi, dopo **mezzanotte / mezzogiorno**.

2 Verbi riflessivi e non riflessivi
Trasforma le frasi come nell'esempio.

1. Cloe fa la cuoca.
   → Invece Anita e Roberto _____*fanno*_____ gli insegnanti.

2. Miriam esce quasi sempre.
   → Invece noi non _____ molto.

3. La mattina io mi alzo presto.
   → Invece voi _____ tardi.

4. Elena preferisce fare colazione a casa.
   → Invece Saverio e Irma _____ fare colazione al bar.

5. Io vado al lavoro in macchina.
   → Invece Anita e Roberto _____ al lavoro in autobus.

6. Valentina si sveglia alle 10.
   → Invece noi _____ alle 6:30.

3 La giornata di Iacopo e Laura
a Coniuga i verbi tra parentesi al presente.

Iacopo

La mattina non (*lui – alzarsi*) _____ mai presto, perché la sera (*tornare*) _____ a casa tardi. Di solito (*lui – fare*) _____ un po' di ginnastica e poi (*bere*) _____ un caffè. Alle 15 (*arrivare*) _____ il primo studente di pianoforte e (*lui – cominciare*) _____ a lavorare. Dopo due-tre ore di lezione, (*lui – mangiare*) _____ qualcosa e poi alle 20 (*uscire*) _____. Di solito (*lui – prendere*) _____ la bicicletta perché il club dove lavora (*essere*) _____ vicino a casa sua.

Laura

(*Lei – alzarsi*) _____ presto perché (*abitare*) _____ in campagna e (*lavorare*) _____ in città. Spesso non (*lei – avere*) _____ tempo di fare colazione. In 20 minuti (*lei – lavarsi*) _____, (*vestirsi*) _____ e (*uscire*) _____ di casa. In macchina (*lei – ascoltare*) _____ la radio. Dopo un'ora (*lei – arrivare*) _____ a scuola, ma prima (*prendere*) _____ un caffè al bar. (*Lei – fare*) _____ 4 ore di lezione e poi (*tornare*) _____ a casa. Qualche volta il venerdì (*lei – restare*) _____ in città: di solito (*andare*) _____ al cinema o (*uscire*) _____ con un'amica.

b Leggi ancora i due testi e rispondi: le frasi si riferiscono a Iacopo o a Laura? Attenzione: due frasi vanno bene per Iacopo e Laura.

	IACOPO	LAURA
1. La mattina non lavora.	○	○
2. Fa due lavori.	○	○
3. Va al lavoro in macchina.	○	○
4. La mattina beve il caffè.	○	○
5. Fa l'insegnante.	○	○
6. La mattina si alza tardi.	○	○
7. Lavora lontano da casa sua.	○	○

4 Domanda e risposta
Abbina domanda e risposta.

1. Come vai al lavoro?
2. A che ora ti svegli?
3. Che cosa mangi a pranzo?
4. Dove fai colazione?
5. Esci la sera?
6. Ti fai la doccia la sera o la mattina?
7. Che cosa fai la sera?

a. Al bar.
b. A piedi o in metro.
c. Leggo un libro o guardo la televisione.
d. Un panino.
e. La sera.
f. Qualche volta.
g. Verso le sette.

SEZIONE B — Mi piace.

5 Ti piace o non ti piace?
Guarda le immagini e completa con le parole della lista.

**piacciono | passione | ti | genere
piace | cavallo | leggere | non | si**

1 Mi piace _____, è la mia _____.

2 _____ mi piace la verdura!

3 Il mio _____ musicale preferito è il rock. Non mi _____ il pop!

4 Mi _____ gli animali! Ho un _____ molto bello, _____ chiama Sultano.

5 Questa è la mia nuova bicicletta. _____ piace?

Bella!

---

6 Intervista a Roberto Bolle
Completa l'intervista al ballerino Roberto Bolle (R) con le domande del giornalista (G), come nell'esempio.

DOMANDE
1. Qual è la tua giornata tipica?
2. Che cosa ti piace fare nel tempo libero?
3. Ti piace andare in discoteca?
4. Quale genere musicale non ti piace?
5. ✓Ti piace essere famoso?
6. Qual è il tuo piatto preferito?
7. Balli sempre, anche nel week-end?

G ▶ ☐ 5
R ● Non mi piace sempre, perché sono molto timido, ma è parte del mio lavoro.

G ▶ ☐
R ● La mattina ballo e il pomeriggio mi riposo. Mangio poco a pranzo (di solito riso, pesce e verdura) e vado in teatro, mi vesto e mi trucco. Mi preparo per lo spettacolo.

G ▶ ☐
R ● No, un giorno alla settimana mi riposo. È importante anche il relax, no?

G ▶ ☐
R ● No, non molto. Preferisco ballare in altre situazioni.

G ▶ ☐
R ● Mi piace tutta la musica. Ballo anche con le canzoni di Marylin Manson!

G ▶ ☐
R ● Mi piace cenare con gli amici, guardare la televisione, leggere, andare al cinema.

G ▶ ☐
R ● Il risotto!

www.marieclaire.com

Non mi piace.

7 A me piace...

Leggi i dialoghi e scrivi le frasi, come nell'esempio.

Tamara

> A me non piace la cucina giapponese. E a te?

Silvio

> A me sì, molto!

1. A Tamara *non piace la cucina giapponese.*

   = *Non le piace la cucina giapponese.*

2. A Silvio _____

   = _____

Agata

> Mi piacciono i gatti.

Michele

> A me no.

1. A Agata _____

   = _____

2. A Michele _____

   = _____

Gustav

> Mi piace fare sport.

Filomena

> Anche a me.

1. A Gustav _____

   = _____

2. A Filomena _____

   = _____

8 Espressioni

Seleziona la reazione logica.

1. L'Italia è molto bella.
   ○ Hai ragione. | ○ Povero!

2. Devo studiare inglese, ma non mi piace per niente!
   ○ Piace molto anche a me. | ○ Povero!

3. Oh no, Filippo è vegetariano!
   ○ A me no. | ○ E allora?

4. Mi piace questo formaggio.
   ○ Anche a me. | ○ Neanche a me.

9 Odio il pesce!

 34 ▶ *Completa il dialogo con le parti mancanti. Poi ascolta e verifica.*

piatto di carne | cucina mio padre | fai sabato hai ragione | piace per niente | a me no | povera sempre pesce | mangia il pesce | gli piace anche

▸ Lucia, che cosa _____ sera?

● Devo andare a cena dai miei genitori. Ma c'è un problema: _____.

▸ E allora? Qual è il problema?

● Mio padre cucina _____.

▸ Non ti piace?

● No, non mi _____! Io odio il pesce!

▸ _____! Neanche a me piace. Ma perché non dici a tuo padre di preparare anche un _____?

● Nooo, la carne non gli piace, è vegetariano.

▸ Vegetariano? Ma se _____...

● Sì, _____, ma non è un vegetariano vero: mangia il pesce e _____ il prosciutto!

▸ Hm, anche a me piace il prosciutto! E a te?

● _____!

ITALIANO IN PRATICA

SEZIONE D **Usciamo venerdì sera?**

10 In biglietteria

 73 ▶ *Ascolta i due dialoghi e seleziona l'opzione corretta qui sotto e alla pagina successiva.*

DIALOGO 1

1. La signora vuole comprare:
   ○ a. un biglietto. | ○ b. due biglietti.

2. Per lo spettacolo delle 22:30:
   ○ a. non ci sono posti. | ○ b. ci sono posti.

3. Lo spettacolo delle 22:30 finisce:
   ○ a. alle 00:15. | ○ b. alle 00:30.

DIALOGO 2

1. Il concerto inizia:
   - ○ a. alle 9 di sera.
   - ○ b. alle 8 di sera.

2. Il signore compra:
   - ○ a. due interi e un ridotto.
   - ○ b. un intero e due ridotti.

3. Il signore paga:
   - ○ a. con la carta.
   - ○ b. in contanti.

11 Orari di apertura
Vero o falso?

Teatro La Fenice (Venezia)

Biglietteria: aperta tutti i giorni dalle 10:00 alle 17:00.
Al telefono: 041 786654, tutti i giorni dalle 9:00 alle 18:00.

	V	F
1. È possibile prenotare i biglietti anche la notte.	○	○
2. Il lunedì la biglietteria è aperta.	○	○
3. È possibile prenotare al telefono.	○	○
4. La domenica la biglietteria è chiusa.	○	○

Museo del cinema (Torino)

lunedì, mercoledì, giovedì, venerdì e domenica 9 – 20,
sabato 9 – 23, martedì chiuso

	V	F
1. È aperto tutti i giorni.	○	○
2. Chiude alle 20 tutti i giorni.	○	○
3. Il sabato mattina è aperto.	○	○
4. Il venerdì è aperto dalle 9 alle 20.	○	○

12 Preposizioni
Completa il dialogo con le preposizioni della lista.

a | al | alle | con | di | per | per

▶ Ludovica, vuoi uscire _____ me e Letizia domani?

● Mi dispiace, domani ho il corso _____ tedesco, non posso.

▶ Allora venerdì? Possiamo vedere un film. _____ cinema Odeon c'è "Amore per sempre".

● Hm... Non mi piacciono _____ niente i film romantici. Ma all'Odeon non c'è anche un film di fantascienza?

▶ Sì, un film tedesco che si chiama "Europa 2100".

● _____ me va bene. _____ che ora comincia?

▶ _____ 21:30.

● Perfetto!

13 Risposte possibili
Seleziona le diverse risposte possibili alla domanda.

> Andiamo al ristorante cinese domani sera?

1. Non mi piace la cucina cinese. Andiamo all'indiano? ○
2. Sì, va bene. A che ora? ○
3. Va bene. Che spettacolo preferisci? ○
4. Ci sono biglietti disponibili? ○
5. Mi dispiace, non posso. ○
6. Domani devo lavorare. Facciamo giovedì? ○
7. Neanche a me. ○
8. D'accordo. Va bene alle 20:30? ○

14 Appuntamento al museo
Completa il dialogo con le lettere mancanti.

▶ And☐a☐o al museo del design domani?

● Mi d☐sp☐☐ce, domani non p☐☐s☐o.

▶ Facciamo ve☐er☐ì?

● Sì, va b☐n☐.

▶ ☐ c☐☐ ora?

● Pr☐fer☐sci andare di mattina o di pomeriggio?

▶ Preferisco di mattina p☐r☐hé il pomeriggio ho il ☐or☐o di cinese.

● Al☐o☐a andiamo alle 10:30, d'a☐☐o☐do?

▶ Sì, a venerdì!

SEZIONE A Partire

1 Il tour dei vulcani

Leggi la risposta alla mail di Claudio Cateni nella sezione A della lezione e indica se le frasi sono vere (V) o false (F). Le frasi non sono in ordine.

Da: mauro@tesoriitaliani.it

OGGETTO: la Sua richiesta di informazioni

MESSAGGIO

Buongiorno Claudio,
grazie del Suo interesse per il tour di "Tesori italiani".

Le escursioni sono solo di giorno e vanno bene per i bambini (ci sono già cinque bambini nel gruppo). È importante avere scarpe da trekking (e anche la crema solare e un cappello), perché gli itinerari sul Vesuvio e sull'Etna sono abbastanza lunghi.
Il viaggio è organizzato in questo modo: due giorni per il Vesuvio e Napoli, due giorni per l'Etna e Catania, un giorno a Vulcano e due giorni a Stromboli.
A Stromboli, se volete, potete lasciare il gruppo e andare al mare. Ci sono spiagge molto belle. Sempre a Stromboli potete dormire nell'albergo del gruppo, o in un altro, per stare da soli.
L'albergo del gruppo è vicino alla spiaggia (ci potete andare a piedi) e forse è la soluzione ideale per voi.

Un cordiale saluto, Mauro Renai

TESORI ITALIANI · viaggi di gruppo

	V	F
1. Il tour dura una settimana.	○	○
2. A Stromboli c'è un solo albergo.	○	○
3. In questo momento nel gruppo ci sono solo adulti.	○	○
4. A Stromboli il gruppo dorme in un albergo lontano dal mare.	○	○
5. È possibile lasciare il gruppo.	○	○
6. I bambini possono fare il trekking sul Vesuvio.	○	○

'ALMA.tv ▶

Guarda il video
Che tempo fa? nella rubrica
Italiano in pratica.

2 Ci

In 6 spazi (_____) devi inserire la parola ci: dove?

▶ Claudia, tu _____ conosci Genova?

● Sì, _____ vado spesso perché _____ abita la famiglia del mio ragazzo.

▶ E ti piace? Io _____ vado la prossima settimana e _____ vorrei un po' di informazioni.

● Oh sì, Genova _____ è bellissima! Con chi _____ vai?

▶ Con Cristina. Che cosa possiamo vedere secondo te?

● Be', a Genova è obbligatorio fare una visita all'acquario!

▶ Sì, certo, _____ andiamo di sicuro. Mi sai consigliare anche un parco per fare una passeggiata?

● Sì, _____ potete andare nella zona di Nervi, è molto verde. _____ potete arrivare in treno in pochi minuti.

▶ Ok, perfetto! Grazie mille.

3 Che tempo fa a Pisa?

Guarda le immagini e scrivi che tempo fa.

1. ....

2. ....

3. ....

4. ....

SEZIONE B Un racconto di viaggio

4 L'ausiliare giusto

Completa i verbi al passato prossimo con l'ausiliare giusto, come nell'esempio.

A agosto Sonia e Damiano ___sono___
andati a Bali, Elio e Viola _____
fatto un trekking sul Monte Bianco,
Francesca _____ visitato
Barcellona e Berlino e poi _____
fatto un viaggio in Norvegia, Simone
_____ tornato in Grecia anche
quest'anno e _____ mangiato
souvlaki tutti i giorni, Carola e
Valentina _____ partite per
la Francia, tu _____ stato tre
settimane al mare e io... _____
rimasta a Milano e _____
lavorato come sempre. Odio l'estate!

5 Una giornata speciale

Completa con i verbi della lista, come nell'esempio.

ha dormito | **è uscita** | **ha guardato**
ha dato | **è stata** | **hanno fatto** | ✓**è andata**
è salita | **ha ascoltato** | **è arrivato**

Lidia ha 15 anni e è felice perché quest'anno va a scuola negli Stati Uniti.

Ieri _____ una giornata speciale per lei.
_____ di casa molto presto, alle 6, e
___è andata___ in aeroporto con i genitori (e con molti
bagagli!). In aeroporto _____ colazione tutti
insieme, poi Lidia _____ un bacio alla mamma
e al papà e _____ da sola sull'aereo per New
York. In aereo non _____ per l'emozione.
_____ la musica e _____ un film.
Dopo 8 ore, l'aereo _____ all'aeroporto JFK.

6 Un blog di viaggio

Coniuga i verbi tra parentesi al passato prossimo.

I VIAGGI DI CLOE

**Ciao! Sono Cloe, di Roma, faccio l'insegnante e nel tempo libero... viaggio!
In questo blog racconto le mie avventure.**

BASILICATA: MARE, CULTURA E CIBO

MARATEA

STATUA DEL REDENTORE

MATERA

PISTICCI

Che belle, le vacanze!
Il 7 luglio io e il mio ragazzo Matteo (*partire*)
_____ in macchina da Roma e dopo
una notte a Napoli (*arrivare*) _____
in Basilicata. La Basilicata non è una regione molto famosa:
ci sono ancora pochi turisti, ma è fantastica! Ci sono mare,
campagna, città storiche e buon cibo. Il primo giorno io
e Matteo (*andare*) _____ a Maratea,
sul mare, e ci (*rimanere*) _____ tre giorni.
Qui (*noi – fare*) _____ anche
un trekking per arrivare alla Statua del Redentore (sulla
montagna, vicino al mare, con una vista bellissima!).
Poi (*noi – visitare*) _____ Matera e Pisticci,
la città di Matteo. A Matera e a Maratea
(*noi – dormire*) _____ in albergo ma
a Pisticci (*stare*) _____ a casa dei genitori
di Matteo, molto simpatici.
(*Loro – cucinare*) _____ ogni giorno piatti
tipici per noi, come il baccalà a ciauredda e il ragù lucano.
Unico problema: Matteo adora questi piatti, così
(*lui – mangiare*) _____ troppo e
(*stare*) _____ male due giorni, che
disastro! Domani purtroppo torniamo a Roma, ma voglio
fare presto altre vacanze qui. Basilicata... arrivederci!

7 L'intruso "delle vacanze"
Cancella l'intruso.

1. destinazione:
   mare | montagna | **bagagli** | Parigi
2. alloggio:
   pensione | casa | **fabbrica** | campeggio
3. mezzo di trasporto:
   camper | treno | **albergo** | barca
4. oggetti utili:
   occhiali da sole | **inverno** | crema solare | costume
5. periodo:
   estate | **ombrello** | marzo | settimana

SEZIONE C Una vacanza speciale

8 Combinazioni con il verbo *andare*
Scrivi le parole nella sezione giusta, come nell'esempio.

destra | lavoro | fuori | campagna | centro
Berlino | via | spiaggia | ristorante | bar
✓ teatro | scuola | casa | mare | bicicletta
cinema | dritto | Giappone | ballare

ANDARE A
teatro

ANDARE IN

ANDARE AL

ANDARE

9 Caro diario...
Sottolinea nel diario di Emma l'opzione corretta tra quelle evidenziate.

Caro diario,

sono molto stanca perché oggi sono andata con la mia classe per / **a** visitare Perugia e siamo / **abbiamo** camminato tutto il giorno. Sono stanca ma anche felice. Amo Perugia: è molto / mai bella e soprattutto è la città del cioccolato! Stamattina abbiamo preso / prenduto l'autobus molto presto (alle sei!) e io ho fatto il viaggio accanto a / sotto Elisabetta.
Siamo arrivato / arrivati a Perugia alle / verso nove, abbiamo esplorato la città a piedi / bicicletta e poi abbiamo visitato / partito la Cattedrale di San Lorenzo. Nel pomeriggio siamo andati alla Casa del Cioccolato. Qui ho fatto un disastro! Ho comprato un po' di cioccolato perché / per me e la mia famiglia ma poi / prima ho perso il sacchetto ☹ Per fortuna Elisabetta mi ha / hai dato un po' di biscotti tipici. Verso le cinque siamo partiti per tornare a casa e siamo arrivati un'ora fa / da. Ora vado a dormire perché è presto / tardi! A domani, Emma

10 Il messaggio di Carlotta
37 a Ascolta e abbina le parole come nell'esempio.

1. siamo arrivate
2. abbiamo preso subito
3. siamo andate
4. ho visto
5. siamo tornate
6. abbiamo mangiato
7. siamo andate a
8. è venuto

a. le biciclette
b. i gamberi con la polenta
c. uccelli incredibili
d. ieri mattina
e. anche Giuseppe
f. dormire presto
g. all'agriturismo
h. a fare birdwatching

b Ascolta ancora e sottolinea l'opzione corretta tra quelle evidenziate.

1. Viola e Carlotta sono arrivate al Parco del Delta del Po **alle 10:00 / alle 12:00**.
2. Al Parco del Delta del Po **c'è vento / non c'è vento**.
3. Carlotta e Viola hanno mangiato i gamberi con la polenta **per pranzo / per cena**.
4. Hanno fatto **due escursioni in bicicletta / un'escursione in bicicletta e una a piedi**.
5. Giuseppe è arrivato **ieri / oggi**.
6. Giuseppe **rimane / non rimane** con le ragazze fino alla fine delle vacanze.

11 Participi irregolari

Completa il cruciverba con i participi passati dei verbi.

ORIZZONTALI →
1. perdere
4. mettere
8. dire
9. essere
10. fare

VERTICALI ↓
2. rimanere
3. chiedere
5. scrivere
6. chiudere
7. nascere

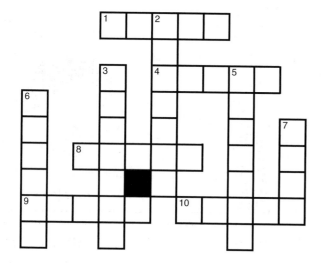

ITALIANO IN PRATICA

SEZIONE D Tanti saluti e baci

12 Una cartolina

Completa la cartolina con le parole della lista.

bella | cara | baci | poi | sono | sole
natura | scorso | il | facciamo

13 È permesso o è vietato?

Osserva i segnali e indica se le affermazioni sono vere o false.

AREA FUMATORI — IO POSSO ENTRARE — riservato ai clienti

                 V F

1. Qui posso fumare. ○ ○
2. Posso pagare in contanti. ○ ○
3. È possibile pagare solo con la carta di credito. ○ ○
4. È permesso entrare con un cane. ○ ○
5. Tutti possono usare il parcheggio. ○ ○

14 Espressioni di tempo

Ordina le espressioni dalla più lontana alla più vicina nel tempo, come nell'esempio.

ieri sera | ✓due anni fa | ieri mattina
due settimane fa | tre ore fa | sei mesi fa
un'ora fa | cinque giorni fa | l'anno scorso

più lontana ↪: 1. _____due anni fa_____

2. _____ 3. _____
4. _____ 5. _____
6. _____ 7. _____
8. _____ 9. _____

10. adesso ↩ più vicina

Castellina in Chianti, giovedì 12 luglio

_____ *Francesca,*
ti scrivo da un posto magico... la Toscana!
_____ *in viaggio con Sergio da sabato*
_____ *. Siamo stati a Firenze due giorni,*
_____ *9 luglio siamo andati a San*
Gimignano e _____ *siamo venuti qui*
in Chianti. Dormiamo in una _____
casa nella _____ *e* _____
lunghe passeggiate.
Il vino e il cibo qui sono eccezionali e c'è sempre
il _____ *. Una vacanza di vero relax!*

Vorrei vivere qui!

Tanti _____ *e a presto, Federica*

Noemi Del Prete

Via Principe Amedeo 12

70122 Bari

ITALIA 1€

VIVERE E PENSARE ALL'ITALIANA

NON HA MONETA?

TESTI: CHIARA PEGORARO
DISEGNI: VALERIO PACCAGNELLA

VAL E PIERO SONO A GENOVA.

CHE BELLA GENOVA! TU SEI ANDATO ALL'ACQUARIO?

NO, MAI. CI ANDIAMO ADESSO!

SÌ! COMPRO I BIGLIETTI DELL'AUTOBUS.

EDICOLA

DUE BIGLIETTI DELL'AUTOBUS, PER FAVORE!

50 EURO?!

EHM, SÌ...

MA DUE BIGLIETTI COSTANO 3 EURO, NON HA MONETA?

TRANQUILLO, FACCIO IO.

ATTIVITÀ

1 Secondo te, che cosa non puoi comprare facilmente in Italia con una banconota da 50 euro?

  ○ una mela   ○ un profumo   ○ uno spazzolino   ○ un panino   ○ un paio di scarpe

2 Piero usa un'espressione che in questo contesto è sinonimo di "offro io": quale? ....

3 Abbina i prodotti che comprano Val e Piero e i negozi della lista.

alimentari | edicola | bar

caffè ➡ ....   bottiglietta d'acqua ➡ ....   biglietto dell'autobus ➡ ....

SEZIONE A Facciamo festa!

1 Le feste preferite

Ecco la classifica delle feste preferite degli italiani.
Completa con le lettere mancanti.

1. ☐☐T A☐☐

2. ☐A☐Q☐☐

3. F E☐☐☐G☐☐☐O

4. ☐P I F☐☐☐I

5. ☐☐R N☐☐A☐E

www.confesercenti.it

2 Gli italiani e il Natale

Completa il testo nella colonna di destra con le parole della lista.

tipici | cellulari | per | nei | panettone | quattro
dicembre | cena | comprano | agli | lo

Albero o presepe? Fanno il presepe solo _____ italiani su dieci. L'albero di Natale, invece, ha ancora molto successo: _____ fanno circa sette famiglie su dieci. Di solito, gli italiani fanno il presepe o l'albero l'8 _____.

I regali A Natale _____ italiani piace fare shopping online (46%) o _____ grandi centri commerciali. E che cosa _____? Regali molto comuni sono giocattoli, orologi, libri, profumi, _____.

Il cibo Nel sud Italia è tradizione fare una grande _____ il 24 dicembre e aspettare la mezzanotte _____ aprire i regali.

Gli abitanti del nord Italia, invece, fanno un pranzo il 25. Non ci sono differenze per i dolci _____: per tutti sono il _____ e il pandoro.

3 Anni importanti

Scrivi la data in lettere accanto a ogni evento, come nell'esempio.

1789 | 1969 | 1492 | 1989 | ✓476 dopo Cristo | 1945

EVENTO	È SUCCESSO NEL:
1. Neil Armstrong sulla Luna	
2. fine dell'Impero Romano	*quattrocentosettantasei dopo Cristo*
3. arrivo di Cristoforo Colombo in America	
4. inizio della Rivoluzione francese	
5. caduta del muro di Berlino	
6. fine della Seconda guerra mondiale	

'ALMA.tv ▶

Guarda il video
Che giorno è? nella rubrica
Italiano in pratica.

SEZIONE B Feste popolari

4 Il carnevale in Italia

*Sottolinea la parola corretta tra quelle **evidenziate**.*

Tutti conoscono il carnevale di Venezia con le **loro / sue** eleganti maschere... ma anche nei piccoli paesi in Italia a carnevale **ci / gli** sono molti **feste / eventi** ricchi di tradizione. Ecco due esempi **nell' / all'**Italia del nord.

La "Colossale Fagiolata" di Santhià, in Piemonte, è una festa molto antica: **è / ha** nata nel 1318.
Tutto / Ogni anno 20000 persone mangiano **in / per** piazza pane, salame, vino e soprattutto fagioli.

A Sauris, in Friuli Venezia Giulia, c'è la "Notte delle Lanterne": le maschere fanno una passeggiata nella natura con la luce delle lanterne.
Poi tutti **vi / si** riposano, bevono *vin brûlé* **accanto al / sotto al** fuoco, cantano e ballano con **loro / i loro** compagni nella piazza del paese.

5 Domande e risposte

Abbina domanda e risposta. Poi completa le frasi della colonna destra con prima, volta, mai *o* dopo *(x 2).*

1. Tu e la tua famiglia quando aprite i regali?

2. La domenica andate sempre a pranzo dalla famiglia di Giorgio?

3. Avete comprato il regalo di compleanno per Amelia?

4. Venite con noi in Sicilia l'ultima settimana di agosto?

5. Com'è il carnevale di Viareggio?

a. No, lo compriamo _____.

b. Non lo so, non ci sono _____ andato.

c. Il giorno _____ di Natale.

d. No, solo una _____ al mese.

e. No, mi dispiace. _____ ferragosto dobbiamo tornare al lavoro.

6 Frasi sbagliate

In ogni frase c'è un problema: una parola sbagliata, una parola mancante, una parola nella posizione sbagliata, una parola in più... Scrivi le frasi corrette, come nell'esempio.

1. Quella è nostra casa.
   → *Quella è la nostra casa.*

2. Io e Luca andiamo in Sardegna due volte al anno: a maggio e a ottobre.
   → _____

3. Fabiana è nata 1981.
   → _____

4. Mai non ho festeggiato San Valentino. Non mi piace!
   → _____

5. Dopo di Pasqua tornate a Milano?
   → _____

6. A capodanno vado a New York, non ce sono mai stato.
   → _____

SEZIONE C La famiglia

7 I nomi dei familiari

Completa le frasi con la parola giusta.

1. Laura è la figlia di Paolo.
   → Paolo è il _____ di Laura.

2. Gianluca è il marito di Anna.
   → Anna è la _____ di Gianluca.

3. Silvana è la nonna di Ivan.
   → Ivan è il _____ di Silvana.

4. Stefania è la cugina di Dora.
   → Dora è la _____ di Stefania.

5. Delia è la zia di Alessio.
   → Alessio è il _____ di Delia.

6. Giada è la sorella di Pierpaolo.
   → Pierpaolo è il _____ di Giada.

8 La famiglia di Sara

Leggi l'intervista a Sara e scrivi l'articolo determinativo solo dove necessario.

9 Aggettivi per descrivere le persone

a *Unisci le parti e forma gli aggettivi, come nell'esempio.*

MO	ANO
MA	IANO
CAST	DO
ANZ	CO
BAS	RO
TIMI	SO
SIMPATI	GRO

b *Usa gli aggettivi del punto a per completare la lista di contrari.*

1. giovane   ><   _____
2. robusto   ><   _____
3. alto   ><   _____
4. antipatico   ><   _____
5. socievole   ><   _____

Sara è di Modena ed è la madre di Anna, Bruno e Giulio... La cosa particolare? _____ suoi figli sono nati lo stesso giorno!

Mamma di tre gemelli: la prima reazione a questa notizia?
Onestamente? Ho pensato: "E adesso?!? Come facciamo? _____ nostro mini appartamento ha solo una camera da letto!".

E il papà?
Giacomo è molto felice! Davvero.

Ci sono gemelli nella tua famiglia?
Sì. Io sono figlia unica, ma _____ mia madre ha un gemello e anche _____ mia nonna.

Come sono stati _____ tuoi primi mesi da mamma?
Be'... Ogni giorno è stato un'avventura. Tre figli sono tanti, ma per fortuna _____ loro nonni sono speciali, un vero aiuto.

Quanto è difficile andare in giro con tre bambini piccoli?
È come essere un attore famoso: tutti per strada ti fermano e vogliono vedere i gemelli. _____ miei figli sono timidi e non amano questa cosa!

Come inizia e come finisce _____ vostra giornata?
Sveglia alle 6:30. Alle 7:45 usciamo di casa. Io e _____ mio marito andiamo al lavoro, i bambini all'asilo. Nel pomeriggio d'estate giocano al parco fino alle 18:00 con _____ loro baby sitter. E alle 20:30 per loro è l'ora della buona notte! In questo modo io e Giacomo abbiamo un po' di tempo per noi.

www.flymamy.com

10 Colleghi

Carla descrive i suoi colleghi di lavoro. Completa il testo con le lettere mancanti.

Ciao! So___ Carla e lavoro ___n uno studio di architettura. M___ piace molto il mi___ lavoro perché i mi___i colleghi s___o simpatici. Siamo solo in ___ua___tro e ci conosciamo m___lt___ bene.

Il mio collega pre___eri___o è Mario, il ___stro grafico. Spesso do___o il lavoro io e lui an___ia___o a bere una b___rr___ insieme.

Al tavolo d___van___i al mio c'è Adele, una ragazza gi___van___ (h___ 23 anni) e un po' t___mi___a. È s___izzera, di Zurigo, e parl___ quattro lingue!

Poi ___'è Giovanni, un ragazzo molto sportivo che ne___ suo tempo lib___ro fa sempre gi___nast___a. Adoro Giovanni perché il lu___dì mattina porta caffè e cornetti per tutt___!

Sonia Zito invece è la dire___ric___. Ha co___i___ciato a lavorare in questo studio qua___tadue anni f___.

ITALIANO IN PRATICA

SEZIONE D Tanti auguri!

41 ▶

11 Una festa di compleanno

a *Ascolta e seleziona gli oggetti che senti.*

1

2

3

4

5

---

b *Ascolta ancora e completa con le parole mancanti.*

Dario: Ciao, Melissa, scusa, ho fatto _____!
Melissa: Dario, ciao! Ma no, sei in _____! Tanti _____!
Dario: Grazie. Questi sono per te.
Melissa: Uh... Che _____ hai portato?
Dario: Una bottiglia di _____ e un regalo: una pianta per _____ _____ nuova casa.
Melissa: Ma come, fai gli _____ tu e tu fai un regalo a me? _____! Che gentile, grazie! Prego, prego! _____! Gli altri sono in soggiorno!
...
Dario: Tutto _____, Melissa!
Melissa: Grazie. Ma la cena non è _____, eh! Ho fatto anche un _____. Arrivo subito!... Ecco qua, una torta alle _____! Voglio fare una _____ quando spegni le candeline. Siete _____ per la canzone?
Tutti: Tanti auguri a te... Tanti auguri a te... Tanti auguri a Dario, tanti auguri a teeee!
Melissa: Facciamo un brindisi con _____ _____ _____?
Tutti: Auguri! Cin cin!
Dario: _____!

'ALMA.tv ▶

Guarda il video *Tanti auguri!* nella rubrica Italiano in pratica.

12 Fare e avere

~~Cancella~~ le espressioni intruse in ogni serie, come nell'esempio.

1. **fare:** una domanda | ragione | una foto tardi | fame | gli anni

2. **avere:** ~~di Firenze~~ | caldo | colazione 22 anni | un brindisi | torto

13 Le vacanze di Natale di Linda

Decidi dove inserire nel dialogo le parole della lista. Segui l'esempio. Le parole sono in ordine.

✓ durante | viaggio | in | nel | scorso quali | posso | la | dopo | con

durante
▶ Linda, tu che cosa fai di solito le vacanze di Natale?

● Mi piace fare un e quando posso vado un posto caldo. 2015 sono andata in Argentina e l'anno in Egitto.

▶ E sono i tuoi progetti per questo Natale?

● Quest'anno non viaggiare molto. Passo il Natale con mia famiglia, qui a Parma. Ma capodanno vado tre giorni a Vienna due amici.

ERIC CORINNE NILS JUSTINE CARLOTTA FRED EMANUELA

1 Abbigliamento
Guarda la foto sopra e rispondi alle domande.

1. Chi ha una giacca rossa?

   _____

2. Di che colore è l'unica gonna nella foto?

   _____

3. Chi ha una camicia rosa?

   _____

4. Chi ha i pantaloni verdi?

   _____

5. Chi indossa qualcosa di giallo?

   _____

6. Chi porta una t-shirt arancione?

   _____

7. Chi ha una maglietta blu?

   _____

2 Domande in negozio
Immagina la domanda appropriata a queste risposte.
Sono possibili soluzioni diverse.

1. **Cliente:** _____?
   Commesso/a: 75 euro.

2. **Cliente:** _____?
   Commesso/a: No, purtroppo ci sono solo la large e la small.

3. **Commesso/a:** _____?
   Cliente: Il 37.

4. **Cliente:** _____?
   Commesso/a: Sì, del 40%.

5. **Commesso/a:** _____?
   Cliente: In genere la large.

3 Abbigliamento e colori
Completa gli aggettivi con la vocale corretta.

1. Il vestito è arancion⬜ e viol⬜.
2. La maglietta è ross⬜.
3. La camicia è bl⬜.
4. La giacca è verd⬜.
5. I pantaloni sono grig⬜.
6. La gonna è giall⬜.

4 Fare shopping
Completa il dialogo con le frasi del commesso.
Poi <u>sottolinea</u> tutti i pronomi diretti.

FRASI DEL COMMESSO
1. In verde abbiamo questi pantaloni. Le piacciono?
2. 40 euro. La vuole provare?
3. Mi dispiace, non abbiamo la Sua taglia in verde. Vuole vederla in rosso?
4. Sì, costano solo 50 euro.

Cliente: Buongiorno. Vorrei provare questa gonna verde. Porto la small.
Commesso: ⬜
Cliente: Uhm... No, grazie. Vorrei qualcosa di verde.
Commesso: ⬜
Cliente: Sì, belli. Sono in saldo?
Commesso: ⬜
Cliente: Ok, allora li prendo. E questa camicia quanto costa?
Commesso: ⬜
Cliente: Sì, grazie. La provo per vedere se va bene con i pantaloni.

SEZIONE B Fare la spesa

5 Alimentari o supermercato?

Leggi l'articolo. Poi indica se le frasi si riferiscono agli alimentari (A) o ai supermercati (S). Attenzione: una frase va bene per gli alimentari e per i supermercati.

ALIMENTARI O SUPERMERCATO: CHI VINCE?

Negli ultimi anni hanno aperto molti nuovi supermercati e hanno chiuso molti alimentari. Per i piccoli negozi di quartiere è difficile continuare a avere clienti: nei supermercati (spesso aperti dal lunedì alla domenica) trovi ogni tipo di prodotto (anche i pomodori a gennaio), i prezzi sono bassi, di solito c'è un grande parcheggio gratuito.

Ma le statistiche dicono che c'è un fenomeno nuovo: nell'ultimo mese le vendite dei supermercati sono cresciute dello 0,3%, invece quelle degli alimentari sono cresciute dell'1%.

Perché le persone hanno ricominciato a fare la spesa nei piccoli negozi di quartiere? Le ragioni sono due.

Primo: i prodotti. Gli alimentari rimasti vendono prodotti diversi da quelli del supermercato. La qualità è molto buona anche nei supermercati, ma i piccoli negozi offrono prodotti speciali, come vini e salumi di piccole aziende locali o latte e formaggi a km 0.

Secondo: le relazioni umane. Il commerciante del piccolo negozio ha tempo per dare consigli e per raccontare la storia dei suoi prodotti. Spesa dopo spesa, crea un rapporto anche di amicizia con i clienti.

www.repubblica.it

	A	S
1. Molti sono aperti tutti i giorni.	○	○
2. Sono economici.	○	○
3. Vendono prodotti di qualità.	○	○
4. Creano rapporti personali con i clienti.	○	○
5. Negli ultimi anni, molti hanno chiuso.	○	○
6. Vendono prodotti fuori stagione.	○	○
7. Vendono prodotti di piccoli produttori.	○	○

6 La spesa

Trova nel crucipuzzle le parole della lista. Le parole sono in orizzontale → o in verticale ↓. Poi scrivi le parole nella categoria giusta, come nell'esempio.

✓ MELE | ETTO | PROSCIUTTO | LITRO
CACIOTTA | FORNO | GRAMMO | MACELLERIA
UOVA | CHILO | ALIMENTARI

A	L	L	A	B	I	A	M	E	L	E	E
D	F	E	L	I	P	R	A	T	T	O	R
D	O	B	I	N	R	E	C	H	I	L	O
G	R	A	M	M	O	F	E	G	G	I	A
E	N	N	E	S	S	E	L	B	E	T	O
C	O	U	N	E	C	E	L	I	A	R	E
O	T	U	T	T	I	L	E	T	T	O	R
U	O	V	A	F	U	R	R	A	R	B	I
V	I	O	R	E	T	T	I	L	A	E	M
C	A	C	I	O	T	T	A	M	I	C	O
A	M	B	A	D	O	S	S	I	P	A	L

UNITÀ DI MISURA

NEGOZI

ALIMENTI

mele

7 In un alimentari

Decidi dove inserire nel dialogo le parole della lista, come nell'esempio. Le parole sono in ordine.

✓ dica | stagionato | altro | confezione
assaggiare | Le | etti | la | basta

dica
▸ Buongiorno, mi.
● Volevo un etto di quel formaggio.
▸ Bene. Vuole?
● Sì, vorrei anche una di uova e due litri di latte.
▸ Latte e uova... D'accordo.
● Senta, posso quella caciotta romana?
▸ Certo, ecco qui... piace?
● Sì, molto buona. Quanto pesa?
▸ Tre.
● Va bene, grazie. Prendo.
▸ È tutto?
● Sì, così grazie.

> 'ALMA.tv ▸
> Guarda il video *Quanto ne vuole?* nella rubrica *Italiano in pratica.*

SEZIONE C Al mercato

8 I mercati di Padova

Sottolinea l'opzione corretta tra quelle evidenziate.

PALAZZO DELLA RAGIONE

Nel centro di Padova **c'è / ci sono** molti mercati tradizionali **quando / dove** puoi comprare di tutto: cibo, fiori, piante, abbigliamento e anche prodotti esotici. Questi mercati **hanno / sono** pieni di gente: turisti, ma soprattutto padovani che non amano fare la spesa al **supermercato / alimentari** e preferiscono venire qui.

Piazza delle Erbe

Un mercato molto famoso dove puoi comprare frutta, verdura e fiori. Tutti prodotti di alta qualità a **orari / prezzi** economici.
Orari: **dal / del** lunedì al venerdì dalle 7:30 alle 13:30, il sabato **fino alle / durante le** 20.

Piazza dei Signori

In questo mercato non trovi cibo, ma puoi comprare abbigliamento, **borse / olive**, piante e fiori.

Sotto il Salone

Un mercato bellissimo e molto antico (ha 800 anni!), nel Palazzo della Ragione. Qui trovi molti negozi dove comprare prodotti **tipici / tipichi** locali (carne, pesce, formaggio, pasta, dolci e vini). Ci sono anche bar **a / per** fare un aperitivo, uno spuntino o bere un caffè.

9 Parole per cucinare

Abbina parole e immagini.

pentola | **tagliare** | **burro** | **padella** | **forchetta**
versare | **cucchiaio** | **assaggiare**

> 'ALMA.tv ▸
> Guarda il video *Insalata caprese* nella rubrica *L'italiano per la cucina.*

10 Una ricetta al giorno

74 ▶

Ascolta e completa la ricetta con le parole mancanti.

Benvenuti a "Una ricetta al giorno"!
Oggi parliamo di una ricetta facile e
_____ : gli spaghetti aglio,
_____ e peperoncino.
Per prepararla ci vogliono
solo _____ minuti e
_____ ingredienti.
Per 4 persone servono 350
_____ di spaghetti, due spicchi d'aglio,
due peperoncini, sale e due _____ di olio
extravergine di oliva.
Allora, vediamo che cosa fare per preparare la
nostra pasta. Prima di tutto, metto sul fuoco una
_____ con molta acqua (almeno 4 litri) e con
un po' di _____ . Quando l'acqua bolle, metto
gli spaghetti a cuocere (attenzione, _____
essere al dente!) e intanto preparo il condimento.
Taglio a piccoli pezzi l'aglio e il peperoncino.
Metto l'olio in una _____ e quando è
_____ metto anche l'aglio e il peperoncino.
Dopo pochi minuti _____ versare gli spaghetti
nella padella.
Giro bene... e sono già pronti! Hmm... Buonissimi!

ITALIANO IN PRATICA

SEZIONE D Serviamo il numero 45.

11 Annunci

Sottolinea la parola giusta tra quelle evidenziate.

1

3 X 2

Oggi offerta su
cereali e muesli:

paghi 2 e
offri / prendi / spendi 3!

2

SCONTI DI FINE ESTATE!
Collezione primavera-estate
uomo **da / in / a** offerta.
Sconti dal 30% al 50% su
maglioni / gonne / costumi,
magliette, occhiali e scarpe.

3

Vuoi / Vorrei / Vuole rinnovare il tuo stile
in modo ecologico? Ti diamo un buono
da 5 € per ogni **vecchio / anziano** capo di
abbigliamento. **Fai / Hai / Usi** tempo fino
il / - / al 31 dicembre!

12 Al supermercato

Completa il testo con le parole della lista.

cassa | lista | resto | carta | spazio | conto
contanti | carrello | solo | sacchetti | offerte

La spesa intelligente

A casa faccio una _____ delle cose che devo
comprare.
Prendo sempre un _____ piccolo, così non
c'è _____ per le cose inutili.
Guardo le _____ ma riempio il carrello
_____ con le cose della lista.
Per fare la fila scelgo una _____ lontana,
perché di solito ci sono meno persone.
Porto sempre i _____ da casa, così non li
devo pagare.
Lascio la _____ di credito a casa e pago in
_____ , così non posso spendere troppo.
Alla fine non dimentico di prendere il _____
e controllo sempre il _____ .

13 Combinazioni con verbi

~~Cancella~~ l'intruso.

1. pagare: **alla cassa | in contanti | in offerta
   il conto**

2. riempire: **il resto | il carrello | i sacchetti
   la borsa**

3. prendere: **il resto | in contanti | il carrello
   l'autobus**

4. assaggiare: **il pecorino | la taglia | le olive
   il prosciutto**

5. fare: **la fila | la lista della spesa
   alla cassa | un brindisi**

6. comprare: **il vestito | le mele | il conto | le scarpe**

14 Risposte logiche

Seleziona la risposta logica.

1. Quella caciotta quanto pesa?
   ○ 3 etti. | ○ 1 litro.

2. C'è la small di questa gonna?
   ○ Sì, in rosso e in bianco. | ○ Sì, io porto la small.

3. Quanto viene al chilo quel pecorino sardo?
   ○ 1 chilo e mezzo. | ○ 18 euro.

4. Vuole un sacchetto?
   ○ No, grazie.
   ○ Volevo un etto di quel prosciutto crudo.

5. Quanto viene quel maglione?
   ○ Sono 22 euro di resto. | ○ 30 euro. È in offerta.

6. In totale sono 46 euro e 90.
   ○ Posso pagare con la carta? | ○ Basta così.

VIVERE E PENSARE ALL'ITALIANA

A TAVOLA: SÌ O NO?

TESTI: CHIARA PEGORARO
DISEGNI: VALERIO PACCAGNELLA

ATTIVITÀ

1   Per Piero quali sono le regole giuste (✓) o sbagliate (✗) quando mangi in Italia?

	✓	✗
1. mettere il formaggio sul pesce	○	○
2. bere caffè alla fine del pasto	○	○
3. mangiare zucchine come contorno	○	○
4. mangiare pizza e pasta insieme	○	○
5. prendere un'insalata di polpo come antipasto	○	○
6. cominciare o finire il pasto con un cappuccino	○	○

2   Quale espressione usiamo quando cominciamo a mangiare? Risolvi l'anagramma.

O U N B   O P I A T E P T ! = ☐☐☐☐ ☐☐☐☐☐☐☐☐ !

Lavori: pro e contro

1 Professioni: vantaggi e svantaggi

a *Completa le descrizioni dei vari lavori con le espressioni della lista.*

fare | durante | non leggono | hanno fretta
poco | dove voglio | in piedi | soprattutto
stare chiuso | quando | molto

1.

Aspetti positivi:

posso ascoltare la radio _____ lavoro
e non devo _____ in un ufficio tutto
il giorno!

Aspetti negativi:

quando c'è traffico, il mio lavoro è terribile,
soprattutto se i clienti _____! Torno a
casa _____ nervoso.

2.

Aspetti positivi:

mi piace aiutare le persone, _____
gli anziani.

Aspetti negativi:

spesso devo lavorare di notte e anche
_____ le feste nazionali.

3.

Aspetti positivi:

posso parlare con i clienti e ogni mattina faccio
colazione gratis!

Aspetti negativi:

odio stare _____ tutto il giorno.

4.

Aspetti positivi:

adoro _____ un lavoro creativo,
artistico. Un'altra cosa bella è che posso lavorare
_____: a casa, al parco, in viaggio.

Aspetti negativi:

oggi le persone _____ molto e io...
guadagno _____!

b *Adesso abbina le professioni e le descrizioni del punto precedente. Attenzione: c'è una foto in più.*

infermiere: _____   barista: _____

tassista: _____   segretaria: _____   scrittore: _____

2 Un traduttore

Sottolinea l'opzione giusta tra quelle **evidenziate.**

Sono Leonardo e faccio - / **il** traduttore **per** / **da**
dieci anni.
Ho studiato lingue, ma il mio inglese non **eri** / **era**
molto buono quando ho finito **di** / **a** studiare
all'università. Così, a 24 anni, sono andato **a** / -
vivere **in** / **a** Irlanda e **ci** / **lì** il mio inglese è migliorato
molto.
A Dublino ho cominciato **di** / **a** tradurre testi scientifici
dall'inglese all'italiano per un'**amico** / **azienda**.
Poi **ho** / **sono** tornato in Italia e ho continuato **a** / **di**
fare questo lavoro come freelance.
Il mio lavoro mi piace molto perché imparo
molto / **molte** cose quando traduco e **posso** / **devo**
lavorare quando e dove voglio.

3 Un'intervista sul lavoro
Completa l'intervista con gli elementi della lista.

perché | a quanti | com' | che cosa
da quanto | che cosa | che tipo

▶ _____ di lavoro fa?

● Un lavoro intellettuale.

▶ Ah. _____ fa di preciso?

● L'insegnante di matematica.

▶ _____ anni ha cominciato a lavorare?

● A 28.

▶ E _____ tempo insegna?

● Da 20.

▶ _____ era all'inizio in classe?

● Molto nervosa.

▶ _____ ?

● Perché sono una persona timida.

▶ _____ Le piace del Suo lavoro?

● La relazione con gli studenti.

SEZIONE B Malesseri e rimedi

4 Disturbi
Abbina frasi e immagini, come nell'esempio.

1. Mi fa male un dente.
2. Ho mal di schiena.
3. Ho mal di stomaco.
4. Mi fa male la testa.
5. Ho problemi al ginocchio.
6. Ho la tosse.
7. Ho mal di gola.
8. ✓ Ho la febbre.

a
b

c
d 8

e
f

g
h

---

5 Disturbi e consigli
Abbina disturbo e consiglio. Poi in ogni consiglio <u>sottolinea</u> *l'opzione giusta tra quelle* **evidenziate**.

DISTURBI	CONSIGLI
1. Non vedo bene da lontano.	a. Vuoi venire a fare yoga con me? Può essere **utile / soluzione** per rilassarsi.
2. Mi fa male un ginocchio e non posso fare sport.	b. Devi portarlo subito **dal / al** medico di famiglia.
3. Mio figlio ha la febbre alta. Che cosa devo fare?	c. Sei andato dall'**occhiale / oculista**?
4. Sono molto stressato in questo periodo.	d. Ecco il numero di un otorino che gli può dare un **efficace / aiuto**.
5. A mio figlio fanno male le orecchie.	e. Mio padre fa l'ortopedico, può **darti / darvi** consigli utili.

6 Istruzioni contro lo stress da lavoro
Completa il testo con le parole della lista.

aiuto | piedi | rilassarsi | utile | calda | rispondere
corpo | parenti | problema | primo | piace | corsi
soluzione | notti | ufficio | svegli

Stressato per il lavoro? Ecco che cosa fare.

1. Il _____ consiglio è molto semplice: dormire molto, almeno 7-8 ore, tutte le _____. In questo modo, ti _____ pieno di energie per vivere bene la giornata.

2. Fuori dall'_____, basta lavoro! Non devi _____ al telefono e controllare le mail tutto il giorno.

3. Può essere un _____ parlare a qualcuno (agli amici, ai _____ o a uno psicologo) del tuo stress. Non sei l'unica persona che si sente così: il tuo _____ è molto comune.

4. Meditare è una _____ efficace per _____. In tutte le città ci sono _____ per imparare a farlo, devi provare!

5. Fare sport è molto _____. Lo sport non fa bene solo al _____, ma anche alla mente. Non ti piace fare ginnastica? Allora puoi andare al lavoro a _____.

6. Quando torni a casa dal lavoro, è importante fare una cosa che ti _____: vedere un amico, fare una doccia _____, leggere un libro...

SEZIONE C Rallentare

7 Parole in disordine
Ordina le parole e forma le frasi del testo.

UNA VITA SANA E FELICE?
ECCO 6 SEMPLICI CONSIGLI PER STARE BENE.

1. a | bicicletta | va' in | ufficio | piedi | o in
   ➡ _____ .

   È un modo semplice e pratico per fare esercizio fisico.

2. guardare | la | sera tardi | non | televisione la
   ➡ _____ .

   Fa male agli occhi e non aiuta il riposo.

3. i | fa' | con | amicizia | colleghi
   ➡ _____ .

   Passi con loro molte ore al giorno!

4. ritmo | tua | rallenta | il | della | giornata
   ➡ _____ .

   Fa' una pausa la mattina e una pausa il pomeriggio.

5. stare | yoga | aiuta | bene | lo | a
   ➡ _____ .

   È l'attività perfetta per rilassare il corpo e la mente.

6. due | leggi | anno | minimo | all' | libri
   ➡ _____ .

   Leggere è una vera pausa dallo stress della giornata!

8 Vivi sano!
Coniuga i verbi tra parentesi all'imperativo con tu, come negli esempi.
Attenzione: alcuni verbi sono nella forma <u>negativa</u>.

Consigli per vivere sani, felici e a lungo

1. (*Mangiare*) _____ molta frutta e verdura. Quando fai la spesa, (*comprare*) _____ prodotti biologici e (*tenere*) <u>non tenere</u> in casa *junk food*!

2. (*Bere*) _____ minimo 1,5 litri di acqua al giorno e (*bere*) _____ alcolici e bibite dolci tutti i giorni.

3. (*Dormire*) _____ molto e (*andare*) _____ a letto sempre alla stessa ora.

4. (*Trovare*) _____ il tempo di fare ginnastica almeno 2 volte alla settimana, ma (*rispettare*) _____ i tuoi ritmi: se è la prima volta che corri, (*correre*) _____ per un'ora! (*Cominciare*) _____ con una corsa di 10 minuti.

5. (*Camminare*) _____ all'aperto tutti i giorni, da solo o con un amico.

6. (*Seguire*) _____ le tue passioni. Nel tempo libero (*fare*) _____ le cose che ti piacciono veramente e (*essere*) _____ curioso: (*prova*) _____ anche nuove esperienze.

9 Una posizione yoga

48 ▶ *Decidi dove inserire nel testo le parole della lista. Segui l'esempio. Le parole sono in ordine. Poi ascolta e verifica.*

✓**bene** | **non** | **alle** | **il** | **difficile**
devono | **a** | **fine** | **da** | **piedi**

bene ↘

Questa posizione in piedi è molto importante perché fa
alle gambe, alla schiena e alle braccia. Attenzione: fare
questo esercizio se hai problemi gambe.
Va' piano e segui le istruzioni passo dopo passo.
Prima rilassa corpo, respira... Sei pronto? Cominciamo.
Apri le gambe, a circa un metro e mezzo. Se per te è, va
bene anche 1 metro.
Apri anche le braccia... Fa' attenzione: le braccia essere
molto aperte.
Adesso gira il piede sinistro sinistra, poi piega il
ginocchio sinistro. Alla gira la testa a sinistra e guarda
davanti a te.
Rimani nella posizione per un minuto. Se pratichi yoga
molto tempo, anche per 2 minuti. Respira. Torna in e poi
ripeti la posizione a destra.

ITALIANO IN PRATICA

SEZIONE D   Ho bisogno di qualcosa di forte.

10 Risposte logiche in farmacia

Seleziona le due risposte logiche.

1. Da quanto tempo ha questo dolore?
   ○ Una settimana fa.
   ○ Da ieri.
   ○ Da un po'.

2. Le fa molto male sempre?
   ○ Solo la mattina.
   ○ No, solo ogni tanto.
   ○ Ha ragione.

3. Buongiorno. Di che cosa ha bisogno?
   ○ Volevo qualcosa contro il mal di stomaco.
   ○ Faccio come dice Lei.
   ○ Il mio dottore mi ha consigliato questo farmaco.
     Lo avete?

4. Che cosa mi può dare per il mal di schiena?
   ○ Le consiglio questo farmaco naturale, è molto
     efficace.
   ○ Uhm... Prima deve andare dal medico per capire
     che tipo di problema ha.
   ○ Ha bisogno di un oculista.

11 Prodotti in farmacia

*Trova nella pubblicità i sinonimi (=) e i contrari (><)
delle parole della lista, come nell'esempio.
Le parole sono in ordine.*

una soluzione	=	_____
forte	=	_____
vecchia	><	*nuova*
anziano	><	_____
ingredienti	=	_____
pessima	><	_____
medicine	=	_____

FARMACIA LONGO

Una pelle perfetta

Prova la crema BELLISSIMA, un rimedio
potente, di nuova generazione, contro i segni
del tempo. Ti regala subito un viso giovane e
luminoso.

composizione: 99% origine naturale, con olio
di Argan e aloe vera

eccellente per le pelli delicate e sensibili

Crema BELLISSIMA

*Questa settimana sconto del 15% su:
prodotti cosmetici e farmaci per la pelle.*

ZOOM GRAMMATICALE

ARTICOLI

INDETERMINATIVO

maschile	un	un	uno
femminile	una	un'	

DETERMINATIVO

	singolare	plurale
maschile	il	i
	l'	gli
	lo	
femminile	la	le
	l'	

NOMI (SOSTANTIVI)

NOMI IN -O/-A

	singolare	plurale
maschile	libro	libri
femminile	penna	penne

NOMI IN -E

	singolare	plurale
maschile	cane	cani
femminile	chiave	chiavi

AGGETTIVI

GRUPPO 1

	singolare	plurale
maschile	piccolo	piccoli
femminile	piccola	piccole

GRUPPO 2

	singolare	plurale
maschile	grande	grandi
femminile	grande	grandi

PRONOMI

soggetto	diretti	indiretti
io	mi	mi
tu	ti	ti
lui / lei / Lei	lo / la / La	gli / le / Le
noi	ci	ci
voi	vi	vi
loro	li / le	gli

POSSESSIVI

SINGOLARE		PLURALE	
maschile	femminile	maschile	femminile
il mio	la mia	i miei	le mie
il tuo	la tua	i tuoi	le tue
il suo	la sua	i suoi	le sue
il nostro	la nostra	i nostri	le nostre
il vostro	la vostra	i vostri	le vostre
il loro	la loro	i loro	le loro

PREPOSIZIONI

SEMPLICI

a	Quando vai a Roma?
da	John viene da New York.
di	Abito a Milano, ma sono di Roma.
in	Karl è nato in Germania.
con	Oggi studio con Giulia.
per	Abbiamo un regalo per te.
su	Ho lasciato il cellulare su un tavolo in classe.
tra	Il bar è tra la farmacia e la banca.

ARTICOLATE

	il	lo	l'	la	i	gli	le
di	del	dello	dell'	della	dei	degli	delle
a	al	allo	all'	alla	ai	agli	alle
da	dal	dallo	dall'	dalla	dai	dagli	dalle
in	nel	nello	nell'	nella	nei	negli	nelle
su	sul	sullo	sull'	sulla	sui	sugli	sulle

INTERROGATIVI

Che...?	Che ore sono?
Che cosa...?	Che cosa prendi da bere?
Come...?	Come ti chiami?
Dove...?	Dove abiti?
Di dove...?	Di dove sei?
Perché...?	Perché studi italiano?
Quale...? / Quali...?	Quale albergo preferisci?
Quanto...? / Quanta...?	Quanto zucchero vuoi?
Quanti ...? / Quante...?	Quante lingue parli?
Quando...?	Quando parte il treno?

AVVERBI

bene >< male

molto >< poco

sempre
v
spesso
v
qualche volta
v
raramente
v
mai

ZOOM GRAMMATICALE

VERBI

VERBI REGOLARI

	-ARE	-ERE	-IRE	-IRE
io	abito	prendo	dormo	finisco
tu	abiti	prendi	dormi	finisci
lui/lei/Lei	abita	prende	dorme	finisce
noi	abitiamo	prendiamo	dormiamo	finiamo
voi	abitate	prendete	dormite	finite
loro	abitano	prendono	dormono	finiscono

VERBI IRREGOLARI

	AVERE	ESSERE	FARE
io	ho	sono	faccio
tu	hai	sei	fai
lui/lei/Lei	ha	è	fa
noi	abbiamo	siamo	facciamo
voi	avete	siete	fate
loro	hanno	sono	fanno

	ANDARE	VENIRE	USCIRE
io	vado	vengo	esco
tu	vai	vieni	esci
lui/lei/Lei	va	viene	esce
noi	andiamo	veniamo	usciamo
voi	andate	venite	uscite
loro	vanno	vengono	escono

	POTERE	VOLERE	DOVERE
io	posso	voglio	devo
tu	puoi	vuoi	devi
lui/lei/Lei	può	vuole	deve
noi	possiamo	vogliamo	dobbiamo
voi	potete	volete	dovete
loro	possono	vogliono	devono

	SAPERE	DIRE	BERE
io	so	dico	bevo
tu	sai	dici	bevi
lui/lei/Lei	sa	dice	beve
noi	sappiamo	diciamo	beviamo
voi	sapete	dite	bevete
loro	sanno	dicono	bevono

VERBI RIFLESSIVI

	SVEGLIARSI
io	mi sveglio
tu	ti svegli
lui/lei/Lei	si sveglia
noi	ci svegliamo
voi	vi svegliate
loro	si svegliano

PASSATO PROSSIMO

	AUSILIARE *AVERE*	AUSILIARE *ESSERE*
io	ho mangiato	sono andato/a
tu	hai mangiato	sei andato/a
lui/lei/Lei	ha mangiato	è andato/a
noi	abbiamo mangiato	siamo andati/e
voi	avete mangiato	siete andati/e
loro	hanno mangiato	sono andati/e

verbi con ausiliare *ESSERE*:
andare, arrivare, entrare, essere, nascere, partire, rimanere, stare, tornare, uscire, venire

PARTICIPIO PASSATO REGOLARE

-ARE → -ato   -ERE → -uto   -IRE → -ito

PARTICIPIO PASSATO IRREGOLARE

APRIRE → aperto   **BERE** → bevuto
CHIEDERE → chiesto   **CHIUDERE** → chiuso
DIRE → detto   **ESSERE** → stato
FARE → fatto   **LEGGERE** → letto
METTERE → messo   **PERDERE** → perso
PRENDERE → preso   **RIMANERE** → rimasto
SCRIVERE → scritto   **VEDERE** → visto
VENIRE → venuto

IMPERATIVO CON TU

VERBI REGOLARI
-ARE → guarda   -ERE → leggi
-IRE → apri   -IRE → finisci

VERBI IRREGOLARI
AVERE → abbi   **DIRE** → di'
ESSERE → sii

VERBI CON DOPPIA FORMA
ANDARE → va' / vai   **DARE** → da' / dai
STARE → sta' / stai   **FARE** → fa' / fai

ALMA Edizioni | DIECI